JN117860

地域資源入門

再生可能エネルギーを
活かした地域づくり

大友詔雄

自治体研究社

まえがき
――歴史的転換点の押さえ――

「2050年CO_2排出ゼロ」を掲げたパリ協定の制定とSDGsの世界的潮流の中で、コロナウイルス感染症のパンデミックによる新しい社会への舵取りも重なって、いま世界は大きな転換期を迎えようとしています。この歴史的大転換を促進させる駆動力は、化石エネルギーから自然エネルギー（再生可能エネルギー：以下再エネとします）にシフトする中で強まることに間違いありません。

本書の目的

著者は12年前に、『自然エネルギーが生み出す地域の雇用』（2012年）[1)] をまとめる機会を得ました。そのp.90～p.97に以下のように記載しました。

①必要なことは、地域資源を全面的に利活用すること、そのための個別技術の開発と同時に、地域社会の再構築を目指す基本計画・基本構想を作り上げ、その実現を促す地域社会の価値観を醸成することである。そのための自治体の政策づくりが緊急に求められている。

②太陽エネルギー・風力エネルギー・水力エネルギー・バイオマスエネルギー等の食料生産の場に確実に存在する自然エネルギーの発掘・再発見・再認識の作業。この作業は、地域の宝もの探しと言って良い。

③構想は、あらゆる地域資源を徹底的に使い切る視点で、広く、大きく、あらゆる関連性を含める。

④地域の仕組みづくりとして、全体計画にしっかりと位置づけて着実に進める。

⑤こうした一連の作業は、地域の仕組づくりとしての地域住民の主体的関わりと地域全体を俯瞰する視点が無いと机上の空論に終わる。

⑥日本方式の構造的変革の目標は、外国依存を脱し自給体制（循環社会）の

構築にある。ここで注目すべきものは、どの地域にも遍く存在する自然エネルギー（「再生可能エネルギー」と同義と見なしています）である。今私たちが直面している前述の課題は、自然エネルギーを有効に活用することによって、その解決への糸口が見えてきている。その意味では、今正に歴史的転換点に立っている。

本書で明らかにする内容は、これらのこの10年間の具体的展開です。その中で、改めて「地域資源」とは何かを明らかにすることの重要性を感じました。このことが、本書を執筆することになった動機でもあります。

追い風をうけている再エネ

地球温暖化、新型コロナウイルス感染症の蔓延、そしてロシアのウクライナ侵攻、等々、いろいろな“想定外”とも言うべき事態が続発する中ですが、再エネは追い風を受けています。

特に、疫病の蔓延が人類の歴史の転換を進めることになった過去の事例もあり、コロナ禍は新しい社会への移行を促進することになるのではないかと思いました。確かに、コロナ禍は、これまでの労働環境を激変させ、生活様式の変更を押し進めました。

更には、ウクライナの戦争は、エネルギーと食料の地産地消の重要性を際立たせています。

国内の動きでは、多くの自治体が相次いで「2050年までにCO_2排出実質ゼロ」を表明するに至っています。2023年12月末時点で全国1,013自治体が宣言しています[2)]。

求められている科学的・技術的到達水準の正しい認識に基づく取組

こうした「カーボンゼロ」の趨勢の中、自治体職員や地方議会の議員、地域のリーダー、あるいは将来の地域を支える若者達から、「地域に資源が無い」、「技術的な判断ができない」等の声が上がっています。

再エネ化・脱炭素化を進め、地域再構築の先頭に立つべき人々が、再エネにつながる地域資源の存在と活用する科学的・技術的到達水準に正しい認識を持つことが求められています。

取り分け現在、「新しい時代に入りかけている」とか、「化石燃料文明から自然エネルギー文明」の移行であると言われている中で、これまでの常識や判断が通用せず、頭を切り替えて取組を進める必要があります。

「地域資源」の発掘・再発見・再認識に不可欠な再エネ技術の知識

では、「再エネ」は、これまで使われてきた「化石燃料」とは一体何が違うのでしょうか。この最も根源的な問いに答えることが必要です。

結論を言えば、石炭・石油・天然ガスのような「化石燃料」は使えば無くなる（枯渇性）に加えて、エネルギー化に際してCO_2を放出する“燃焼過程”（化学反応過程）を経なければならないのですが、太陽光発電や風力発電のような「再エネ」は太陽が輝く限り持続する（再生可能性）に加えて、「物理過程」であり、また再エネの究極の燃焼過程はCO_2を増加させず、環境に負荷を与える物質の排出を伴わない方法です。ここに再エネの、これまでの常識とは違った、科学的・技術的な要素があります。

更に、再エネは多種多様であり、再エネにつながる地域資源の存在と活用には、それぞれに対する科学的・技術的到達水準に対する正しい認識をもつことが重要になります。

換言すれば、「地域資源」の発掘・再発見・再認識には、再エネ及び地域資源に関する科学と技術についての知識が不可欠となるのです。

こうした認識を持つことで、どの地域にも枯渇することの無い資源が有り余るほどあり、その資源をエネルギー化する技術的も既に十分整っていて、永続的に地域に定住することを可能にするという、地域社会の持続的発展の見通しが持てるようになってくるのです。

本書をまとめる問題意識、課題意識は、正にこの点にあります。

本書の内容

「地域資源」の発掘・再発見・再認識そして活用には、再エネ技術及びそれを支える科学的・技術的知識が不可欠であることから、再エネの技術と科学について、可能な限り最新の学術論文・報告書に基づき、再エネの根源である地域資源の存在とその地域資源の再エネ化の技術的到達点、将来の可能性、発展性（イノベーション）を具体的に見て行きます。将来の可能性は、技術の科学的基礎、原理・原則を踏まえて、到達水準を示すことで、見通せるものです。

とりわけ、「物事の本質はその最初にある」との思いから、各章の最初にそれぞれの簡単な歴史にも触れました。

そして「地域資源」を役立てる考え方として「インフラ」の意味を明らかにし、地域資源とインフラとを一体的にとらえる視点を整理しました。

再エネ技術については、電気と熱を同時に発生・利用できるコージェネレーション（熱電併給）技術として利用できる太陽エネルギーとバイオマスエネルギーを中心に紹介し、関連する事項ももれなく触れ、また地域にとってどのような意義があるか、特に雇用創出効果についても言及しました。

本書の表題・副題

「地域資源」なるものについて、本書のように徹底的にこだわった例はあまりないと思われましたので、先ず本書で「地域資源」について知ってもらい、その「地域資源」を地域に住む人々に役に立つものにして欲しいとの思いから、本書の表題を「地域資源入門」としました。

「入門」は、誰もが知る必要があるための、正に、入門であって、「展開はこの先にある」、と思ったからです。

そして更に「地域資源」は、「再生可能エネルギー」として活用することによって、最も地域づくりに貢献するとの思いから、副題を「再生可能エネルギーを活かした地域づくり」としました。

本書を手にして読んで頂きたいのは、①地方自治体の職員・議員の皆さん、②地域のステークフォルダーの皆さん、そして③研究者・大学院生・学生の皆さんです。

また、高校生や中学生の若い方々にも読んで頂けるように配慮したつもりです。

叙述に当っては、①学術研究論文・専門図書、②自らの実践的経験で得た知識や情報、③公的機関の報告書、④補助事業の報告書、等の根拠に基づいて記述することに心がけ、独断を避けたいと考えて執筆しました。

本書をまとめるにあたって、前書以来10年間、多くの地域で、講演やセミナーの講師を務め、数々の貴重な地域情報を得ることが出来ました。関係した自治体の職員の皆様、民間企業や一般住民の皆様との出会いがなければ本書は出来上がらなかったと思います。また今回の出版には、自治体研究社の高橋真樹さんに大変お世話になりました。これらの皆様に、一言お礼を申し述べたいと思います。

1）『自然エネルギーが生み出す地域の雇用』（大友詔雄、自治体研究社、2012年）

2）「地方公共団体における2050年二酸化炭素排出実質ゼロ表明の状況」（環境省）
https://www.env.go.jp/policy/zerocarbon.html

目　　次

第1章

時 代 認 識

(1) 再エネへの転換の歴史的位置づけ

1) リフキンの言う「第3次産業革命」

現在世界的規模で展開されている再エネへの転換の歴史的位置づけを、ジェレミー・リフキンの見解から見てみます[1)]。

リフキンは、歴史における大転換の内容を、通信、エネルギー（動力）、運搬の3側面から整理して、現在は第3次産業革命としています。

このことについて、リフキンは、次のように述べています。

「歴史における大きな経済的転換には共通点があり、それは通信手段、動力源、運搬機構という三つの要素を必要として、これら三つの要素が相互に作用することで、システム全体がうまく機能する、…通信やエネルギー、移動インフラが新しくなれば、社会の時間的・空間的方向性、ビジネスモデル、管理・運営のパターン、構築環境、居住空間、そして物語のアイデンティティも新しくなる」、即ち、社会が変わる、産業革命が進展する。「要はインフラだ！」としています。

「第1次産業革命では中心地と中心地を結ぶ鉄道輸送が可能になった結果、人口の密集した都市の構築環境が生れ、第2次産業革命では、州間高速道路網に沿って大きく広がる郊外型の構築環境が生れた。そして第3次産業革命では、既存であれ新築であれ、居住用か商業用、あるいはその他のものであれ、すべての建物はIoTの網目構造に埋め込まれたゼロ炭素のスマートな接続点やネットワークとなるのだ。接続点としての建物はすべてIoTのインフ

表1－1　歴史における大きな経済的転換

	通信手段	動力源	運搬機構
第1次産業革命（19世紀）	蒸気機関で稼働する印刷機、電報	豊富な石炭	蒸気機関車による鉄道システム
	・中心地と中心地を結ぶ鉄道輸送→人口の密集した都市の構築環境		
第2次産業革命（20世紀）	電話、TV	集中型電気、安価な石油	内燃機関搭載の自動車、道路網
	・州間高速道路網→郊外型の構築環境		
第3次産業革命（21世紀）	デジタル化コミュニケーション＝インターネット	再生可能エネルギー（太陽光・風力）	デジタル化輸送／ロジステック、自動化電気自動車
	・IoTの網目構造に埋め込まれたゼロ炭素のスマートな接続点（ノード）やネットワーク ・数兆個のセンサーが人間と自然環境を結び付け（IoT）、地球規模のインテリジェント・ネットワークが出現 ・環境に優しい（グリーン）デジタル経済において、ある一定の財やサービスの限界費用はゼロに近づき、資本主義システムは根本的な変革を余儀なくされる		

『グローバル・グリーン・ニューディール』p.20～p.22、p.104より、著者作成

ラにつながり、分散データセンターとして、自然エネルギーのマイクロ発電所や電力の貯蔵所として、そしてスマートでグリーンなアメリカの経済活動を管理し、動力を管理し、動力を提供して輸送／ロジステックスの拠点としての役目を果たす。

建物はもはや、壁で囲まれた受動的な私的空間ではなくなり、再エネやエネルギー効率、エネルギー貯蔵、電動化されたモビリティ、そして幅広い経済活動を居住者の裁量によって互いに共有する能動的な存在物となる。だがデジタル化されたインフラを敷設するには、まずすべての建物を脱炭素化することが最優先となる。」

表1－1は、以上のリフキンの主張を著者が整理したものです。

ジェレミー・リフキン（Jeremy Rifkin）のプロフィール

文明評論家。過去3代の欧州委員会委員長。メルケル独元首相をはじめ、世界各国の首脳・政府高官のアドバイザーを務める。また、合同会社 TIR コンサルティング・グループ代表として、ヨーロッパとアメリカで協働型コモンズおよび IoT インフラづくりに寄与する。1995年よりペンシルヴェニア大学ウォートンスクールの経営幹部教育プログラムの上級講師。著書『ヨーロピアン・ドリーム（The European Dream）』は Corine International Book Prize 受賞。広い視野と鋭い洞察力で経済・社会を分析し、未来構想を提示する手腕は世界中から高い評価を得ている。

2) 第3次産業革命のパラダイム
――要はインフラだ――

先に指摘したように、歴史における大きな経済的転換には通信手段、動力源、運搬機構という三つの要素を必要とするという共通点があることを紹介しました。これらの要素が相互に作用することで、システム全体がうまく機能しなければ、経済活動も社会活動も、通信なしには管理ができず、エネルギーなしには動力が供給できず、輸送とロジステックスなしには移動できません。

今正に新しいエネルギーと移動インフラをもたらす科学的・技術的発展とそれを支える社会的・経済的発展が世界的に進んだということです。

技術の歴史的被制約性

社会発展とエネルギー利用の変遷の対応を見ると、あたかもエネルギー利用（動力手段とエネルギー源）の選択によって、歴史の発展が規定されているかのようである。しかし、これは正しくはない。エネルギーというのは、その時代の発展段階に応じて選択されるものである。これは、技術一般について「技術の歴史的被制約性」と言われていることである。即ち、技術は本質的に社会的、歴史的に制約されている。技術学的な面に限って言えば、技術は科学及び技術の歴史的発展段階によって制約されている。エネルギーの利用は、技術的達成を介して行われるから、エネルギー利用もまた社会的、歴史的被制約性を負っているのである。先述した「今の社会が効率と利潤さえよければ危険なものであっても使う社会であるから、有害で危険なエネルギーを選択している。この社会を改めない限り、本当に自然エネルギーを使うことにはならない。」という最も本質的理由はここにある。

拙著『自然エネルギーが生み出す地域の雇用』より[2)]。

1）『グローバル・グリーン・ニューディール』（ジェレミー・リフキン、NHK 出版、2020 年）
2）『自然エネルギーが生み出す地域の雇用』（大友詔雄、自治体研究社、2012 年）

(2) 再エネの国際的見通し

1）国際エネルギー機関（IEA）の報告[3,4]

国際的な共通認識は「再エネの大量導入は加速する」

ロシアのウクライナ侵攻は、世界中のエネルギーシステムに対する深刻で重大なショックを与えています。このことについて、2022 年 11 月の WEO[3,4] では、侵攻で短期的に石炭火力の増加や脱原発の遅延があるにせよ「中長期的な脱炭素の方向性は変わらず、再エネの大量導入はむしろ加速する」という見解を示し、これが国際的な共通認識であると結論付けています。

IEA は、侵攻開始直後に、緊急声明「石油消費削減のための 10 項目の計画」（2022 年 3 月）[5] を公表しています。10 項目とそれによる石油消費量の節約効果は表 1－2 の通りです。

IEA が新たに提案した「石油消費削減のための 10 項目計画」が先進国経済で全て実行されれば、4 カ月以内に石油需要を日量 270 万バレル削減することができる見込みです。これは、中国全土の自動車の石油需要に相当します。

WEO

WEO（World Energy Outlook 2022）は IEA（International Energy Agency）の旗艦出版物。エネルギー業界で最も権威のある分析と予測の情報源となっている。その客観的なデータと冷静な分析は、さまざまなシナリオにおける世界のエネルギー需給と、エネルギー安全保障、気候目標、経済発展への影響に関する重要な洞察を提供している。特に今日、WEO は、ロシアのウクライナ侵攻の深刻で重大な影響についての明晰な分析と洞察を提供している。

表1－2 10項目の行動計画“4カ月で中国全土の自動車の石油需要分の削減が可能”

(単位：万バレル)

	行動計画	日単位の節約効果
①	高速道路の最高速度を少なくとも時速10km引き下げる	自動車の場合 29 トラックの場合 14
②	可能であれば1週間に最大3日間の在宅勤務	週1回 17 週3回 50
③	都市部で日曜に自動車走行を禁止する「カーフリー・サンデー」を導入	毎週実施 38 月1回実施 9.5
④	公共交通機関の料金引き下げおよびマイクロモビリティ(自動車より小さい移動車両)や徒歩・自転車利用の奨励	33
⑤	大都市における自家用車の交互利用規制	21
⑥	カーシェアリングの普及促進と燃料節減のための実践的取り組み	47
⑦	貨物トラックや商品配送の効率的な運行の促進	32
⑧	可能であれば飛行機の代わりに高速鉄道や夜行列車を利用	4
⑨	代替手段があれば飛行機移動を伴う出張を回避	26
⑩	電気自動車や燃費性能の優れた車両の普及を促進	10
		213.5～290

2) 再エネこそが最優先

「10項目計画」に盛り込まれた短期的な緊急措置を基に、2050年までに温暖化ガス排出量の実質ゼロ(ネットゼロ)を達成する目標に向け、各国が石油需要を構造的に縮小していく持続的対策へと移行した場合、大きな可能性が見えてきます。

本節を締めくくるにあたって、『週刊エコノミスト』(2023年2月28日号)の論述を紹介します[6)]。

- 再エネの設備容量の追加を更に迅速に進めるための協調的な政策努力により、24年にはさらに20テラW時(テラは1兆)を供給できる。ほとんどは…大規模風力・太陽光発電のプロジェクトだ。

- 屋根置き太陽光発電システムの導入を早めれば、消費者負担を軽減できる。…屋上太陽光発電は、最大で15TWh（テラワット時）時増加する（T＝10^{12}）。
- 適切な優遇措置と持続可能な供給があれば、バイオマス発電は2022年に最大50TWhを増加できる。

更に、日本の風潮に対して、次のように指摘しています。

「IEAに限らず、さまざまな国際機関が公表する将来見通しは、技術経済モデルを用いたシミュレーションなど科学的に分析されたものが多い。なお、ここでの『科学』とは、『科学技術』だけではなく、経済学や政策学など『社会科学』も含む。科学的方法論に立った政策決定や予算配分が『根拠に基づく政策決定（EBPM）*』だ。EBPMは20世紀末ごろから国際的に理論や社会実装が進む。

翻って日本はどうか。風力・太陽光・電気自動車といい、脱炭素実現への最有力候補に、十分な予算や投資が割り当てられているだろうか。脱炭素の選択肢を増やすこと自体は悪いことではないが、危機に便乗し、不都合から目をそらして科学的方法論ではない配分がなされていないか。

侵攻によって引き起こされた最初の世界的なエネルギー危機の真っ只中に世界がいる中、日本では『脱炭素・再エネどころではない』『再エネだけが脱炭素の手段ではない』との論調が見られるが、『科学技術立国であるはずの日本が科学的方法論の不在という、別の大きな危機に直面している兆候かもしれない。』（上掲『週刊エコノミスト』）[6)]

*EBPM（Evidence Based Policy Making　合理的根拠に基づく政策立案）興味ある読者は、EBPMの科学的根拠に基づく作業の一例として、論文7）を参照されたい。

3）「World Energy Outlook 2022」（IEA、2022年11月）

4）「Net Zero by 2050 -A Roadmap for the Global Energy Sector」（IEA、2021年10月）

5）緊急声明「石油消費削減のための10項目の計画」（IEA、2022年3月）

6）「再エネ　侵攻で世界はむしろ加速　太陽光・風力の開発が潮流」（安田陽、『週

刊エコノミスト』2023年2月28日号)

7)「Radical transformation pathway towards sustainable electricity via evolutionary steps」(『進化的なステップを経て、持続可能な電力に向う根本的な変革の道筋』著者訳、NATURE COMMUNICATIONS、10:1077、2019)

(3) 我が国の状況

日本のエネルギーについて語る場合、何よりも問題になるのが自給率の低さです。これは、食料問題も同様です。日本の一次エネルギー自給率は、第一次石油ショック時の1973年度には6.0%であったものが、原子力発電所の建設で20.2%(2010年度)に上昇していましたが、東日本大地震後の原発停止などで大幅に下がり(2014年度6.3%)、その後少しずつ上昇し2019年度で12.1%となっています[8)]。

1) 一次エネルギーの定義

「一次エネルギー(Primary Energy)とは、基本的に自然界に存在するままの形でエネルギー源として利用されているもので、石油・石炭・天然ガス等の化石燃料、原子力の燃料であるウラン、水力・太陽・地熱等の自然エネルギー等"自然"から直接得られるエネルギーのことをいう。これに対し、電気・ガソリン・都市ガス等、一次エネルギーを変換や加工して得られるエネルギーのことを二次エネルギーという。」[9)]

図1-1に、一次エネルギー源を体系的に整理してみました。

一次エネルギー供給は、石油、天然ガス、石炭、原子力、太陽光、風力などといったエネルギーの元々の形態(一次エネルギー源としての広義の自然的存在)であるのに対して、最終エネルギー消費では、私たちが最終的に使用する石油製品(ガソリン、灯油、重油など)、都市ガス、電力、熱などの形態(二次エネルギー:人為的技術的存在)になっています。

即ち、自然存在の一次エネルギー源(広義の自然存在)は、それらがエネル

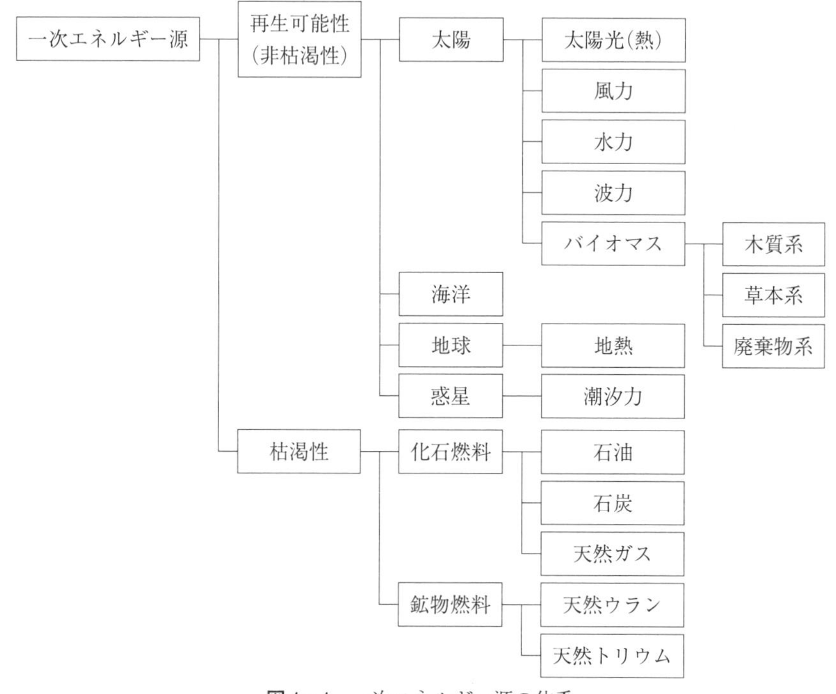

図1－1　一次エネルギー源の体系

ギーキャリア＊（または二次エネルギー）に変換されて使用されます。ここで重要なことは、一次エネルギー源はエネルギーシステム（技術）の構成要素（または変換プロセス＝技術）と混同されるべきではない、ということです。

＊エネルギーキャリア：エネルギーを輸送・貯蔵する担体となる化学物質を指し、メタノール、水素、アンモニア等多種多様にあり、エネルギー密度や安定性、使用条件・使用法、安全性等の特性を考慮して使い分けられる。

すべてのエネルギーシステムは、家庭や産業、農業の現場で役立つように、二次エネルギーの流れを伝達し、変換する一連のパイプや回路（技術的存在）として可視化することができます。こうしたエネルギーの流れはエネルギー供給のSankey図（サンキー・ダイアグラム）＊として表現されます（その外観から「スパゲッティ図」とも呼ばれます)。例えば、我が国のエネルギー供給の

Sankey図は「エネルギー白書」[10]を参照下さい。

エネルギーが最終消費者に届くまでには、発電ロス、輸送中のロス及び発電・転換部門での自家消費などが発生するため、最終エネルギー消費は一次エネルギー消費からこれらの損失を差し引いたものになります。2019年度は、日本の一次エネルギー国内供給を100とすれば、最終エネルギー消費は約68でした。

＊サンキー・ダイアグラム（Sankey diagram）は工程間の流量を表現する図表である。矢印の太さで流れの量を表し、エネルギーや物資、経費等の変位を表す為に使われる。Sankeyの名前の由来は1898年に初めてこの形式の表を用いた公刊物（Minutes of Proceedings of The Institution of Civil Engineers中の蒸気機関におけるエネルギー効率についての記事）の著者であるM.H.サンキー（アイルランド人）に因む。

2）一次エネルギーに求められる条件

今日的視点では、エネルギーに求められる条件として、第一に、一次エネルギー源が再生可能か、非再生可能（枯渇性）か、そして第二に、国産資源かどうか、という2つのことが問われます。

再生可能であるべき

先ず一次エネルギー源の再生可能性について、結論を先に言うと、将来のエネルギー源の選択は、枯渇性ではなく、再生可能性であるべきです。

再エネは、化石燃料以外のエネルギー源のうち永続的に利用することができるエネルギーであり、代表的な再エネ資源としては太陽光、風力、水力、地熱、バイオマス等が挙げられます。

再エネは、温室効果ガスを排出しない脱炭素エネルギーであるとともに、国内で生産可能なことからエネルギー安全保障にも寄与できる有望かつ多様で重要な国産エネルギーです。

再エネが主力電源となるためには、再エネが地域と共生する形で定着し、長期にわたる事業継続や再投資により、責任ある電源としての長期安定的な事業運営が確保されることが重要です。

再エネ電源を自律的に活用する地域での需給一体的なエネルギーシステムは、エネルギー供給の強靱化（レジリエンス）、地域内エネルギー循環、地域内の経済循環等の点で有効です。

国産資源＝地域資源かどうか

もう一つ重要なことは、一次エネルギー資源が国産資源かどうか、即ち「自給率」向上に寄与するものかどうかです。

日本の最も根源的な深刻な問題は、一次エネルギー源の約９割を、国外の石油・石炭・天然ガス等の化石燃料が占めている（2020年時点）ことです。また省エネルギー・再エネ機器等に必要不可欠な原材料である鉱物資源についても、その供給のほとんどを海外に頼っています。

日本は、化石燃料資源に乏しく、また、国際的なパイプラインや国際連系送電線も無く、原油の中東依存度は、主要国の中で突出して高い状況です。

このような脆弱性を抱える中、近年、資源確保を取り巻く環境は大きく変化しています。「エネルギーと食料（飼料）について言えば、これらはいつでも手に入る、と考えていたことが根底から成り立たないことがはっきりしました。特に日本の場合、背景にある日本の戦後経済の“復興・発展”を支えた加工貿易という経済の仕組みが、これからは成り立たないことを示しています。」[11)]

3）我が国のエネルギー政策

わが国では、2021年６月に「グリーン成長戦略」を策定[12)]、2021年10月には第６次「エネルギー基本計画」を閣議決定[13)]しました。

「すぐに使える資源が乏しく、自然エネルギーを活用する条件が諸外国と異なる日本にとって、エネルギーの安定供給を確保することは死活的に重要である」「S＋3E＊の全てを満たす単一なエネルギー源が存在しない」と記述しています。

• 温暖化への対応を、経済成長の制約やコストとする時代は終わり、「成長の機会」と捉える時代に突入している。

- 実際に、研究開発方針や経営方針の転換など、「ゲームチェンジ」が始まっている。この流れを加速すべく、グリーン成長戦略を推進する。
- 「イノベーション」を実現し、革新的技術を「社会実装」する。これを通じ、2050年カーボンニュートラルだけでなく、CO_2排出削減にとどまらない「国民生活のメリット」も実現する。

「高い目標を競うだけでなく、いかに目標を達成するかという実行力が問われる時代に入った」(序文) との指摘は重要です。

＊S＋3E：安全性 (Safety)、安定供給 (Energy Security)、経済効率性 (Economic Efficiency)、環境適合 (Environment)

4) 今何故バイオマスか？

2022年9月に「バイオマス活用推進基本計画 (第3次)」が閣議決定されました[14)]。これにはとても重要な内容が書かれています。以下メタン発酵及びバイオガス関連事項の幾つかを抜粋して紹介します。

重要な閣議決定の内容

- 「環境負荷の少ない持続的な社会」、「農林漁業・農山漁村の活性化」及び「新たな産業創出」という三つの観点」から、「バイオマス等を活用した地産地消型エネルギーシステムの構築や地域資源循環の取組等を推進する」ことによって、「農林水産業の生産力の向上と持続性の両立や、地域資源であるバイオマスの循環利用・最大活用を図る。
- バイオマス発電を「地域分散型、地産地消型のエネルギー源として多様な価値を有する」電源と位置付ける。
- バイオマス発電は地域分散型、地産地消型のエネルギー源であり、バイオマス燃料の安定調達と持続可能性を確保しつつ、バイオマス発電の導入拡大を目指す。

メタン発酵の促進

- 農業残渣等のバイオマスは…効率的な収集システムの確立、幅広い用途への活用等、バイオマスを効果的に活用する取組を総合的に実施する。
- 単一原料の利用にこだわらず、家畜排せつ物、…食品廃棄物等の組合せによるメタン発酵の促進…等のように、地域の実情に応じた多様なバイオマスの混合利用を進めていく。
- 耕畜連携による稲わら等の飼料・敷料利用、家畜排せつ物等の堆肥の利用や資源作物のペレット利用等、資源循環の取組を推進する。

この指摘から、多種多様な農業残差をバイオマス発電に利用するには、メタン発酵技術が最適ですが、このためには従来型のメタン発酵技術では十分ではありません（これに対応できる技術については、第4章（3-4）で紹介します）。

地域の主体的な取組の促進

- バイオマスを地域主体で活用することが一層重要…農林漁業者等のバイオマス供給者、バイオマス製品等を製造する事業者、地域の金融機関、学識経験者、当該活動が行われる地域における行政機関、関係府省等が一体となって施策の連携を図ることにより、バイオマスの発生から利用までが効率的なプロセスで結ばれる総合的な活用システムの構築を推進。
- 地域のバイオマスを活用した事業を持続的かつ自立可能なモデルとして確立し、得られた利益が地域に還元される取組を推進。

国産バイオマスの活用によるバイオマス産業の創出

- 将来的に社会実装を見込むイノベーションを国産バイオマスの活用によるバイオマス産業の創出につなげる。
- 国内資源を活用した肥料、持続可能な航空燃料（SAF: Sustainable Aviation Fuel)、地産地消型の新たなエネルギー等、バイオマスを活用した技術開発が進められており、これらの社会実装を見込むイノベーション…多様な原料利用の可能性があるガス化・FT（Fischer Tropsch process）合成技術、…等の技術開発及び実証を加速させる必要。

8）「2021―日本が抱えているエネルギー問題（前編）」（資源エネルギー庁、2022年）
9）「一次エネルギー」（EICネット、一般財団法人環境イノベーション情報機構）より
10）「令和2年度エネルギーに関する年次報告（エネルギー白書2021）」（資源エルギー庁、2021年、p.84）
11）同上（p.150～p.151参照）
12）「グリーン成長戦略」（2021年6月）
13）「第6次エネルギー基本計画」（閣議決定、2021年10月）
14）「バイオマス活用推進基本計画（第3次）」（閣議決定、2022年9月）

(4) イ ン フ ラ

「インフラ」は、次章で具体的に詳述するように、重要な地域資源であり、リフキンが言うように“新しい時代を迎える要”となるものです。「インフラ」について、日本学術会議の報告書（2020年8月）[15]から、引用する形で紹介します。

1）社会的インフラ

「インフラ・ストラクチャー」の定義は、「人間が人間らしい生活をおくるための必要な大事業」であるとされ、時代を経て、インフラの概念を「社会的共通資本」とし、以下の3つのカテゴリーに分類しています（文献15、p.9～p.10）。

- 自然環境：山、森林、川、湖沼、湿地帯、海洋、水、土壌、大気
- 社会的インフラ：道路、橋、鉄道、上・下水道、電力・ガス、通信網
- 制度資本：教育、医療、金融、司法、文化

社会的インフラ（道路、橋、鉄道、上・下水道等）の要件は、次の8つにある。

①高い必需性（代替が困難）
②共同利用（経済的負担が大きく、社会で共有するしかない）
③非競合性（混雑が生じない限り、競合せず、何人でも同時に利用可能）
④非排除性（無料の利用者を排除することはできない）
⑤巨額の投資（一般に整備には巨額の費用が必要）
⑥平均費用逓減（利用者一人当たりの全費用は、利用者の増加と共に逓減する）
⑦地域独占（地域ごとのサービス）
⑧外部効果（整備により、多くの人々が広範囲、長期的に恩恵をうけることがある）

社会的インフラの具体的事例について、北海道開発局の資料の項目を紹介します[16)]。

- 交通・物流・生産空間の取組
- インフラ施工段階での取組
- インフラの改修による省エネ化
- インフラの維持管理の過程で生じる伐採木等の活用
- 小水力発電・太陽光発電施設の導入
- 北海道水素地域づくりプラットフォーム
- 官庁営繕における ZEB 化の推進

2）グリーンインフラ

３つのカテゴリーの中で、「自然環境」が、山、森林、川、湖沼、湿地帯、海洋、水、土壌、大気等の「物的環境」に留まらず、これを活かした「社会的共通資本」と成りうるには、理念・目的・法・政策・計画・実現の手法・維持管理システム等に関する検討が必要です。日本学術会議の報告書[15)]の「社会的共通資本としてのグリーンインフラ」について、以下引用して紹介します。

「グリーンインフラとは、自然環境を生かし、地域固有の歴史・文化、生物多様性を踏まえ、安全・安心でレジリエントなまちの形成と地球環境の持続的維持、人々の命の尊厳を守るために、戦略的計画に基づき構築される社会的共通資本である。」

グリーンインフラは、次の4つの特色を有する。

①グリーンインフラは、人と自然との共生を究極の目的とし、安全・安心な暮らしの場の提供、生物多様性の保全・向上、気候変動への適応等、地球環境の持続的維持を支え、市民の健康と生活の質の向上に寄与するものであり、SDGs 達成に重要な役割を果たすものである。

②グリーンインフラは、コミュニティから都市、広域圏まで繋がりを有しネットワーク構造を有することにより、その真価を発揮することができる。このためには技術、政策、財源に裏付けされた「戦略的計画論」の構築が必須である。

③グリーンインフラは、優れて、それぞれの地域固有の形態を反映するものであり、生態系の回廊を形づくり、水循環を支え、人と自然の協働により形成されてきた文化的景観を表出するものである。

④それ故に、グリーンインフラは、所与のものとして存在するものではなく、地域に暮らす人びとの協働と不断の努力により継承され、持続可能な社会に向けて将来世代へと手渡していく必要がある。

グリーンインフラは、生命を育む「自然環境」、人びとの暮らしを支える安全・安心な社会の構築に向けた「健康・防災・減災」、自然と人間の協働により形成される「文化」から構成される。

グリーンインフラの具体的事例として、北海道開発局の資料[16]にも、「釧路湿原、ブルーカーボン生態系の創出、タンチョウも住めるまちづくり（遊水地)」が取り上げられています。

3) インフラ空間の活用

先ず、「インフラ空間を活用した太陽光発電の推進」（国土交通省）に紹介されている公共インフラ空間（官庁施設、下水道、道路、公園、駅舎、港湾、空港等）における太陽光発電設備の導入状況を見てみます。可能性の大きな広が

下水処理場

鳥羽水環境保全センター
（京都市・1,000kW規模）

港湾施設

北九州港
（北九州市・1,000kW規模）

空港施設

羽田空港・貨物ターミナル
（国際線・2,000kW規模）

官庁施設

徳島第一合同庁舎
（徳島市・30kW規模）

鉄道施設

東急東横線・元住吉駅
（東急電鉄・140kW規模）

道路施設

名古屋環状２号線
（名古屋市・2000kW規模）

図１－２　インフラ空間を活用した太陽光発電の推進

国土交通省

水災害・沿岸分野への総合的な連携施策の推進

最終整備目標を超える洪水が起こる年確率の変化、土砂災害の激甚化、三大湾の海抜ゼロメートル地帯の面積の拡大、河川流量の減少による渇水の深刻化等の影響が想定されることから、総合的な連携施策を推進

大規模な浸水被害

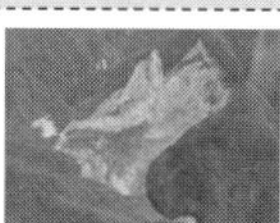

土砂災害

渇水

都市のヒートアイランド対策（暑熱対策）

緑化等の都市におけるヒートアイランド対策（暑熱対策）は、緩和策にも資する適応策

街路樹による緑化

民有地の緑化

図１－３　国土交通分野の技術力・総合力を活かした適応策の推進

国土交通省

りを感じることが出来ます。

①官庁施設、下水道、道路、公園、駅舎、港湾、空港等（図1－2）

②水災害・沿岸分野への総合的な連携（図1－3）

15）「気候変動に伴い激甚化する災害に対しグリーンインフラを活用した国土形成により“いのちまち”を創る」（日本学術会議、2020年8月）

16）「『ゼロカーボン北海道』の実現に向けた施策の取組事例」（北海道開発局、2021年8月）

第2章

地　域　資　源

本書のまえがきの「地域資源を全面的に利活用する」、「食料生産の場に確実に存在する自然エネルギーの発掘・再発見・再認識の作業」=「地域の宝もの探し」、「広く、大きく、あらゆる関連性を含める」ことの具体的内容を紹介します。

(1) 地域資源とはなにか

1) 地域資源の定義と分類

「地域に存在する資源」とストレートに理解できる「地域資源」は、実に多くの種類があります。それらは「環境白書 (2015年版)」に紹介されています[1)]。以下それを引用する形で紹介します。

地域資源という用語は様々な定義がなされていますが、これまでの分析では「地域内に存在する資源であり、地域内の人間活動に利用可能な (あるいは利用されている)、有形、無形のあらゆる要素」と定義されており、ある資源は他の地域資源と関係を持ち、一つの地域資源は人間活動に多様な機能を提供するものとして整理されています。」

「それぞれの地域が有する地形、自然環境、人的資源、伝統文化、その地域を支える市民・住民などそれぞれの地域の特性を把握し、生かすことにより、地域を活性化していくことが重要です。そうした地域の特性は、正にその地域に根ざした「地域資源」と言うことができます (図2−1に整理して示しました)。

図2－1　地域資源

地域資源は多種多様であり、どの地域にも存在するものですが、地域住民にとっては身近過ぎて、それが地域資源であると気付いていないことも少なくありません。しかし、ありふれた地域資源であっても、その活用方法によって、地域活性化の源泉となることがあります。

地域資源と人間活動の関わりは、社会・経済システムの変化（時代の変化）と共に変化してきました。地域資源の中には、例えば里地里山の薪炭林などのように、二次的自然が地域資源として活用されなくなるとともに、その活用の知恵という知的資源やノウハウを有した人的資源等も失われつつあるという例も見られます。一方で、近年では、気候や地理的条件といった地域特性資源、伝統や豊かな自然に根ざした文化・社会資源、そして、地域活性化を図る主体となる人的資源を有効活用しようという動きが見られます。

2) 再エネの資源としての「地域資源」

図2-2に地域資源と再エネとなるものとを矢印で結んでいます。

しかし矢印は複合的・重層的に様々な「地域資源」と結びついています。例えば、水力発電を見ると、「自然資源」としての雨と山、川の存在とが水の流れを生み出し、「落差がエネルギーになる」、「エネルギーは経済効果をもたらす」という「情報資源」としての科学的知識や「発電機」の技術的知識、その知識を持つ「人的資源」等が関連しあって初めて、「川の流れが電気になる」ということに帰結します。ここで、何か一つが欠けても「水力発電」は成立しません。

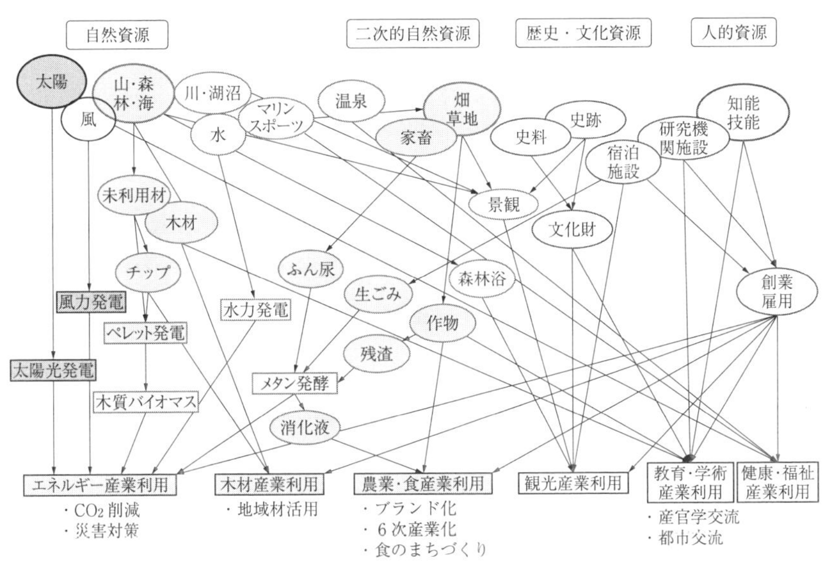

図2-2 再エネの地域資源と持続的利用の全体図

再エネ導入に寄与する地域資源の多くは「自然資源」が該当します。地域資源は多くの種類があり、相互に関連していますから、地域資源の総動員が果たせれば、再エネによる自立は決して困難なことではありません。

また、CO_2 排出量削減に寄与する資源は「自然資源」だけではありませんから、CO_2 の発生源（化石燃料の使用）を無くせば、容易に削減できるものです。

人的資源が何故「インフラ」になるか？

この説明に、20数年前になりますが、デンマーク・コペンハーゲンの養護施設を視察した時の話を紹介します。

ホテル並みの部屋にも関わらず、「国の方針が変わり、今後一人２部屋になります」との説明。

「1部屋では不都合があるのですか？」

この答え「不都合は有りません。介護は部屋が行うものではなく、人が行うものですから」

3）地域資源の発見・発掘

多種多様、沢山あることは理解できますが、エネルギーに結び付く地域資源はどうかというと、これはそう簡単にこれだと言い切れるものではありません。「自治体の職員の皆さんや地域住民にとっては身近過ぎて、それが地域資源であると気付いていない」こともありますが、種類とその存在量（賦存量、利用可能量）を量的に把握するとなると、そう簡単ではありません。エネルギーの量としての捉え方は決定的に重要な要素ですが、それを見抜くことは簡単ではありません。

例えば、太陽光発電では、1m^2 当たりの太陽光パネルの発電量は、約200Wとされています。これは、幅1m、長さ1.7mの寸法のパネル１枚の発電が360Wだとする計算に基づいています。

しかし、実際にはそうではありません。太陽光発電（PV）システムは、実際の環境でどれだけ効率的に機能するかという点で真価が問われるからです。

面積あたり生み出される最大量の電力は、発電効率を同じとした上で温度、スペクトル、角度、日射量の違いで変わります。また、実際に稼働した際に、屋外環境におけるパネルの汚れやソーラーパネルの温度上昇による熱損失などの外的要因によって、一定の発電量に損失が出てしまいます。これらを総合的に適切に考慮して設計された太陽光パネルである必要があります。

また、風力発電は、平均風速6m/秒以上、などの条件がつきます。このことが、「地域資源が無い」という言い方になるのではないのでしょうか。

本書は、地域資源を把握するには、科学的・技術的な知識が必要である、という事実を踏まえて、可能な限り「地域資源」の発見・発掘に役立つ知識を紹介します。

4) インフラとしての地域資源

先に紹介したように、「インフラ・ストラクチャー」とは、「人間が人間らしい生活をおくるための必要な大事業」であると定義され、時代を経て、インフラの概念を「社会的共通資本」とし、3つのカテゴリーに分類されます。改めて整理すると図2−3のように「インフラとしての地域資源」として整理

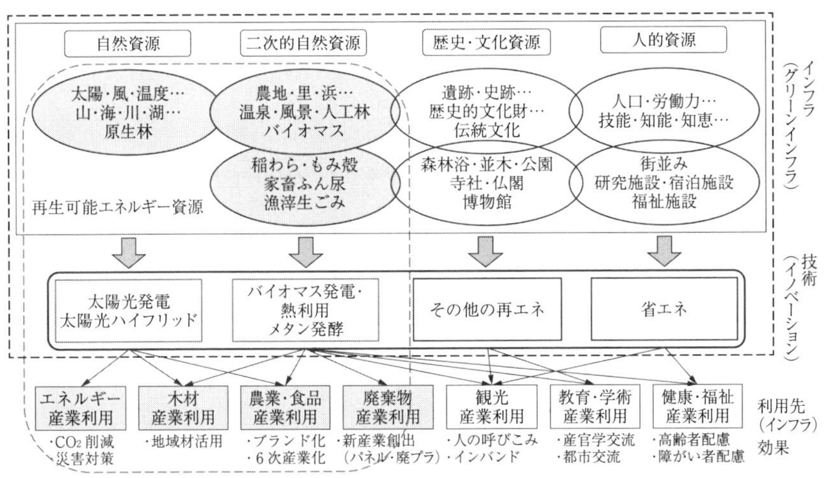

図2−3 インフラとしての地域資源

できます。

「インフラ」は、再エネ化の技術（イノベーション）や利用の局面のインフラまでを含めたものですから、言い換えれば、如何にして「インフラ」を準備できるかに掛かっています。

5）NERCが提案できる再エネ技術

著者の所属する（株）NERCでは、「地域資源」を「如何にしてエネルギーとして利用できるか」ということにかかわってきました。

その結果、現在、太陽エネルギー（太陽光発電、熱利用）、風力エネルギー、水力エネルギー、そしてバイオマスエネルギー（木質バイオマス熱利用、メタン発酵）等の「再エネ技術」の計画づくりから導入に到るまでの提案ができるようになっています。

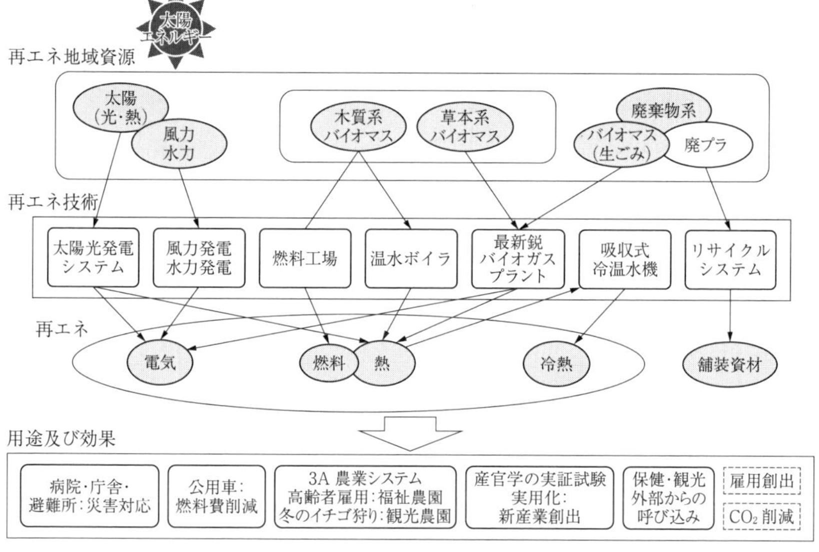

図2－4　NERCが提案できる再エネ技術

1）「環境白書・循環型社会白書・生物多様性白書」（平成27年版）「図で見る環境白書・循環型社会白書／生物多様性白書　第1部　第3章　第2節　それぞれの特性を生かした持続可能な地域づくり」https://www.env.go.jp/policy/hakusyo/zu/h27/

html/hj15010302.html

(2) 再生可能エネルギー転換の意義

まえがきに、「地域資源を全面的に利活用すること」「あらゆる地域資源を徹底的に使い切る」「全体計画にしっかりと位置づけて」「地域全体を俯瞰する視点」等を指摘しました。このことは同時に、これからの社会が求める再エネの全体像を把握する重要性も意味しています。

1) 基本となる考え方

再エネの全体像の把握には、基本となる考え方として次の4つの側面の検討が必要です。

①地域に存在する全ての再エネ資源（地域資源）の種別・量の把握。最終的には地域外から持ち込まれたものではない「地域資源」であることがキーポイントです。

②再エネ化技術、即ち地域資源と需要とを結ぶ手段（インフラとしての地域資源の一つの形態）が存在していること。本書第1章（4)、第2章（1）で記述した内容及び第3章～第10章で記述する内容になります。

③環境調和性と持続可能性があること。これは特に近年の決定的要素になっています。上記①及び②と不可分の関係を持っています。

④経済性（コスト）が成立すること。これは①～③と不可分な、再エネが社会に位置づくための重要な要素です。

⑤根底に位置する「経済的・社会的及び歴史的諸条件」の理解も必要です。

以下少し詳しく説明します。

①「地域資源」であることの重要性について

現在の主力エネルギー資源は、化石燃料であることは今更言うまでもないことですが、化石燃料の埋蔵量には限りがあり（枯渇性)、現在のエネルギー消費と成長のパターンに対しては長期的には持続可能にならないという根本的問題を抱えています。

更には、化石燃料の資源的偏在性が問題になります。この点については、再エネについても、特定の場所では、利用するための環境や可能性が著しく異なるという、似たようなことがあります。例えば、バイオマス資源についてみれば、森林が豊かな地域は木質バイオマスが豊富ですが、農作物に関係するバイオマスは少ないとか、風の強い地域は風力発電が可能ですが、弱いところでは難しい、等々です。

しかし、こうした再エネにもみられる地域偏在性は、化石燃料の偏在性とは本質的違いがあります。化石燃料が世界的規模で著しい偏在性を持ちながら、全世界で遍く利用が可能であるという利便性がありますが、再エネは豊富にあるからと言って、化石燃料のようにどの種類の再エネも地球規模で遍く使えるものではありません。再エネが持つこの違いの本質は、再エネ資源の分散的存在にあります。その根源は太陽エネルギーの分散性にあると言って良いものです。この事実が再エネの地域資源としての新しい利用の可能性を生み出し、地域固有性を本質とすることになります。

②「地域資源と需要とを結ぶ手段」が不可欠であることについて

再エネを真に地域社会に役立つエネルギーとして利用するためには、その特徴的な技術的手段が備わっていなければなりません。これは化石燃料であっても同じであり、全ての技術について当てはまることですが、化石燃料と再エネ資源とでは本質的違いがあります。

資源的存在から見れば、化石燃料は石炭、石油、天然ガスの３種類しかありません。いずれも地中深く長い年月をかけて作られた炭化水素であり、炭化水素の特性に支配され、炭化水素のエネルギー化という手段を実現すれば良いことになります（このことについての興味深い話は、第6、7章で触れます）。

太陽・風力・水力・波・地熱などの再エネ資源は、炭化水素の場合の燃焼過程としての化学反応とは違って、それぞれに固有な物理的相互作用によってエネルギー化されます。人類はこの物理過程がごく日常的に起こる自然現象であり、再エネ資源によるエネルギーに無自覚的に接してきたことで、その存在の優れた特性を理解しないまま過ごしてきました。しかし今、一度理解できれば、そして同時に自然現象の科学的解明が進むに従い、エネルギー資源としての素晴らしい存在を理解し、積極的に使うようになるのは当然のことでした。

③「環境調和性と持続可能性」について

今日的意味で、「環境調和性と持続可能性」はエネルギー源として利用できるかどうかの基準になるものです。

「環境調和性」については、化石燃料や原子力の使用によって発生するエネルギー以外の排出物がその限界を決めています。化石燃料の燃焼による CO_2 の大気中放出が地球規模の温暖化の原因になり、原子力の使用による放射性物質（核廃棄物）の無害化は困難を極めており、化石燃料や原子力が「環境調和性」を持たないのは明らかです。

「持続可能性」については、①で述べたように、化石燃料や原子力が「枯渇性資源」であることで明らかです。

④「経済性（コスト）が成立すること」について

現時点での再エネの発電コストは、グリッドパリティ*を達成したと言われ始めています。コストは市場経済の中での普及を推し進める最重要因子ですが、そのこと以上に重要であるのは、再エネはこれからの技術であり、それが現時点では発展途上の技術でありながらグリッドパリティを達成しつつあるという事実です。図2−5は、発電コスト一覧を示しています。

＊グリッドパリティ（Grid Parity）とは、「グリッド＝送電網」と「パリティ＝同等」とが合わさった造語で、再エネの発電コストが、既存の系統からの電力コストと同等かそれ以下になることを指します。グリッドパリティが達成されれば、今後はFIT 制度による売電に頼らなくても、自家消費で採算がとれるようになる、つまり政策に依存しない新たな市場形成がなされるということを意味します。

再エネのコストについては、林地未利用材や製材端材などの原料代があまり掛からない木質バイオマスの場合は、既に安価な熱エネルギーとして多用されており（詳しくは本書第4章（3−2）参照）、またこの数年で再エネ

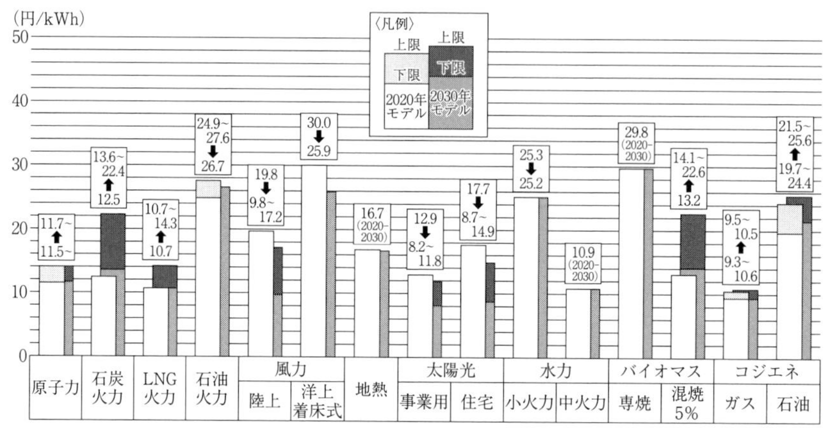

図２－５　1kWh あたりの発電コスト

「エネ百科」

発電コストも、上述のようにグリッドパリティを達成しつつあり、この傾向はますます強まると考えられます。

⑥「経済的・社会的及び歴史的諸条件」の到達点

エネルギーのコストは、科学的・技術的進歩に加えて、経済的・社会的及び歴史的諸条件に影響されるものです。特に昨今、化石燃料や原子力燃料の資源的制約（枯渇性）と環境への影響（温暖化）の両面から、再エネの将来のエネルギーとしての位置づけがますます高くなっています。

再エネに関する科学的・技術的原理の理解は、この後で述べますが、経済的・社会的及び歴史的諸条件（生産様式の到達段階）を理解することが必要です。

歴史的には、少品種多量生産から社会のニーズの多様化に伴い多品種少量生産に移って来ましたが、現在は変品種変量生産に移行してきています。「変種変量生産」はかつての「カスタムメイド」（ある程度の定型と自分の希望を組み合わせて作るセミオーダー）や「オーダーメイド」（なにも型のないところから自分の希望通りに作るフルオーダー）とは違い、“市場で売れたら作る、売れなければ作らない”というのが根本理念です。これは意図しない変種変量生産になるため（例えば、有力な競合機種が登場して、急に全く売れなくなるなどの変化はある）、部品の共通化などを進め、急な変化にも対応できるような設計を行うことが進んでいます。

これを行うには、地域資源である原料とエネルギーを使う重要性を高めることになります（これについては、第12章（4）で取り上げます）。

資源エネルギー発展の歴史に関する私論

「原子力技術の根本問題と自然エネルギー技術の可能性　第II部　自然エネルギーの可能性」（拙著、2012年）より

技術は、自然科学と社会科学の統一体として捉えられ、社会発展の中に位置づけられることによって、歴史性を獲得し、技術は、技術史＝人間の自然制御能力の発展の歴史として考察されることになる。ここで、生産力の発展を促す技術の社会進歩性が問われる。こうした視点で、これまでの資源エネルギー発展の歴史を概括すると、

人力→畜力→風水力→化石燃料（石炭・石油・天然ガス）→原子力→自然エネルギー

という流れである。果たしてこの発展が正しい発展であったのか。逆を言えば、本来はこの発展という道筋ではなかったのではないか、動力技術の発達史から、化石燃料・核燃料は使うべきでなかった、即ち、もともと動力技術に位置づかなくても良かった（位置づけるべきではなかった）のではないか、ということである。その結果、次のような見方が生まれる。

化石燃料（石炭・石油・天然ガス）・原子力は、“使ってはいけなかった”。使ったがために、農薬、化学肥料の多用、ダイオキシン、環境ホルモンの氾濫、地球温暖化、放射能・核兵器の危険、等々の「全体的破壊」と「生命体の破壊」といった田園や前浜の環境破壊、生態系の攪乱が起こっている。一方、化石燃料は、人間の生活必需品の原料として貴重な資源であるから、現世代の人間が燃料として使い切ってしまうことは、許されることではない。

それでは、動力技術の発達史からは、どのような道筋が妥当であったのか？　筆者は、

人力→畜力→風水力→…→多様な自然エネルギー

という発展こそが妥当であったのではないかと考えている。正に自然エネルギーだけの発展である。この道筋からは、化石燃料・原子力を使った結果としての「全体的破壊」と「生命体の破壊」の危険は起こり得ない。

問題は、何故この判断が出来なかったか、と言うことである。理由は、人類の知的水準（判断能力）の立ち遅れであるが、これを促すのは生産力の発展であるから、結局は生産力水準が不十分であった、といことになる。生産力水準を高める必然性から、「効率

と利潤」が技術を選択する基準に置かれた。確かに、石炭資源は産業革命を押し進め、資本主義社会を到来させ、封建社会の桎梏を打ち破る積極的な役割を果たした。そして、更なる資本主義社会の隆盛に、石油が多用され、原発が生産力を高め有力な技術として見られ、豊かになると考えた。制御できない技術であることには目をつぶった。

だがしかし、チェルノブイリと福島の原発災害によって、「全体的破壊」と「生命体の破壊」の危険が、原子力は化石燃料に替わるエネルギーではないことを明らかにしている。経済原理的に見ても、原子力利用の50年の歴史で受けた「恩恵」は、放射能災害からの回復と今後の放射性廃棄物の処理・処分で帳消しになっているだけでなく、子々孫々に計り得ない負担を強いる結果になっている。長期的視点で見れば、化石燃料も原発も生産力を高める有力な技術ではあり得なかった。一方自然エネルギーは、「ドイツ倫理委員会」報告にあるように、「自然エネルギーへの転換を進めることによって、数多くの企業が創設され、新たな雇用を生み出す。脱原発は高い経済成果をもたらすチャンスである。」自然エネルギーの全面的開花する社会を作り出すためにこそ、今から自然ネルギーを使う条件を整えつつ、自然エネルギーを使用して、真に生産力を高め、安全・安心で、豊かな生活を享受して行かなければならない。

2）エネルギー源に関する科学的・技術的知識

原理を理解していないと、ほぼ間違いなく、不十分な計画づくりとエンジニアリングとなり不経済な運用につながります。

これは、多くの失敗例を見ればあきらかであり、技術の利用の本質的側面でもあります。原理を理解することで失敗しなくても良い事例が沢山あります。

エネルギー源には、究極の５つの一次エネルギーがあります[2,3]。

①太陽

②太陽、月、地球の運動と重力ポテンシャル

③地球の冷却、化学反応、放射性崩壊による地熱エネルギー

④人為的な核反応

⑤物資源からの化学反応

再エネは、①、②、③（帯水層）から継続的に供給されます。有限エネルギーは、①（化石燃料）、③（高温の岩石）、④および⑤から派生するものです。

これらのエネルギー源（上記①～⑤）の中で、将来の世界のエネルギー供給にとって最も重要なのは、①の資源しかあり得ません。②と③も重要ですが、①と比べると地域性が強く、桁違いに少ない資源です。5番目のカテゴリーは電池などの一次電池に有効です。

3) 再エネ（グリーン）と有限エネルギー（ブラウン）の比較

再エネ（グリーン）と有限エネルギー（ブラウン）の定義は、この2つの供給形態の基本的な違いを示しています。再エネの効率的な利用には、特定の原則を正しく適用することが必要となります。

再エネの科学的原理

再エネの供給システムは、大きく3つに分かれます。

①水力、風力、波力、潮力など、機械的な供給

機械的な動力源は、通常、高い効率で電気に変換されます。装置によっ

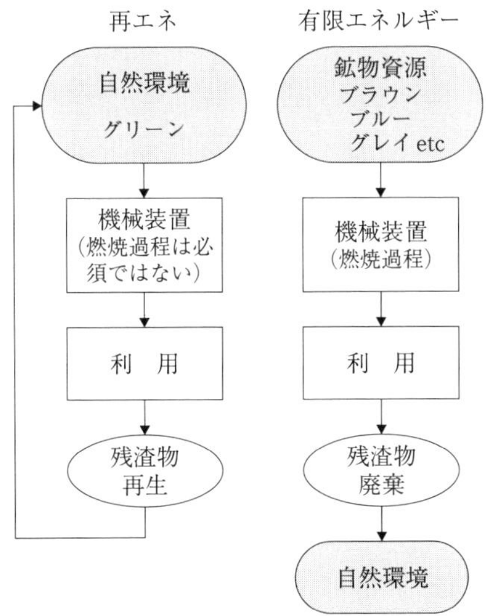

図2－6　再エネ（グリーン）と有限エネルギー（ブラウン）の対比

表2－1　再エネシステムと有限エネルギーシステムの比較

	再エネ供給 （グリーン）	有限エネルギー供給 （ブラウン）
例	風力、太陽光、バイオマス、潮力	石炭、石油、天然ガス、放射性鉱石（ウラン）
源	自然な地域環境	集中的なストック
正常な状態	エネルギーの流れ。所得	エネルギーの静的蓄積。資本
初期平均強度	低強度、分散型：≦300W/m^2	≧100kW/m^2 で放出
供給寿命	無限	有限
源でのコスト	無料	ますます高価になる
装置の資本コスト	現在は高価	中程度
変動と制御	ゆらぎがあり、負荷変化により最適制御、正フィードフォワード制御	定常的、原料調整で最適、負帰還制御
使用場所	場所や社会に応じた使用方法	中央集中、不変的な使用方法
規模	小規模・中規模は経済的であることが多い 大規模は現状では難しい	規模の拡大により供給コストの改善が多い 大規模なものが好まれる
スキル	学際的で多岐に渡る。幅広いスキル バイオサイエンスとアグリカルチャーの重要性	電気工学や機械工学との強い結びつき パーソナルスキルの幅が狭い
背景（コンテキスト）	地方分散型産業への偏り	都市集中型産業への偏り
依存性	自給自足の「島嶼型」システムをサポート	外部からの入力に依存するシステム
安全性	運転時の局所的な危険：外出時は通常安全	潜在的な危険性の軽減のために、シールドや囲い込みがされている場合がある。欠陥がある場合は最も危険である
公害・環境破壊	通常、中程度のスケールであれば、環境に対する害はほとんどない バイオマスの過剰燃焼による危	環境汚染（特に大気・水質）が本質的かつ一般的 採掘や放射性物質の水域への流入による永久的な損害が一般的。

	険性 バイオ燃料の過剰使用による土壌侵食 大型水力ダムの破壊力 自然生態系に適合する	過度の大気汚染による森林破壊と生態系の滅亡 気候変動による排出量
美観、視覚的影響	局所的な妨害は不評を買うかもしれないが、通常は地域のニーズがあれば許容範囲	通常は実用主義的で、中央集権的で大規模な経済性がある

文献2) より著者による翻訳と整理

て取り出される電力の割合は、後の章で説明するように、再エネ資源の可変性とリンクしたプロセスのメカニズムによって決定されます。実際のエネルギー変換効率は、一般的に、風力35%、水力70〜90%、波力50%、潮力75%です。

②バイオマス燃焼や太陽熱集熱器などの熱供給。

これらの供給源は高い効率で熱を供給します。しかし、動的なプロセスで発生する最大動力(電気として取り出せる熱エネルギー)の最大効率は、熱力学の第2法則とカルノの定理で定まっている理論的予測の約半分で、実現可能な最大効率は約35%と低いものです。

③光合成や光化学、光電変換など、光子のプロセス。

単一周波数の太陽光は、マッチングされた太陽電池を用いると、高い効率で電気(機械的な働き)に変換されます。実際には、太陽スペクトルの周波数帯が広いためマッチングが難しく、光子の変換効率は20〜30%が妥当とされています。しかし、モジュールの変換効率(太陽光パネル1枚あたりの変換効率)は2030年代に40%、2050年代に60%と推測されています。

4) 地球上の再エネ(自然エネルギー)資源の流れ

地球を連続的に通過するエネルギーの流れを図2-7に示します。海面で吸収される全太陽光束は、約1.2×10^{17}Wであり、太陽ビームに垂直な方向の最大太陽束密度(放射照度)は約$1\mathrm{kW/m^2}$です。

一般論として、人間にこの程度のエネルギー束は無害ですが、それ以上に

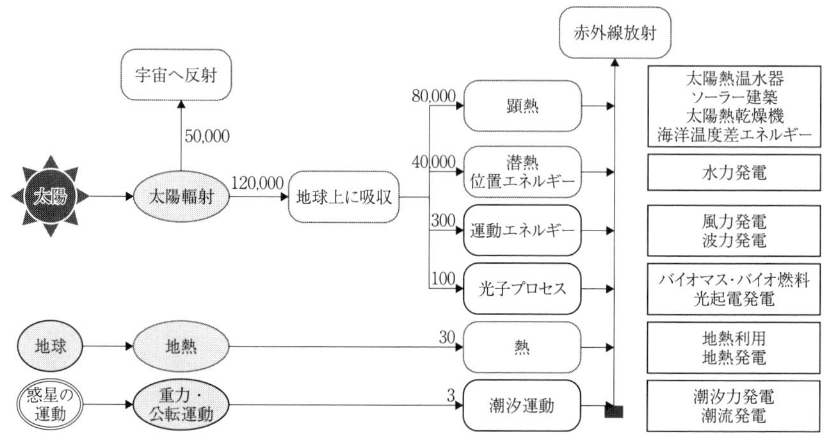

図2−7　再エネシステムを示す地球上の自然エネルギーの流れ

エネルギー流束1：105の幅が大きく、太陽放射と熱が支配的であることに注意。単位テラワット 10^{12}W

なるとストレスや困難が生じるようになります。風や水流、波のあるところでは、約 1kW/m^2 の密度が人間にとって物理的な困難を引き起こし始めると言われています。

このように、実用的な再エネシステムは、特定の地域で発生する環境エネルギーの流れにマッチしたものでなければならないのです。「地域資源」を必要以上にこだわる本質的な理由はここにあります。

再エネは自然環境と密接に関係しており、物理学や電気工学などの学問分野だけでは解決できません。例えば、植物生理学から電子制御工学まで、学問の垣根を越えて取り組む必要があることも少なくありません。例えば、動物や植物の廃棄物を利用して、メタン、液体燃料、固体燃料を生成し、システム全体を肥料生産と栄養循環とを統合して、最適な農業収量を得ることができる可能性もあります。これについては、本書第4章（3）（3−3）で詳述します。

原発は CO_2 を出さない?

Review of solutions to global warming, air pollution, and energy security (Mark Z. Jacobson Energy & Environmental Science June 2008)「地球温暖化、大気汚染、エネルギー安全保障に対する解決策の検討」より

この研究論文は、米スタンフォード大学のヤコブソン教授(環境工学)が2008年に発表した26頁の労作である。以下この論文から紹介する。

9つの電力源(太陽光、集光型太陽熱、風力、地熱、水力、波力、潮力、原子力、石炭火力[炭素回収・貯留=CCS])について、問題点と解決策を数値モデルを使って詳細に検討している。

注目されるのが、「気候変動に関わる排出量への影響」の章。電力源ごとに CO_2 に換算した排出量(CO_{2e})を一覧表にしている。CO_2 の直接的な排出にとどまらず、間接的な排出量を算出しているのが特徴。燃料採掘、輸送、発電設備の建設、運転なども化石燃料を使い、CO_2 を排出するからである。

表にある「ライフサイクル」排出は、各発電設備の建設から廃棄までの排出量。風力、太陽光などの自然エネルギーは燃料採掘や輸送は必要なく、CO_2 は「設備の建設、設置、メンテナンス、廃炉の間だけ発生」する。石炭火力、原子力は「燃料の採掘と製造の際に追加的な排出が発生」する。

表2-1 発電技術別 CO_{2e} 排出量

(単位:g/kWh)

	ライフサイクル	発電所建設遅滞	戦争・テロ	総排出量
太陽光発電	19~59	0	0	19~59
太陽熱発電	8.5~11.3	0	0	8,5~11.3
風力	2.8~7.4	1	0	2.8~7.4
地熱	15.1~55	1~6	0	16.1~61
水力	17~22	31~49	0	48~71
波力	21.7	20~41	0	41.7~62.7
潮力	14	20~41	0	34~55
原子力	9~70	59~106	0~4.1	68~180.1
石炭火力(炭素回収)	255~422	51~87	1.8~42	307.8~571

「発電所建設遅滞」排出は、建設の遅れにともなう CO_2 換算排出量のこと。「計画から運転までの期間が長いエネルギー技術」は「CO_2 と大気汚染物質の排出量を増加させ」る。期間中、石炭火力など、より炭素排出量の多い既存発電を稼働させる必要があるか

らである。その排出量の最大が原発である。最少は太陽光、風力で、定義上排出ゼロとして各発電技術の CO_{2e} を計算している。

特筆すべきなのは、同じ章で「核戦争・テロ」よる影響を考察していること。「国家間の限定的な核攻撃やテロリストによる核爆弾の起爆の危険性が高まっている」とウクライナの事態を想定しているかのよう。30年間に核攻撃が起きる確率を前提に、排出量を算定している。

全体では、原発は石炭火力に次いで CO_2 を排出する。論文が、クリーンな自然エネルギーは、「当面の間、世界の電力を賄うのに十分な量が存在する」とし、「効率の悪い選択肢（原子力、石炭火力）は、地球温暖化や大気汚染の解決策を遅らせる」と結論付けているのは示唆的である。

2）「Renewable Energy Resources 2nd Edition」J. Twidell and T. Weir、Taylor & Francis、2006

3）「Renewable Energy Resources 4th Edition」J. Twidell and T. Weir、Taylor & Francis、2022

第3章

太陽エネルギー

地球の有機物質は元より、無機物質も含めて、太陽の存在の賜物と言って良いほど、太古の昔から未来にかけて、地球は太陽と共にあります。再エネの資源の圧倒的多くも太陽の存在に依拠しています。

カーボンゼロ社会を実現する再エネ資源の大半が、量的にも時間的にも莫大な太陽エネルギーに依拠することになることは全く根源的な必然性を持っています。

(1) 太陽エネルギーの本質

1) 太 陽 放 射

地表に届く日射は、太陽の表面温度約6,000K*によって決定され、0.3~2.5μmの波長帯で、可視光線及び紫外線、赤外線の領域含む短波放射です。雲一つない晴天の真昼の短波日射量は、空間では1.3kW/m^2、地上では最大約1.0kW/m^{2}の光束密度です。この光束は、場所、時間、天候によって、約1.0から10kW/m^2/dayに変化します。

スペクトル分布をみると太陽放射は、熱力学的に非常に質の高いエネルギーを持った光束であり、再エネ資源の中では、十分高い温度で利用できるもので、暖房や熱機関などの熱利用に加えて、太陽光発電やバイオマスの光合成などの光物理学的・光化学的利用など、多種多様に利用可能です。

*K (Kelvin):温度の単位。絶対温度。「国際単位系(SI)の温度の単位で、基本単位。記号はKである。水の三重点(水と水蒸気と氷が共存する状態の温度で、0.01

℃）の熱力学温度（絶対温度と同じ）の273.16分の１と定義され、温度にも温度差にも用いる。1968年の国際度量衡総会で定められた。目盛の間隔はセルシウス度（℃、摂氏度）と同じで、目盛値ではセルシウス度と273.15の差がある。熱力学温度Ｔとセルシウス度ｔとの関係は、次のとおりである。Ｔ＝ｔ＋273.15」（『日本大百科全書（ニッポニカ）』小学館より）

太陽系内が真空であるため、エネルギー交換は放射によってのみ行われます。このことから放射源の温度と表面によって太陽放射が特徴づけられ、地球に降り注ぐ太陽放射の波長が0.3〜2.5μm（短波放射）となります（ウィーンの放射法則）*。

*ウィーンの放射法則：「絶対温度Ｔの黒体から放射されるエネルギー密度分布を示す法則の一つ。ウィーンの放射法則はプランクによる量子仮説を取り入れたプランクの放射公式への橋渡しになった。」（『日本大百科全書（ニッポニカ）』小学館より）

2）大気との相互作用

大気中の空気、水蒸気、雲、微粒子は、我々が「空」と呼ぶものの構成要素です。この空は、太陽光の透過経路の構成要素の温度と密度に応じて、地上の物体に対して赤外線を放射します。

地球の上層大気（対流圏）の温度は約230K、地表の温度は約260Kから300Kで、いずれも太陽の温度（約6,000K）よりはるかに低い温度です。地球の温度は、支配的な出射放射が長波放射と呼ばれる約5〜25μmの波長を持ち、約10μmでピークに達するものです。平衡状態では、地球から宇宙空間に放出される長波放射エネルギーは、入射する短波放射と等しく、波長帯は別々で、異なります。このため、短波放射領域と長波放射領域は全く別のものとして扱うことができます。

太陽放射が地球大気のガスや蒸気を通過するとき、複雑な相互作用が起こり、地表に到達する光束密度が減少します。分子、原子、粒子との相互作用には次のようなものがあります：①大気吸収（約19%）により加熱され、その後長波放射として再放出される。②散乱（波長に依存した方向の変化）によ

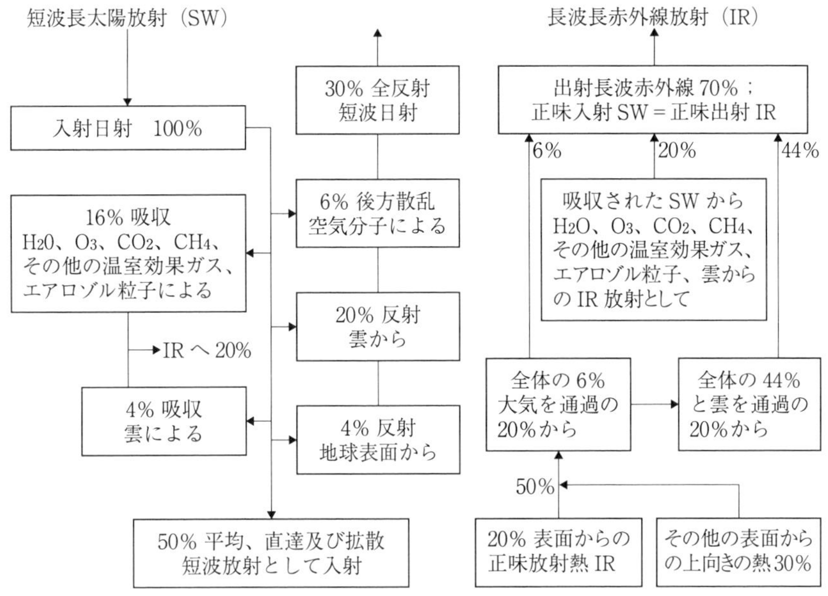

図 3－1　太陽光の放射成分と関係する物理過程

り、通常は吸収は起こらず、同じ波長で拡散していく。③反射（約 30%）により、粒子、雲、地表で、波長に依存しないつまり晴れていても宇宙への反射があります[1)]。

大気中の「温室効果ガス」は、この長波放射の多くを地表から吸収し、地表を他の場所よりも暖かく保っています。人間の活動（特に化石燃料の燃焼）によって、大気中の温室効果ガスが増加し、地表の平均気温が著しく上昇しましたが、これはより一般的な気候変動の一つの症状に他なりません。

長波熱領域では、水蒸気と CO_2 が地表や下層大気から放射される赤外線を大きく吸収します。この長波放射の吸収は、大気、ひいては地表の温度を上昇させ、放射強制*や温室効果を引き起こします。

＊放射強制：対流圏界面における正味鉛直放射量の変化で、二酸化炭素濃度やエアロゾル、太陽出力の変化など気候システムの強制力の内的あるいは外的な変化に由来する。放射強制力は、m^2 当たりのワット数で表される（W/m^2）。（「用語集」地球温暖化観測推進事務局）

(a) 下降する太陽放射（短波）と上昇する熱放射（長波）の図［ピークを正規化］

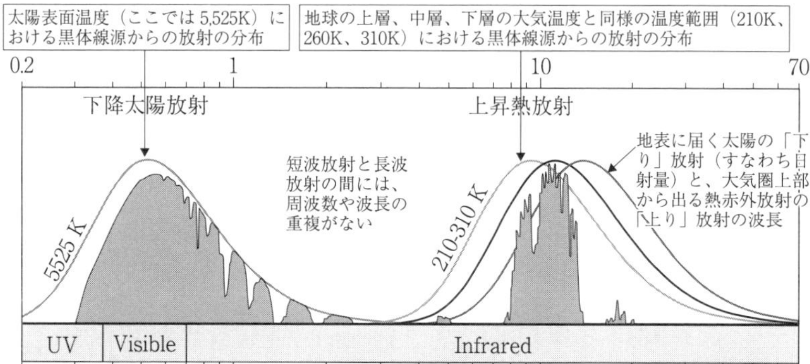

(b) 太陽短波と熱長波の全スペクトル領域における大気の吸収率

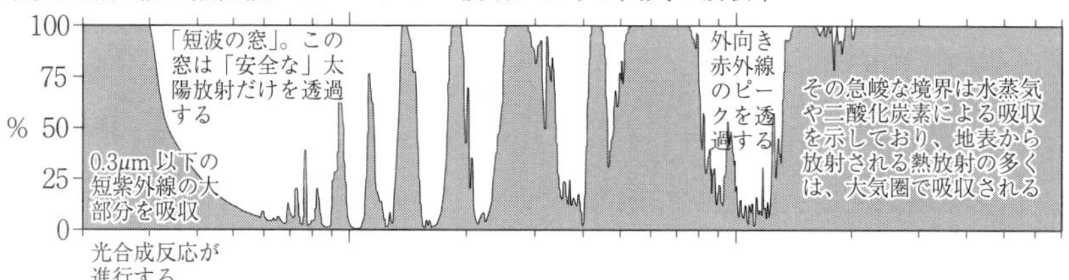

(c) 大気中の主要なガスと水蒸気の吸収スペクトル

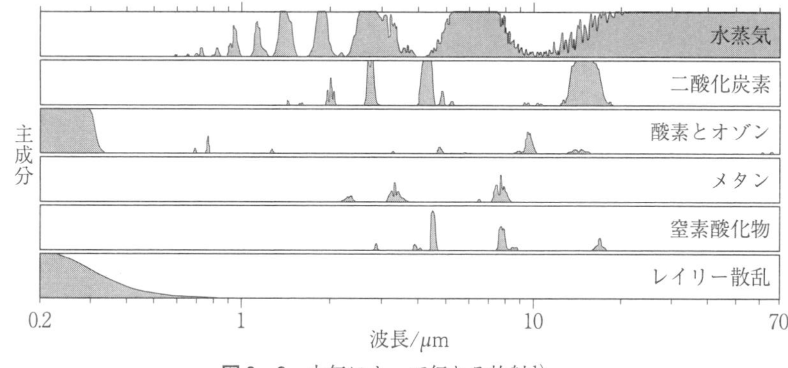

図３－２　大気によって伝わる放射[1)]

3）温室効果

雲のない大気を透過する太陽放射の透過率は、(a) 放射の周波数、(b) 大気ガスや水蒸気の放射吸収率で決まります。大気の透過・吸収特性によって、地球の平均表面温度は、大気がない場合に比べて約30℃ 高くなります。このような大気が暖まることを「温室効果」と呼び、その原因となる「1 分子あたり 3 個以上の原子」を持つ大気中のガスを「温室効果ガス」(GHGs) と呼んでいます。

温室効果の物理は以下の内容です。大気中の放射吸収ガス、例えばCO_2の濃度が高くなると、その吸収線の波長幅が広くなり、吸収が増加します。人為的な赤外線吸収が増えると、大気は暖められ、大気から地表に降り注ぐ赤外線のフラックスが増加し、この赤外線放射(電磁波)が自然な分子振動と共鳴することで吸収されます。

分子が複雑であればあるほど、振動モードが多くなり、特定の放射周波数で吸収される可能性が高くなります。大気中に添加された 1kg の CH_4 (1 分子あたり 5 個の原子)は、25kg の CO_2 (1 分子あたり 3 個の原子)と同程度の温室効果を持ちます。

水蒸気以外の赤外線吸収ガスとしては、二酸化炭素(CO_2)、亜酸化窒素(N_2O)、メタン(CH_4)、オゾン(O_3)があり、これらは天然の温室効果ガス(GHGs)です。大気中の温室効果ガスの濃度は、人間が手を加えなければ、自然(主に生態系)のプロセスによって有益にコントロールされています。

温室効果は、地球とその大気の本質的な自然特性であり、確立された生態学的プロセスと密接に関連しています。温室効果がなければ、地球上のほとんどの水は氷となり、光合成の速度は大幅に低下し、生命が存在するとすれば、それは大きく異なるものになると推察されます。しかし、過去 200 年間、特に化石燃料からのCO_2や工業的農業からのCH_4の過剰放出により、人類の工業、農業、生活活動の増大は、自然の制御を乱しています。

4) 莫大な太陽エネルギー

太陽からのエネルギーのうち地殻に到達するのはごく一部ですが、入射放射線は地球上で最も大きなエネルギー移動量となり、１年を通して入射する太陽エネルギーの0.01％を利用することができれば、世界の年間エネルギー需要を満たすことができると言われています。

１秒あたり約42兆kcal、これは、１秒間に世界中で使っているエネルギーの２万倍以上という量です。もしこの太陽エネルギーを100％利用できるなら、世界の年間エネルギー消費量をわずか45分でまかなうことができます。

１）Renewable Energy Resources - 4th Edition-（John Twidell, 2021）

(2) 太陽エネルギー利用の要素技術と広大な市場

太陽エネルギーは、自然および人為的（技術的）なプロセス、即ち化学的・電気的・熱的・機械的、によって、他のエネルギー形態、すなわち、光合成（化学的)、太陽光発電（電気的)、太陽熱利用（熱的)、および風力・水力（機械的）などの他のエネルギー形態に変換することができます。

将来予測では、太陽エネルギーに属する再エネが、世界の電力供給において最大の伸びを示しています。グリーンで無公害の代替エネルギー源（水力発電、風力発電、バイオマス発電、地熱発電、太陽光発電）の中でも、太陽エネルギーは、化石燃料に代わる強力な代替エネルギーであると考えられます。このため、ここ数十年、太陽光発電は、最も豊富でクリーンな再生可能エネルギーとして、世界の脚光を浴びるようになりました。

太陽エネルギーの利用は、要素技術に応じて、多種多様な広大な分野に渡っており、「要素技術と市場の広がり」（図３−２)[2]に整理されています。カーボンゼロ社会を実現するエネルギー源の大半が太陽エネルギーに依拠することになることを示すものです。

本章では、この広大な利用分野の中の太陽光発電（太陽の放射エネルギーを電気エネルギーに効率的に変換する技術）について記述します。

図 3-2 要素技術と市場の広がり[2)]

2)『エネルギー・資源ハンドブック』(エネルギー・資源学会編、オーム社、1996 年)

(3) 太陽光発電
――太陽光発電技術の到達水準――

太陽光発電の利用可能を切り開くには、何世紀もかかりました。太陽エネルギーの歴史において、大きなブレークスルーとなったのは、1839 年に光起電力効果の発見です。光起電力効果*とは、物質に太陽光が当たると電流が発生するというもので、太陽電池の動作原理です。しかし、太陽電池の近代的な時代は、1941 年の米国 Bell 研究所の R. S. Ohl (オール) のシリコン・セルの開発に始まり、1954 年には、ベル研究所による変換効率 6% のシリコン光起電力 (PV) セルが開発されたことで、現在までに製造されているソーラーパネルのモデルに到達しました。

* 光起電力効果は、光にさらされたときに材料内で電圧と電流が発生すること。これは物理的および化学的な現象であり、光電効果と密接に関係している。光電効果と

いう用語は、通常、電子が材料（通常は真空中）から放出されるときに使用され、光起電力効果という用語は、励起された電荷キャリアがまだ材料内にあるときに使用されることである（Academic Accelerator より）。現在市販されている太陽電池パネルの発電効率は平均 15～20% だが、太陽電池の発電効率が向上すれば、太陽エネルギーは化石燃料に代わる真のエネルギー源となることに間違いない。このように、PV システムの分野では、さまざまな材料やデバイス・アーキテクチャを用いた大規模展開、コスト削減、性能向上という点で、目覚ましい発展を遂げている。

1）変換効率

米国国立再生可能エネルギー研究所（NREL）[3)]は、1976 年から現在に至るまで、さまざまな太陽光発電技術について、研究用セルで確認された最高の変換効率をプロットしています。

このプロットに含まれる最新技術デバイスは、独立した公認試験所（NREL、AIST、Fraunhofer など）によって確認された効率を持ち、標準化されたベースで報告されているものです。

図3－4にセル効率の推移が、半導体の様々なファミリー毎に示されています：①多接合セル、②単接合ガリウムヒ素セル、③結晶シリコンセル、④薄膜技術、⑤新興太陽光発電。26 の異なるサブカテゴリーが、特徴的なシンボルで示されています。最新記録の装置を製造した企業またはグループが、詳細に記入されていますが、本書では、それらをすべて外した図を紹介します。

モジュール変換効率（パネル1枚の効率）は、現在平均 15～20% ですが、NEDO の目標値は「2025 年までに 25%、2050 年までに 40%」となっています。

2）設置場所

太陽光発電は、典型的な分散エネルギーであり、広い面積から集約することが必要です。具体的な設置場所の確保が重要になりますが、結論から言うと、太陽光発電は、全ての人工構造物の上に設置可能であり、場所の確保には困りません。設置場所が多種多様にあることが分かります。

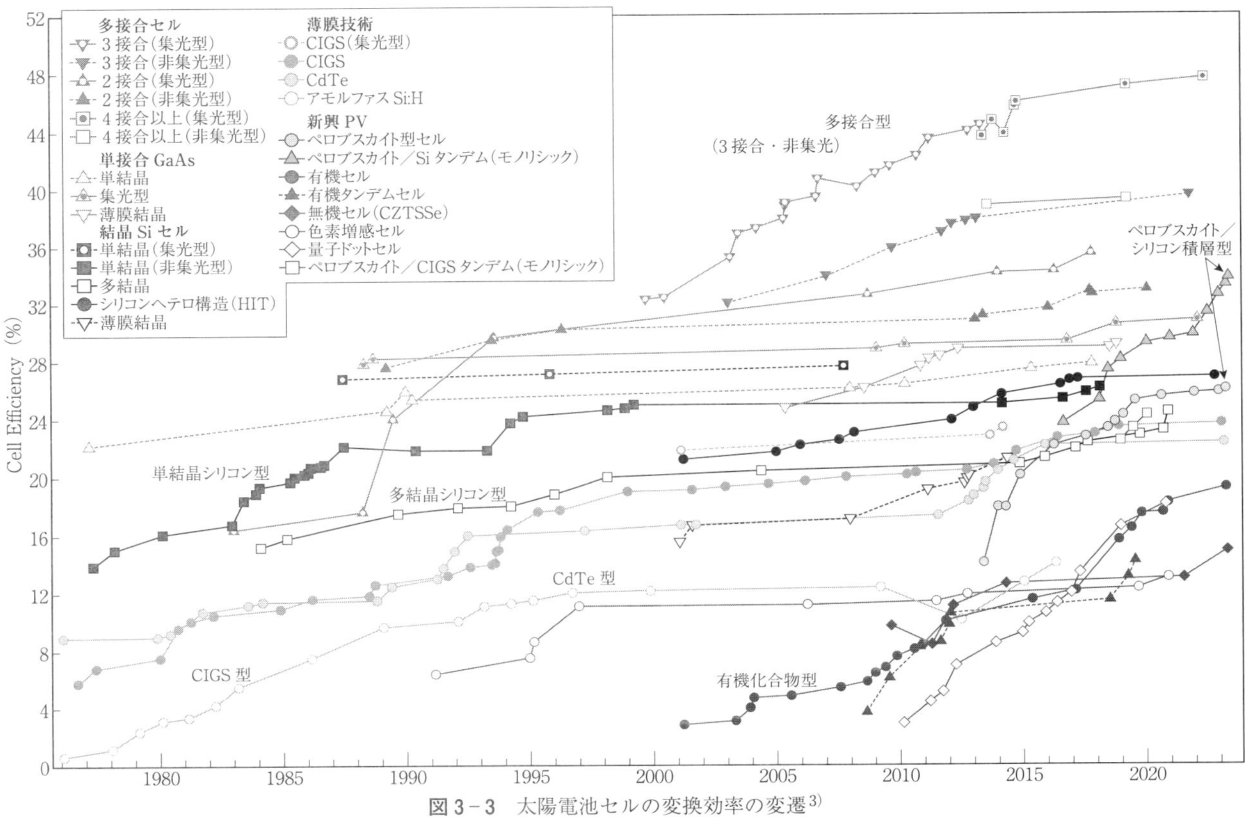

図 3－3　太陽電池セルの変換効率の変遷[3)]

以下に、NEDO資料[4]による設置場所を紹介します。

①設置可能な場所の拡大[4]

〈土地設置場所を複層的に共用〉

- 水上に太陽光発電を設置：

・日光を遮断でき、藻の繁殖を抑制して水質の改善に繋げる。

・水の蒸発を抑制できるため、干害防止が可能になる。

・養殖場に設置することで、魚の日焼け防止と養殖用の電源として活用できる。

- 農地に太陽光発電を設置：

・日射が強く葉物野菜が栽培できない地域では、日光や温度の上昇を抑制でき栽培が可能になる。

・最適な日射量に調整することで、収穫量を向上できる。

・電動農耕機等、将来のスマート農業の電源として活用できる。

- 駐車場に太陽光発電を設置：

・日除け効果があり、車内温度の上昇を抑えることができる。

・ショッピングモールの屋上に設置することで雨除け効果がある。

・駐車場の電源として活用できる。

〈既存製品に対して「発電」を追加〉

- 移動体（電動車）に太陽光発電を設置：

・系統電力からの充電と比較して、環境の負荷を低減できる。

・充電ステーションでの充電回数を低減できる。

・災害時の非常用電源になる。

- 建物壁面や窓に太陽光発電を設置：

・通常の「建材」と比較して、建物の創エネルギーに貢献できる。

・窓に設置した場合、直射日光を遮り、室内の温度上昇を防止とともに防眩に効果がある。

・東面、西面に設置することで、ダックカーブ＊を緩和できる。

- IoT機器に太陽光発電を設置：

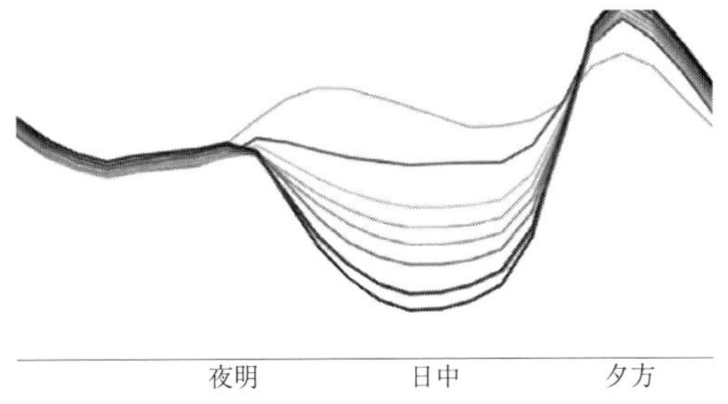

図3－4 アヒルチャート（あひる曲線）

・IoT 機器のための電源供給や電池が不要になり、初期投資・メンテナンスコストの低減につながる。

＊ダックカーブ：PV 発電量と電力消費量との差（純負荷曲線）は、1年のある時期には、アヒルの首のような“アーチ”を描くことから、“アヒルチャート”（あひる曲線）と呼ばれている。

②建物以外の導入ポテンシャル[5)]

〈新たな土地造成を必要としない分野〉

導入ポテンシャル等の観点で水上と営農の2分野の例を紹介します。これら両分野については、地上設置で問題となっている森林伐採や新規の土地造成を伴わず、環境破壊防止の観点からも評価できる分野です。水上、営農分野とも太陽光発電を行いながら、農業や養殖等他産業との両立が出来、土地の多利用が可能となる。

• 水上

水上利用については、既に溜め池や小規模の湖沼等を中心に、設置例が見られますが、ここでは、河川や運河を利用した太陽光発電の開発の事例を紹介します。

この事例では、水とエネルギーの両方のインフラに複数の利益をもたらすことができると考えられます：運河に隣接する微気候が涼しいため、PV の性能が向上する、PV パネルによる日陰は蒸発を緩和する、水生雑草の繁殖を抑制する、等メリットが示されています。

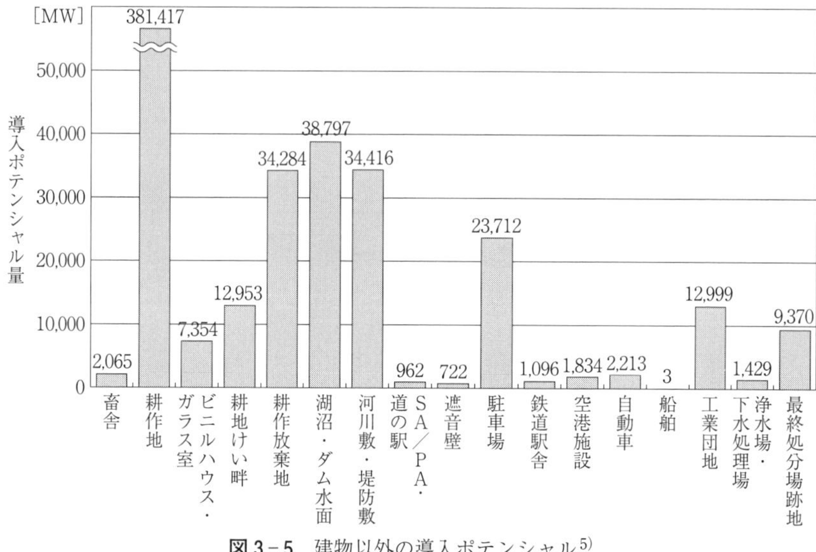

図3－5　建物以外の導入ポテンシャル[5)]

主要な運河システムにおいて、蒸発量の削減と経済的なコベネフィットは定量化されていない状況でした。しかし、カリフォルニア州の6,350kmの運河を対象とした太陽光発電パネルの地域水文・技術経済的シミュレーションが行われました[6)]。結果は、運河を覆う太陽光発電により、運河1kmあたり平均39±12,000m^{3}年間蒸発量を削減ができることが分かりました。さらに、運河の遮光による経済的利益は、運河をまたぐために必要なケーブル支持構造の追加コストを上回り、正味の運河上太陽光発電の現在価値は、従来の地上太陽光発電を20%から50%上回ることが分かりました。

具体的事例として、運河上に設置されたスチールトラス製1MWの太陽光発電システム（インド、グジャラート州）と吊りケーブル式運河上の2.5MWの太陽光発電システム（インド、パンジャブ州）の写真（図3－6）[7)]を紹介します。

• 営農

太陽光発電の下で農業を行う形態であり、農水省による規制緩和等から、

図3−6 運河上に設置された太陽光発電システム

国内では数多くの導入例があります。利点としては、現在ではFIT制度による売電収入が農家の副収入としての収益があること、盛夏の時期に遮光率を調整し、高温による減産を防ぐ効果もあります。今後、農業の電動化に伴い、自家消費用や植物工場の電源としても使えることなどがメリットとして期待されています。

営農型太陽光発電の課題としては、架台により農機具の搬入が困難になったり、遮光による作物の収穫低下、高い架台を設置するための風対策や下で作業するための電気安全対策が必要とされていることが挙げられています。

3) 設置コスト[8)]

太陽光発電が汎用エネルギー源となるまでには、さらに数段の技術革新による性能の向上が進められる見通しです。この結果、太陽光発電は、化石燃料の系統電力との比較において経済性を確立し基盤的な電源となると考えられます。図3−7に見られるように、この10年間に価格が半減し、2030〜2050

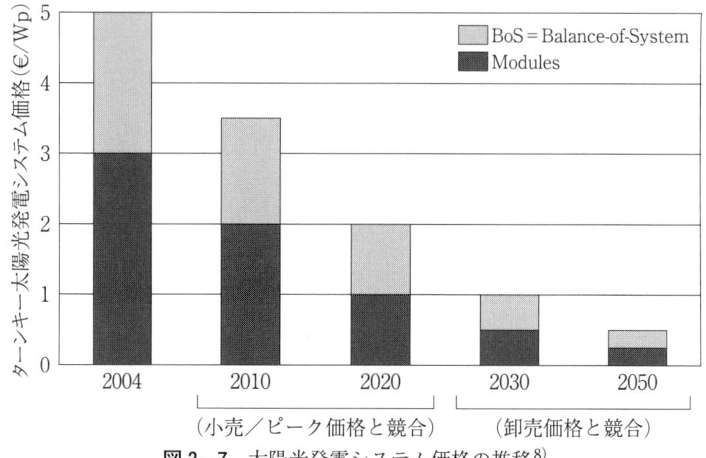

図3-7　太陽光発電システム価格の推移[8)]

年で更に半減し続け、電力卸売り価格と競合すると見られています。

3）NREL National Renewable Energy Laboratory, USA Best Research-Cell Efficiencies（https://www.nrel.gov/pv/interactive-cell-efficiency.html）

4）「太陽光発電開発戦略2020」（NEDO、2020年12月）

5）「NEDO再生可能エネルギー技術白書　第2章　太陽光発電」（NEDO、2013年、p.30）

6）Energy and water co-benefits from covering canals with solar panels（Nature Sustainability, 2021）

7）A. Canal top solar PV panel in Gujarat — A unique nexus of energy, land and water.（Akshay Urja, 2016）

8）「2030年に向けた太陽光発電ロードマップ（PV2030）に関する見直し検討委員会」報告書（NEDO、2009年）

(4) 2050年の電力源：太陽光が支配的となる[9)]

世界の電力消費量は増加すると予想されています（図3-8参照）。2050年の数値はGRES[10)]、1990〜1995年の数値はIEA統計、その間の数値はINFORSE[11)]によるものです。このビジョンでは、2050年までに太陽エネルギーベースのシステムが最も高い割合を占めると予測されています。

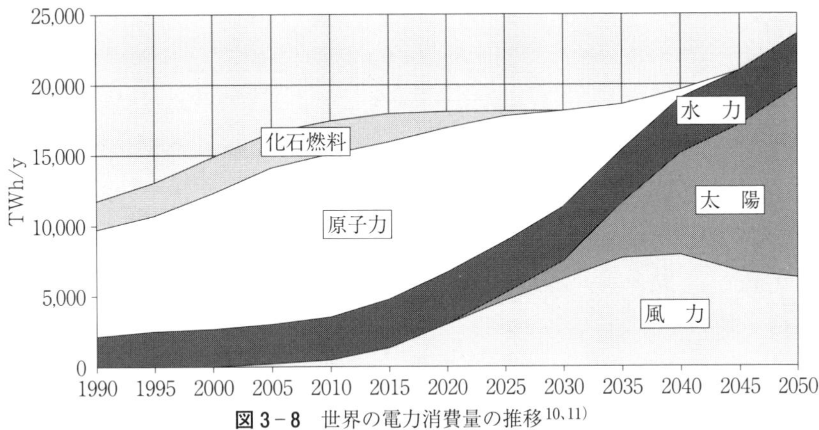

図3－8　世界の電力消費量の推移[10,11)]

再エネのシナリオでは、上記の割合で太陽光が電力源として支配的となると推測されていますが、いくつかの地域では、温水、暖房、冷房、飲料水などが、消費者にとって電力と同等か、それ以上に重要である場合があります。例えば、住宅の熱需要は、寒冷地では総エネルギー需要の約60％から80％を占め、温暖地でも約30％から40％と高く、熱供給を同時に行う“ハイブリッド利用”が提案されています。

1) ハイブリッド利用等の新たな可能性

太陽光発電で使用する太陽電池は、吸収しても電気に変換されない日射による温度上昇があり、変換効率を低下させるという事実が障害となります。そこで、太陽電池を作動流体（熱流体）で冷却し、高い変換効率を維持する方法が考えられました。この場合、熱流体（水または空気）は太陽電池から熱を取り出し使用することができるようになるため、電気エネルギーと熱エネルギーを同時に発生させるハイブリッド太陽電池が実現しています。PVT（PhotoVoltaic-Thermal）と呼ばれるハイブリッドソーラーパネルの登場です。これは、コージェネレーション装置とみなされます。

①ハイブリッドソーラーパネル

ハイブリッドソーラーパネルとは、従来別々に設置されていた太陽光発電パネルと太陽熱パネルを取り込んだもので、太陽光発電と太陽熱利用を同時に行うことができます。これは、太陽光発電パネルが紫外線を、熱コレクタパネルが赤外線をそれぞれ別に取り込むのに対し、ハイブリッドソーラーパネルは既存の光の全領域を取り込むものです。こうして太陽光発電の太陽エネルギーと、熱を利用した太陽エネルギーを同時に利用することができるようになります。

このハイブリッドソーラーパネルは、1970年代から研究開発が進み、現在では、より多くの場所に設置されるようになっています。

ハイブリッドソーラーパネルは、その汎用性、高度な技術革新、従来技術との比較における複数の利点から、あらゆる分野、あらゆる場所での需要が高まっています。電気、衛生的な温水、そして暖房（理想的には床暖房と低温放出装置）まで、１枚のパネルでまかなうことができます。しかしながら、PVT技術は、まだ技術的に成熟しておらず、現在発展中です。

②ハイブリッドソーラーパネルの世代

ハイブリッドソーラーパネルの市場は進化を続けており、搭載する技術によって新しいモデルが登場しています。これらのモデルは、次のように、「世代」別に分類されています。

〈0世代ハイブリッドソーラーパネル（PVT-0)〉

ハイブリッドソーラーパネルの中で最もベーシックなモデルで、最初に作られたハイブリッドソーラーパネルです。このパネルは、太陽電池と熱吸収材、電気配線用の接続箱で構成されるシンプルなものです。両面に断熱材がないため、到達できる温度はかなり低くなっています。そのため、一般家庭よりも低温の水が必要とされるプールなどに設置されています。

〈第1世代ハイブリッド型太陽電池（PVT-1)〉

太陽電池積層板と集熱板の接合部に、パネル背面から熱が奪われないようにするための背面カバーを追加したパネルです。背面のみのカバーのため、太陽電池積層板が熱くなりにくく、パネルの電気的性能を高めることができます。前面カバーのハイブリッド型よりも低温で動作するため、暑い場所に適します。現在、世界で最も多く販売されているハイブリッドソーラーパネルです。

〈第2世代ハイブリッドソーラーパネル（PVT-2)〉

このパネルの最大の特徴は、透明な前面カバーが組み込まれていることです。これにより、従来のハイブリッド型太陽電池の最大の欠点であった、前面からの熱損失を軽減することができます。パネル自体を両側から隔離することで、熱損失がさらに減少し、パネルの熱性能が大幅に向上します。このように、熱損失を低減することで、寒冷地や、何よりも熱生産性を高めることを目的とした場所に最適なパネルと想定されています。

③ハイブリッドソーラーパネルの設置が可能な場所

ハイブリッドソーラーパネルは、どんな場所でも設置可能です。屋根の表面積が小さい場所には最適です。また、家庭用温水（DHW）の需要が大きい施設ほど効果的です。こうして、この新技術を導入する場所としては、ホテル、高齢者住居、住宅用建物、スポーツセンター、病院・診療所、洗車、産業等が挙げられます。またこれらに加え、エネルギー消費量がそれほど高くないにもかかわらず、一戸建て住宅もハイブリッドソーラーパネルが可能な場所です。

2) イノベーション：ペロブスカイト太陽電池[12)]

メタルハライドペロブスカイト（MHP: Metal Halide Perovskite）は、過去数十年にわたり、有望な太陽光発電材料として注目を集めてきました。現在、MHPは一般式ABX_3を持つ幅広い材料に開発されています。ここで、AとBはそれぞれ一価と二価の陽イオンであり、Xは陰イオンを表します。さらに、MHPは、光起電装置（PV）などのさまざまな光学および電子用途における活性材料として広く使用されています。

＊ペロブスカイト：1839年にロシアのウラル山脈で最初に発見された鉱物チタン酸カルシウム（CaTiO3）の結晶で、ロシアの鉱物学者レフ・ペロフスキーにちなんで名付けられた。以来同じ結晶構造を持つ物質を表すために使用されている。

ペロブスカイト材料に対する光起電力効果の最初の実証は、2009年に遡りますが、電力変換効率（PCE）＊はわずか3.8％でした[13]。当時、ペロブスカイト太陽電池（PSC）＊の性能は低かったものの、ペロブスカイト材料の強い光吸収は学界で広く注目を集めました。しかし、これらの電池は液体電解質中でペロブスカイト材料が急速に劣化するという問題がありました。2012年に、PSCにおける重要な進歩が実現されました[14]。

＊PCE：Power Conversion Efficiency
＊PSC：Perovskite Solar Cell

これらの研究では、正孔輸送層としてSpiro-MeOTADを使用した全固体デバイス構成が報告されています。液体電解質の不安定性の問題を解決します。約10％のPCEが報告されており、動作の安定性が向上しています。現在、単接合PSCの最新の世界記録が25.6％に達したことを、韓国の蔚山国立科学技術院（UNIST）の研究者らが主張しています[15]。図3－9に示すように、PSCの実験室での効率は、このレベルに到達するのに約40年かかった第一世代の単結晶シリコン太陽電池の効率に匹敵します。

PSCは、構造上、発電層を含む厚みが結晶シリコン太陽電池の1/100程度と非常に薄いため、結晶シリコン太陽電池より軽量化できます。これにより、ネット・ゼロ・エネルギービル（ZEB）＊への普及につながる建物壁面への設置や、透明電極を用いた窓への適用など、多様な設置形態が可能になります。さらに、太陽電池モジュールの基板へ直接、層材料を塗布することができるため、従来の作製技術に比べて、より安価に形成できることから、次世代太陽電池として注目されています。

一方、小面積セルのエネルギー変換効率は25.2％と結晶シリコンに匹敵する高効率が達成されているものの、従来技術では大面積を均一に製膜するこ

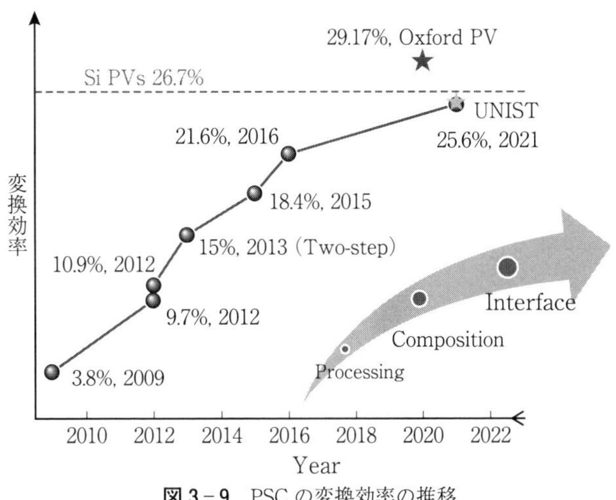

図3－9 PSCの変換効率の推移

とが困難であったため、変換効率が大きく低下する傾向がありました。

このような背景のもと、現在、開口面積802cm^2：縦30cm×横30cm×厚さ2mm、世界最高のエネルギー変換効率16.09%が達成されています[12)]。

＊ZEB：Net Zero Energy Building（ネット・ゼロ・エネルギー・ビル）の略称。「ゼブ」と呼ぶ。

3）PVパネルの大量廃棄

「リサイクルなどの循環型ソリューションが極めて不十分なままであるこの業界では、廃棄されるパネルの量が膨大になることで、近い将来、存亡に関わるようなリスクが生じるだろう。」との指摘があります[16)]。

業界の現在のリサイクル能力は、今後発生するであろう廃棄物の大洪水への備えが極めて不十分です。

国際再生可能エネルギー機関（IRENA）の公式予測では、「2030年代初頭までに大量の年間廃棄物が予想され」、2050年には7,800万トンに達するとしています。

早期の交換が行われた場合、わずか4年でIRENAが予想する50倍の廃棄物が発生する可能性があります。この数字は、1MWあたりの重量対出力比を90トンと見積もった場合、約31万5,000トンの廃棄物に相当します。

世界の電子機器廃棄物総量は2014年に4,180万トンを記録したと報告されています。PVの年間廃棄量は、同年の1,000分の1ですが、2050年までには、PVパネル廃棄物の年間増加量は、2014年に世界で増加した記録的な電子機器廃棄物の10%を超える可能性があると予想されています[17)]。

PVパネルリサイクルについては、第5章で再度取り上げます。

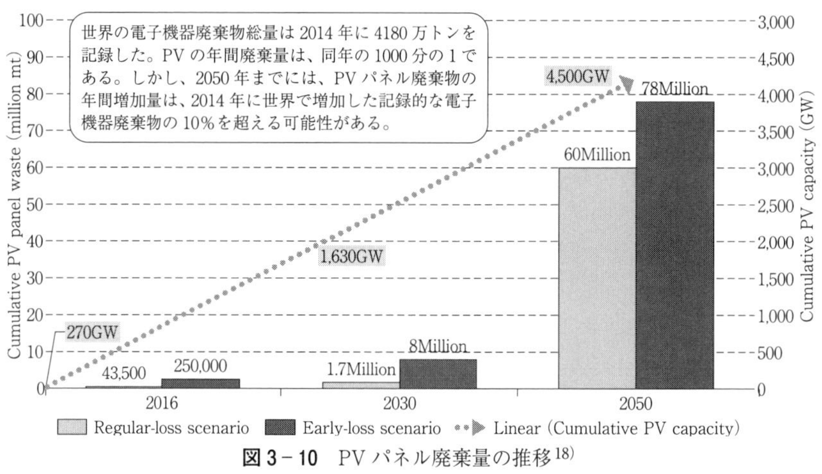

図3－10　PVパネル廃棄量の推移[18)]

9）A review on hybrid photovoltaic/thermal collectors and systems（International Journal of Low-Carbon Technologies, 2011）https://doi.org/10.1093/ijlct/ctr016
10）GRES（A Global Renewable Energy Scenario), 1998
11）INFORSE-International Network for Sustainable Energy
12）「ペロブスカイト太陽電池大面積モジュールで世界最高変換効率16.09%を達成」（NEDO、2020年）
13）Organometal Halide Perovskites as Visible-Light Sensitizers for Photovoltaic Cells.（Kojima et al., J. Am. Chem. Soc. 2009）
14）Lead Iodide Perovskite Sensitized All-Solid-State Submicron Thin Film Mesoscopic Solar Cell with Efficiency Exceeding 9%　Kim et al., 2012; Lee et al., 2012

15) A Perspective on 2009 Solar Cells:Emergence, Progress, and Commercialization (Front.Chem., 2022) https://doi.org/10.3389/fchem.2022.802890
16) The Dark Side of Solar Power, Atalay Atasu, Serasu Duran, and Luk N. Van Wassenhove, Harvard Business Review, June 18, 2021.
17) CHALLENGES AND OPPORTUNITIES World Future Energy Summit 2017 IRENA "Letting in the Light" Session Abu Dhabi, 16 January 2017
18) End of Life Management Solar PV Panels 2016 IRENA IEAPVPS

第4章

太陽エネルギー起源の自然エネルギー

太陽エネルギー起源の自然エネルギーとしては、風力、水力、バイオマスがあります。本章では、風力と水力を取り上げ、バイオマスは次章で詳しく検討します。

風力と水力は、前者は風の力、後者は水の力によって、発電機を動かし、電気を発生させる技術で、媒体（前者が大気、後者が水）の違いがありますが、両者は原理的にかなり似ています。風力発電装置は広い空気流束の中に設置されるため、通過する空気を空気のない領域に偏向させることはできません（水車上の水とは異なる）。したがって、風力発電機の効率には限界があります。基本的に、空気はタービンの風下に移動するのに十分なエネルギーを持っていなければならないからです。

(1) 風　　力

1) 風の発生と歴史経過

風は、地球上で太陽放射（熱）が吸収されると、空気が膨張し対流することで発生します。地球規模では、これらの熱効果と地球の自転による大気の動的効果に加え、地理的・環境要因による地域的・局所的な変化も組み合わさって、特有の風パターンを生み出しています。日本の上空の偏西風はその代表的な風です。風速は高さとともに増加し、水平成分は垂直成分よりもかなり大きく、水平成分の風速は突風や短期的な変動をともなっています。風が蓄える運動エネルギーは、地面や海面との接触による摩擦によって消散します。

風は地形などの空間的変動の影響に加えて時間的変動の影響もあり、時間と共に変化する風速の変動周期は数秒から数日、数カ月の季節や年単位に及びます。大気の流れの不規則な時空間の乱流変動はタービンやブレードの疲労損傷を引き起こす要因にもなります。

風力発電を成功させるには、強く安定した風とエネルギー需要が必要であり、風車の立地点の決定には詳細な風況データが必要となります。風速は平地からの高さによって大きく変化するので、約100mまでの地上境界層における高さによる風速の変化を計測しなければなりません。局所的な障害物の高さの範囲では風速は不規則（乱流状態）に変化し、強風時には急激な方向変動が起こることがあります。

歴史的には、水力と風力がもっとも古くから用いられてきました。特に風力は、紀元前3,600年ころ既に、エジプトにおいて揚水や灌漑用に使用されたり、帆による船の動力として利用されていました。

欧州では、オランダ型風車が独自の発達を遂げ、帆のはり方で回転数、動力を制御し、18世紀の産業革命まで重要な動力源でした。一部は現在でも動

図4－1　ポール・ラクールの風力発電機

く状態で保存されています。産業用動力機械でこれだけ長期に渡って稼働しているものは他に類例を見ません。

風車による発電は、19世紀になってからです。1891年に、デンマークのポール・ラクールはアスコウに最初の風力発電装置を作りました（1897年には直径22.8mの大型風力発電装置を設置)。現在の風車の誕生です。そして現在、発電出力数10Wから数MW、ブレードの直径1mから100m以上の風車が製造され、技術的な確立をみています。

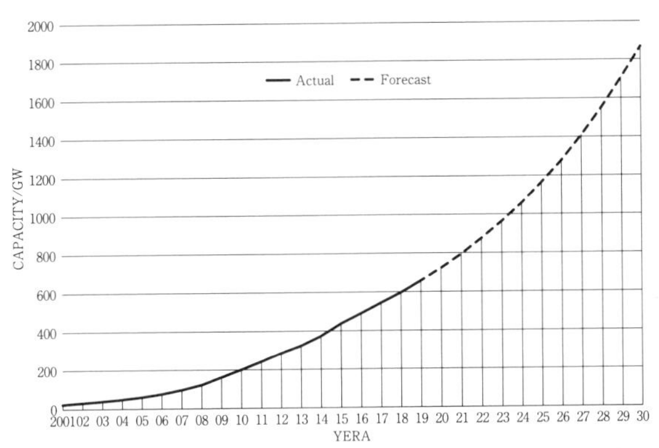

図4－2　世界の風力発電、2001年以降の年間新規設置容量（GW）[1)]

2）風車の種類[2)]

風力資源を機械的な仕事（例えば揚水）や、主に電気（電力）として利用する技術として風車が必要です。今日に至るまでに、風車の形状は極めて多種多様な開発がなされています。

風力機械と装置の分類を示すことができます。主なタイプを図4－3に整理してあります。その他にも数多くの設計や適応があります。

3）水平軸と垂直軸

①水平軸風力タービン

2枚羽根および3枚羽根の水平軸風力タービン（HAWT：Horizontal Axis

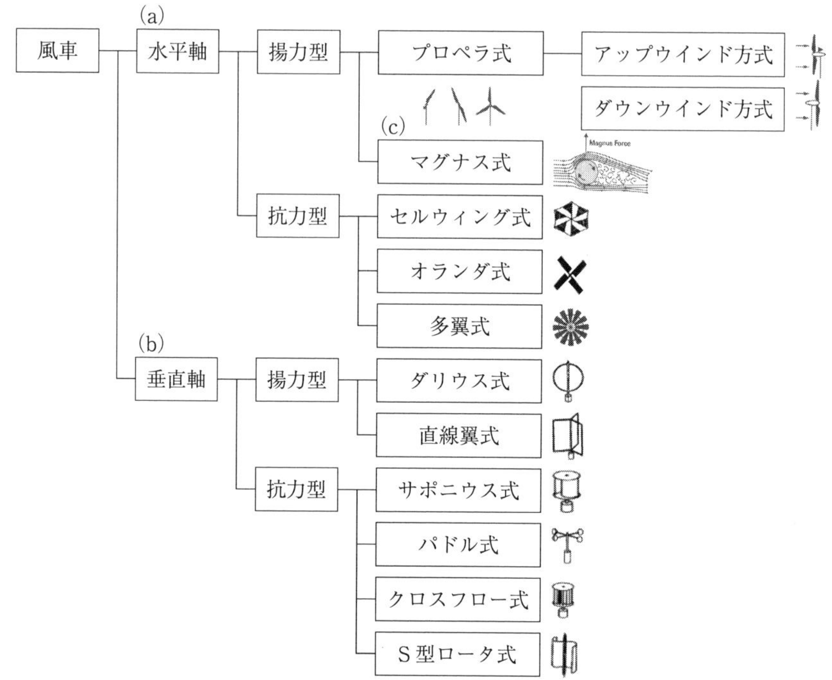

図4－3　風力機械と装置の分類：(a) 水平軸、(b) 垂直軸、(c) 集風型

Wind Turbine）が発電用として圧倒的に一般的であり（図4－3 (a)）、ローターはハブとブレードの両方で構成されます。3枚羽根のローターは、2枚羽根のローターよりも「滑らかに」作動し、一般に静かです。2枚羽根のタービンは「ぐらついて」見えることがあります。カウンターウェイト付きの1枚羽根ローターが実地試験されたことがありますが、非対称であるため、商業的な見通しを立てるには困難が多すぎました。

歯車装置と発電機は通常、ナセル内のタワー最上部に設置されます。微風時に大きな始動トルクを持つマルチブレード・ローターは、揚水やその他の低周波機械動力に使用されます。

すべての風力タービンのブレードは、飛行機の翼に類似しています。風は水平面内で頻繁に蛇行するため、ローターは水平面内で回転し、振動するこ

図4－4　洋上ウインドファームで霧の中に見える風下回転流（ウェーク）
Energies 2013, 6.[3)]

となく風に追従しなければなりません。風上向きタービンは、向きを維持するために、尾翼や電気モーター駆動などのヨーイング機構が必要です。下向きのタービンは、原理的には自己配向性を持ちます。

HAWT風車は、ブレード経路に風影や余分な乱流を発生させるタワーの影響をより大きく受けます。この種の擾乱は、構造に周期的な応力を与え、さらなる騒音と出力変動を引き起こします。

水平軸タービンは、漏斗のような後流を発生させ、飛行機雲のように広がります（図4－4）[3)]。

②垂直軸風力タービン

HAWTはヨー制御*（風に向かって水平面内で回転すること）をしなければならないのですが、垂直軸の風力発電機（VAWT: Vertical Axis Wind Turbine）は、垂直軸を中心に回転することにより、調整なしでどの方向からの風も受け入れることができます。VAWTに期待されるのは、ギアボックスと発電機を地上に設置できることです。このように、VAWTには数々の利点があります。

＊ヨー制御：水平軸風車形風力発電機で，発電効率向上のため，風車ローターを常に風向と正対するよう方位制御が行われており、これをヨー制御と呼んでいる。

VAWTは、適切に配置され、連携することで、VAWTを凌駕する可能性を持っています。設置面積が小さく、高さが低く、連携すると効率が高いため、垂直タービンは洋上風力発電所に最適なソリューションになる可能性があります。水平軸の風上向きタービン（150MW、ブレードスパン35メートル）の乱流を回避するには、下流のタービンを約3km離れている必要があります（図4-4）。それはかなり大規模なウインドファームになります。VAWTでは通過した後の風の乱流は少なくなります。

VAWTであっても、小型機の場合、歯車装置と発電機を地上の垂直主軸に直接連結することができますが、大型機の場合は、非常に大きなトルクを伝達する長いメインシャフトが必要になります。解決策は、発電機を回転の中心点まで上昇させることであり、これは水平軸の場合と同様です。

VAWTの主な欠点は次の通りです：①風の回転トルクが各サイクル内で周期的に変化するため、出力に不要な出力周期が現れる。②ガイ付きタワーの支持は複雑であるため、稼働中の風力発電機の大部分は垂直軸ではなく水平軸になっています。しかし、現在開発中の大型洋上浮体式垂直軸タービンはかなり違っています（これは本節6）③で紹介します）。

③水平軸と垂直軸の風力タービンの違い

水平軸と垂直軸の両方の風力タービンは、風力発電機を駆動するために風の運動エネルギーを使用しますが、表4-1に示されている幾つかの違いがあります[4)]。

4）陸上から洋上へ

陸上の巨大風車建設に対しては、逆風が強まっています：騒音や景観懸念、住民ら反対運動。こうした事情によって、洋上への展開に活路が見出されています。

表 4－1

差異の根拠	水平軸風力タービン（HAWT）	垂直軸風力タービン（VAWT）
定義	回転軸が水平であるもの	回転軸が垂直であるもの
風流に対する回転軸	タービンの回転軸は風流に平行	タービンの回転軸は風流に垂直
発電機の設置場所	発電機はタワーの上部に設置	発電機は地上に設置
ギアボックスの位置	ギアボックスはタービンタワーの上部に取り付け	ギアボックスはタービンの下部に取り付け
ヨー機構の必要性	タービンを風の方向に向けるためにヨー機構が必要	全方向からの風を受けるためヨー機構は不必要
セルフスタート	自己始動	自己始動ではないため、静止位置から始動するには始動機構が必要
設計と設置	設計と設置は複雑	設計と設置は比較的簡単
ブレードの操作空間	ブレード操作用の広いスペースが必要	ブレード操作用のスペースは小さい
風への依存 方向	横軸の操作は風向に依存	垂直軸の操作は風向に依存せず、あらゆる方向からの風を受けることが可能
地面からの高さ	地上からの横軸の高さは大きい	比較的小型で地面からの距離は小さい
ナセルの必要性	重いナセルをタワーの上部に設置	ナセルは不必要
電力係数	高い出力係数	低い電力係数
チップ速度比（TSR）	高い先端速度比	低い先端速度比
発生するノイズ	タービンの騒音は騒々しい	タービンの騒音は比較的少ない
効率	理想的な効率は約 50% から 60%	理想的な効率は通常 70%
鳥の邪魔	鳥にとっては大きな障害物	鳥にとってはより少ない障害物
費用	複雑な設計と設置のため高価	設計と設置が簡単でありより安価

洋上風力は、他の変動型再生エネよりも高い容量係数*をもっています。2018年、洋上風力タービンの世界平均容量係数は33%、陸上風力タービン25%、太陽光発電14%。今後、新しい洋上風力発電プロジェクトは、中程度の風況であれば40%以上、質の高い風力資源がある地域では50%以上の容量係数が期待されます。

＊容量係数：特定の期間にわたる実際の電気エネルギー出力と、その期間にわたる最大可能電気エネルギー出力の単位のない比率。設備利用率は、燃料を消費する発電所や、風や太陽などの再生可能エネルギーを使用する発電所など、あらゆる発電設備に対して定義される。平均設備利用率は、このような設備のあらゆるクラスに対して定義することもでき、さまざまなタイプの発電量を比較するために使用できる。

5）理　　論

風車の発電出力P（W）は、式 $P=(1/2)CpA\rho u_0^3$（風速 u_0（m/s）：風の密度 ρ（$=1{,}225\mathrm{kg/m^3}$）、羽根が風を遮る断面A（$\mathrm{m^2}$）、効率係数Cp）で表されます。Cpは、「パワー係数」とも呼ばれ、理論的には0.593（ベッツ係数）が限界とされています。

この発電出力Pの公式から、得られる電力はAを2倍にすると2倍になり、

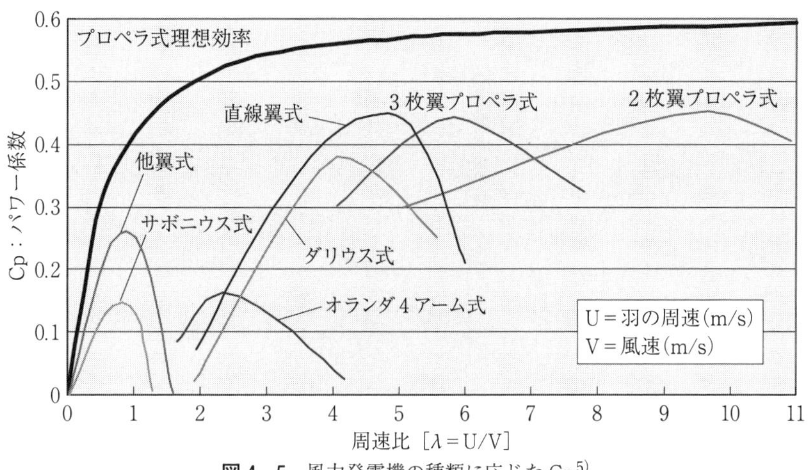

図4－5　風力発電機の種類に応じたCp[5)]

風速 u_0 を2倍にすると8倍になります。最適な回転数は、風速に対する翼端速度の比に依存するため、小型機は高速回転し、大型機は低速回転します。

風力発電の出力は、羽根の設計は理論的に確立されており、人間が制御出来る唯一の対象として、羽根を作る技術と強風対策で進歩発展が進められました。風力は風速の2乗に比例して大きくなるので、主要な設計基準は、非常に強い風による損傷からマシンを保護する必要性があります。

6) 今後の方向性

①大型化　国産エネルギーの充足

技術革新により、タービンの先端高さや掃引面積が大きくなり、最大出力が向上しました。市販のタービンの先端高は、2010年の100m（3MWタービン）強から2016年には200m（8MWタービン）強に、掃引面積は230％増加しました。現在開発中の12MWタービンは、エッフェル塔の高さの80％にあたる260mに達する見込みです（図4－6）。業界では、2030年にはさらに大きな15～20MWのタービンを目標としています。

すべてのプロジェクトにおいて、大型タービンを使用することで性能が大幅に向上するとは限りません。容量係数は、個々のサイトの風速の質に依然として依存しており、大型タービンに適さない場合もあります。また、開発

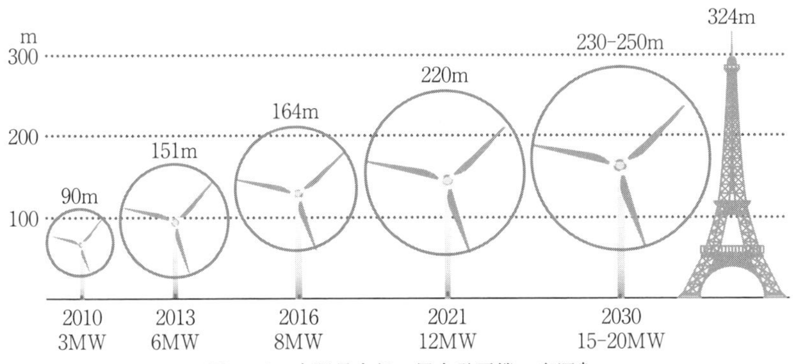

図4－6　市販最大級の風力発電機の変遷＊

Ofshore Wind Outlook 2019 IEA

＊図は原寸比で描かれている。掃引面積も直径を示している。

者にとっては、性能の向上とタービンの大型化によるコスト増の間でトレードオフが生じる可能性もあります。

一方、技術の進歩により、洋上風力発電機はわずか数年で大幅に大型化し、現在もその規模を拡大しています。

2030 年までのさらなる技術向上により、15〜20MW の大型タービンが登場する可能性があります。

②小型風車　地域振興と結びつく

小型風車は、地域の町工場で製造できるので、地域振興に役立ちます。

小型風車としては、昭和 30 年代、世界に先駆けて一世を風靡した「山田式風車」があります。著者に託されたファイルの中に、「恵風」と名付けられた「集合風車」の図面が残されていました。小型の山田式風車を縦横 10 個合計 100 個（1 個 10m×10m、集風面積 100m²）積層した六角の筐体に据付けたユニークなものでした。（図 4－7）

「恵風」はこのままでは実現しませんでしたが、今から 20 年ほど前に、規模を縮小（高さ 20m、最大横幅 20m）して建設したのが、愛称「なかよし風車」です（図 4－8）[6]。

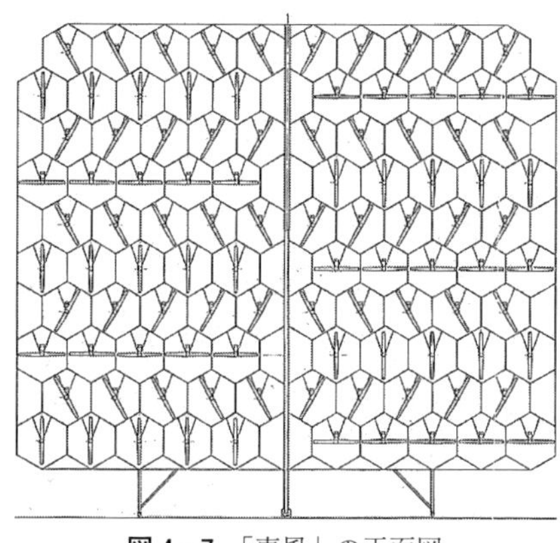

図 4－7　「恵風」の正面図

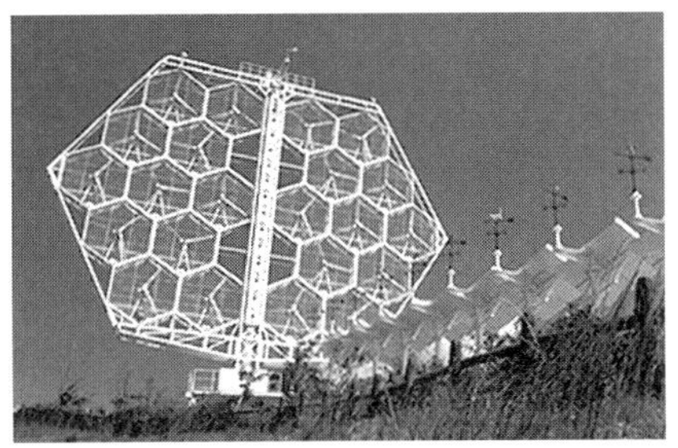

図 4－8　なかよし風車[6)]
自然と人の共生のシンボル「蜂の巣型風車」(山田養蜂場ホームページより)

山田式風車と発明者山田基弘さんのこと

「山田基弘 (74) は日本の風力発電の先駆者だ。北海道名寄市生まれ。父親が大工で、小学校の時、模型飛行機に熱中した。エゾ松を削って作った直径 1.2 メートルの 2 枚羽根のプロペラを、自動車の発電機の軸に直接つけ発電、家の電灯をつけた。まだ電線の来ていない農村の一角。ひときわ目立つ明るさだった。(中略) 山田式風車は、42 年の応召まで 200 台も売れた。終戦後は開拓農家に 1 万台販売。しかし電力網が普及し石油が安くなると見向きもされなくなった。」(読売新聞、1950 年 3 月 8 日)
「なかよし風車」のアイデアは「恵風」にあることは見ての通りです。

海上浮遊式マルチロータ形風車

W. ヒロニマスにより提案された集合風車システムは、直径 18m、100kW 風車を三個組み合わせ、前者を環状に 165 基浮かべ、さらにこの環状の集合風車群を 80 群を浮かべると、総計 4 万 kW の容量が得られるというものでした (図 4－9)。

今日、この海上浮遊式マルチロータ形風車の発展形態として、「浮体式マルチタービンシステム」の開発が進んでいます。図 4－10 は、それが展開された後の姿を示している[7)]。

図4－9　W. ヒロニマスの洋上集合風車の想像図

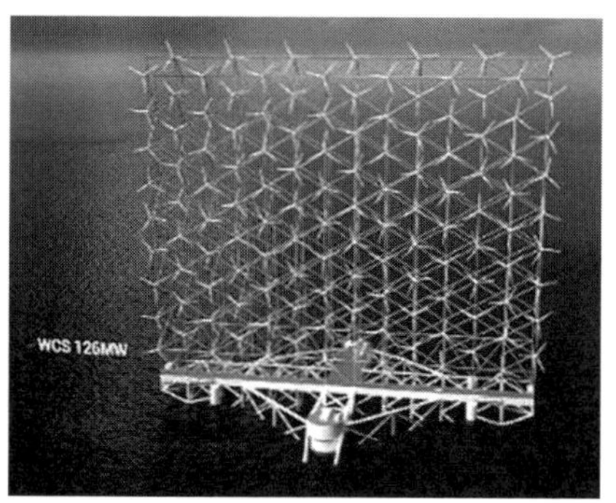

図4－10　浮体式マルチタービンシステム

③イノベーション

浮体式洋上風力発電のメリット・デメリット[8)]

浮体式洋上風力発電は、陸上式に比べて幾つかのメリット・デメリットがあります。簡単に紹介します。

・構成要素としての機械類が多い。

・他のコンポーネントのコストに影響を与えるデザイン変数には強い関係があります。

・風力発電のコストに占めるタービンコストの割合は、陸上サイトが65%

であるのに対し、浮体式洋上サイトでは約 20% です。

・プラットフォームコストは、現在、LCOE（Levelized Cost Of Electricity の略、発電量あたりのコストのことで、「均等化発電原価」と言われる）の最大の要因となっています。

浮体式洋上風力発電の潜在的なソリューションとして、以下のような利点がある VAWT が研究されています。

・低重心化により、プラットフォームコストを削減
・マルチ MW 規模での HAWT を上回る効率化
・アクティブコンポーネントの削除とドライブトレインのプラットフォームレベルでの配置により、O&M コストを削減

VAWT を多数機整列させたウインドファーム[9)]も提案されています（図 4－11）。

「風を吸い、風を送る。水平軸タービンは、漏斗のような後流を発生させ、飛行機雲のように広がるが、垂直軸タービンを通過した後の風は乱れにくくなる。」と説明されています。

VAWT はローターの回転軸が垂直であるため、ローターは常に同じ平面で回転しています。その結果、新鮮な風とすでに「エネルギーが枯渇した」風が混ざり合うことがなく、この「使われた」空気が風力発電アレイの内部に

図 4－11　洋上 VAWT のウインドファームの想像図

残り、下流にあるすべての列の潜在的な発電量に大きなマイナスの影響を与えるのです。「ウィンドファームアレイのVAWTを密に配置することで、最大15%の出力増強が可能であるという主張は、非常に低い可能性であると言えます」という批判もあります。

マグナス風車[10)]

様々な規模の風力から安定的に発電し電力供給が可能な風車として「垂直軸型マグナス式風力発電機」の開発も進んでいます。

この風車の原理は、マグナス力（物体を回転させた際に風向きに対して垂直方向に働く力）を活用し、円筒の回転数により発電し電力を供給します。木の葉や小枝が動くほどの風速4m/秒から風速40m/秒の台風並みの強風（最大風速70m/秒の風に耐えられる）まで対応し、様々な風力に対して安定的に電力を生み出せるとしています。

この風車は、"垂直軸型"であらゆる方向の風に対応できます。従来の風力発電機では、プロペラを風に向ける必要があったのですが、本発電機は垂直軸型のため、あらゆる風向きに対応。プロペラに比べて低コストで、強風によりプロペラが折れるといったケースが少ないのも特徴です。

洋上風力発電など様々な環境での使用が期待されており、開発元の株式会社チャレナジーは、2025年に100kWの中型機の量産を検討しています。離島や遠隔地における独立電源としての活用のほか、台風が頻繁に襲来する地域における風力発電の主力となることが期待されています。また、洋上風力発電で作った電気で海水を分解し、発生した水素をエネルギーとして活用するなど、循環型システムの構築も考慮に入れていると言います。

7）健康と環境への影響

①音の問題[11)]

陸上風車は、地域住民に悪影響を及ぼすことが懸念されています。いくつか紹介します。

・騒音
・低周波音
・風車症候群
・回転ペールやストロボ効果によって引き起こされる動く影
・安全性
・健康に関する景観への影響
・社会的側面および不動産価格

表4－2　風車の騒音：800kW 級。ハブ高さ 60m

風車からの距離（m）	200m	300m	400m	500m
音の強さ（dB）	45	41	38	36

風力タービンは、機械的騒音と空気力学的騒音の2種類の騒音を発生します。材料や設計の技術進歩により、機械騒音はここ数年でかなり低減されており、最新の風力タービンが発生させる主な騒音は空気力学的なものです。この騒音は、ブレード間の空気の動きによって発生し、風速、ローターのサイズ、ブレードの形状と表面積、風がタービンに影響を与える角度など、多くの要因によって決まります。一般的に、垂直型風力タービンは水平型風力タービンよりも騒音が少ないのですが、効率が悪いため発電コストが高くなる傾向があると指摘されています。

風力タービンが発生させる騒音にさらされるのは、騒音の発生源（風力タービンの数、出力、位置など）に関係するものと、地域的な条件に起因するものがあり、複合的な要因の結果でもあります[11)]。これらの要因は、地形（標高、丘陵地、土壌の種類）、天候（風の強さと方向、湿度）、または地域環境（農村、都市、または工業地帯、道路、鉄道、河川、湖沼、樹木などの存在）に関連する要因に細分化することができます。

低周波音は 20Hz から 200Hz の間の音です。この音は、自然環境でも人工

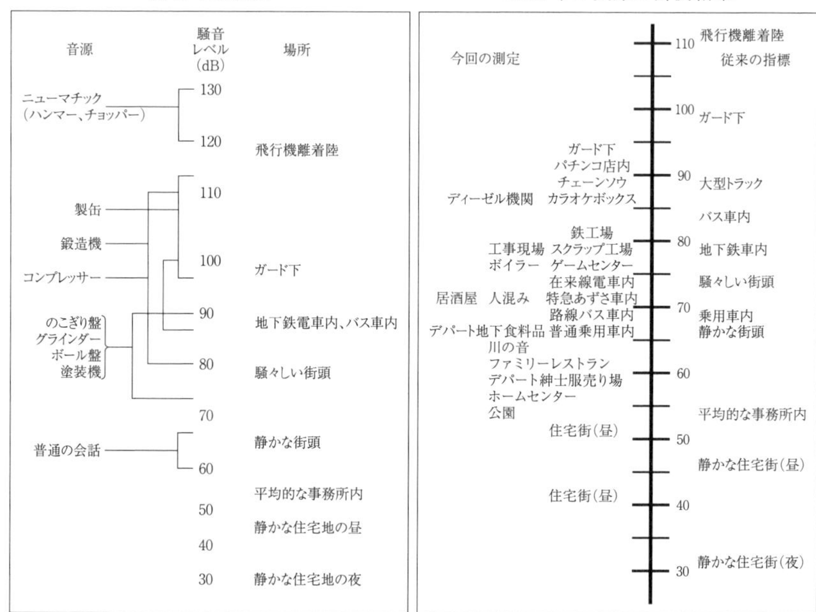

図 4－12　風車騒音の指標と実際の計測結果の比較

「山梨衛公研年報」より

環境でもよく聞かれるものです。典型的な発生源は、それぞれ植生に吹く風と道路交通音です。20Hz が人間の知覚の閾値と考えられています。人間に物理的な影響を与える超低周波音は、高周波よりもはるかに高い音圧を必要とします。

しかしながら風力タービンから発生する低周波音や低周波音の健康への影響については、不明な点が多いのも事実です。

めまい、片頭痛、睡眠障害などを含む「風力タービン症候群」という包括的な用語の下に列挙された様々な健康上の不定愁訴を分析した結果があります[11]。それによると、風力タービンに近い地域ではこのような不定愁訴がかなりのレベルで存在するという実質的な証拠があると結論づけています。このような問題はストレスによる二次的なものであり、それが風力タービンの

表4－3　鳥類の年間死亡率の予測値の概要[12)]

死亡源	年間死亡数予測（単位：100万）	構成比（%）
建物1	550	58.2
電力線2	130	13.7
猫3	100	10.6
自動車4	80	8.5
農薬5	67	7.1
通信塔6	4.5	0.5
風力発電機7	0.0285	<0.001
航空機	0.025	<0.001
その他の発生源（油流出、油層、漁業による混獲など）	算出せず	算出せず

存在によって発生または悪化している可能性があります。このレビューの主な結論は、風力タービンが健康に及ぼす重大な影響を証明または反証する証拠は不十分であるということです。

②鳥類への影響

「バードストライク」(Bird strike　Bird collision）という鳥類の人工構造物への衝突の問題があります[12)]。

車、建物、窓、送電線、通信塔、風車などの人為的構造物との衝突、感電、油流出やその他の汚染物質、農薬、猫の捕食、商業漁業の混獲など、人為的な原因によって米国では年間5億からおそらく10億羽以上が死亡していると推定されています。これらの原因による死亡の多くは、絶滅危惧種法、渡り鳥条約法、ハクトウワシ・イヌワシ保護法などの連邦法の下で違法な捕獲とみなされており深刻な問題です。

1）GWEA および IEA 統計
2）「風力発電導入ガイドブック（第9版）」(NEDO、2008年）
3）Vattenfall, Renewable Energy Resources 4th ed, Fig. 8.2d.

4）Difference between Horizontal Axis and Vertical Axis Wind Turbines, tutorials-point. co.
5）「風力発電導入ガイドブック（第9版）」（NEDO、2008年）
6）「なかよし風車」は「この町の人と人、人と自然が仲良く暮らせるように」との願いを込めて、当時小学校1年生であった泰野桃花さんの名付けた蜂の巣状の集合風車のこと。
7）As the wind power industry looks to super-sized turbines, disruptors are betting on radical designs SUSTAINABLE FUTURE 2023
8）「Floating Offshore Vertical-Axis Wind Turbine System Design Studies and Opportunities」Sandia National Laboratories
9）Are vertical-axis wind turbines really the future WINDPOWER 27 May 2021
10）「マグヌス風車」（西武宏、WIND ENERGY、1978年）
11）Wind turbines and health: a review with suggested recommendations Dans Environment,
12）「A Summary and Comparison of Bird Mortality from Anthropogenic Causes with an Emphasis on Collisions」W. P. Erickson et.al., USDA Forest Service Gen. Tech. Rep. PSW-GTR-191. 2005

(2) 水　　力

落水の運動エネルギーを利用する水車の登場は、風車よりもはるかに古く、2,000年以上前から、粉挽きに使われていました。しかし、水車を発電に応用するのは19世紀になってからです。大規模な水力発電プロジェクトの時代は、20世紀になってから北米で始まり、その後世界中に広がりました。

今日水力発電は成熟した技術として、世界約200カ国のうち約160カ国で利用され、総設備容量は世界の電力容量の約20％（2011年）、発電量の約16％に相当します。

1）原　　理

原理的には、水源の位置エネルギー（水頭*と質量流量によって特徴づけられる）を運動エネルギーに変換し、発電タービンを回転させる極めて単純な技術です。

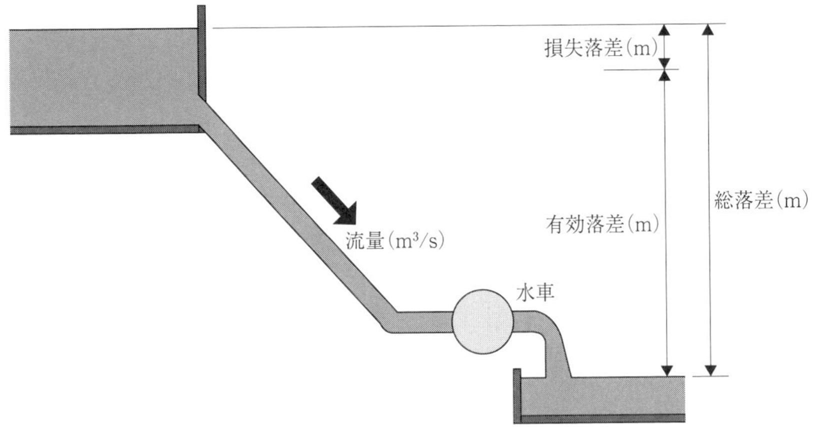

図 4－13　ダムをベースとした水力発電所の一般的スキーム

ダムと貯水池に基づく一般的な水力発電所のスキームを図 4－13 に示します。スキームは非常に単純で、貯水池から放流された水は、位置エネルギーを持つ高い側の入口からパイプやトンネルを通ってタービンに流れます。水の位置エネルギーは運動エネルギーに変換され、タービンの羽根を回転させます。

＊水頭とは、「流体中の 2 点の高度差（流体の高さ）。流体に作用する圧力を流体の高さで表したものを圧力水頭という。流体の単位重量当りの運動エネルギーおよび位置エネルギーは流体の運動エネルギーおよび位置エネルギーを流体の高さで表すことになり、それぞれ、速度水頭および位置（高度）水頭という。」（『日本大百科全書（ニッポニカ）』小学館より）

理論水力

発電の出力は、落差（高さ）と流量で決まります。

発電出力：P（kW）=9.8×Q（m^3/s）×H（m）×η

P：　発電設備の出力

9.8：係数（重力加速度×水の密度）

Q：　流量

H：　有効落差（総落差－損失落差）

η：　効率（水車効率×発電機効率×増速機効率など、60～85％程度）

「理論水力」などというものは、実務者には無関係と思う方がいるかも知れませんが、実は、実務上、必要不可欠なものです。

河川の流水を使用する場合、河川法により「流水占用料」、俗に言う「水利使用料」を支払わねばなりませんが、その算出根拠となるものが、この「理論水力」です。この単位は、発電出力と同じ「kW」です。

「水利使用料」を算出するための理論水力には、「理論最大水力」と「理論常時水力」の2つがあります。

①理論最大水力

計算式；理論最大水力（kW）＝9.8×最大使用水量（m^3/s）×最大使用水量時の有効落差（m）

この「理論最大水力」に、水車発電機の総合効率を掛けると、「最大出力」となります。

②理論常時水力

計算式；理論常時水力（kW）＝ 9.8×常時使用水量（m^3/s）×常時使用水量時の有効落差（m）

同様に、この「理論常時水力」に水車発電機の総合効率を掛けると、「常時出力」となります。

発電電力量

発電電力量は、発電出力と時間で決まります。発電出力「1kW」で「1時間」発電し続けると「1kWh」の発電量となります。

年間発電量（kWh）＝発電出力（kW）×24時間×365日×設備利用率

年間発電量：1年間に発電できるエネルギー量

設備利用率：流量が減ると発電出力も下がります。最大出力で1年間連続運転する場合の発電量に対する実際の発電量の割合をいいます（流況により異なりますが、通常50～95％程度）。

2）基本構成と水車の種類

水力発電は、貯水池としてのダムを持つ「ダム方式」と、ダムを持たない「流水式」の２つの基本構成に分けられます。

ダム方式は、更に、変動する電力需要に応じて、夜間・昼間の調節が可能な小規模ダム、季節的貯蔵が可能な大規模ダム、エネルギー貯蔵と夜間・昼間の調節（揚水と発電）のための揚水可逆発電所に細かく分けることができます。

揚水発電所は、標高の異なる２つ以上の自然または人工貯水池（ダム）で構成され、発電量が送電網の需要を上回った場合、低い方の貯水池から高い方の貯水池に水を汲み上げることでエネルギーを蓄え、電力需要のピーク時には、タービンを通じて水が低い方の貯水池に逆流し、発電が行われます。この種の発電所では、揚水と発電の両方に可逆タービンが使われ、最近の揚水発電のエネルギー変換効率は80％を超えています。

流水式は、河川内で稼働する小規模水力発電として設計されていて、河川の自然な流れを大きく妨げることがないため、環境に優しい選択肢となっています。小規模水力発電は、地域の住民に電力を供給する分散型発電に用いることが出来ます。

水車の種類

水車の種類は、落差と流量に応じて様々あります。

表４−４は、資源エネルギー庁の「簡易型発電システム設計マニュアル」に記載されている水車の分類例です。

3）メリットとデメリット

水力発電は、洪水調節、灌漑、飲料水の貯水池など、他の重要なサービスも提供しています。水力発電は非常に柔軟性の高い発電技術です。水力貯水池は、エネルギー貯蔵機能が組み込まれており、送電網全体の電力需要の変動への迅速な対応、電力生産の最適化、他の電源からの電力損失の補償を可

表４－４　水車の分類例

<table>
<tr><td rowspan="13">水車の種類</td><td rowspan="3">衝動水車
速度のエネルギーを利用する水車</td><td colspan="2">ペルトン水車</td><td rowspan="3">高落差用</td></tr>
<tr><td colspan="2">ターゴインパルス水車</td></tr>
<tr><td colspan="2">クロスフロー水車
衝動水車と反動水車の両方の性質を持つ</td></tr>
<tr><td rowspan="5">反動水車
圧力のエネルギーを利用する水車</td><td colspan="2">フランシス水車</td><td rowspan="5">低落差～中落差用</td></tr>
<tr><td rowspan="4">プロペラ水車</td><td>斜流（デリア）水車</td></tr>
<tr><td>カプラン水車</td></tr>
<tr><td>チューブラ水車</td></tr>
<tr><td>ストレートフロー水車</td></tr>
<tr><td rowspan="4">重力水車
水の重さを利用する水車</td><td rowspan="4">開放型水車</td><td>らせん水車</td><td rowspan="4">超低落差用
（1～5m 程度）</td></tr>
<tr><td>上掛け水車</td></tr>
<tr><td>胸掛け水車</td></tr>
<tr><td>下掛け水車</td></tr>
<tr><td colspan="3">ポンプ逆転水車</td><td>ポンプ利用</td></tr>
</table>

「簡易型発電システム設計マニュアル」（資源エネルギー庁）

能にするエネルギー貯蔵を内蔵しています。

現在、揚水式水力発電所に特別な注意が払われているのは、可変的な自然エネルギー（太陽光発電や風力発電など）と組み合わせて使用する大規模なエネルギー貯蔵の選択肢として、最も競争力があるからです。

大規模な水力発電プロジェクトは、政策立案者と開発者の双方が注意深く考慮すべき社会的受容活動に関連することがあります：

・広大な地域における水の利用可能性に大きな影響を与え、貴重な生態系を浸水させます。

・住民の意思に反した移転につながり、環境や社会的な懸念を引き起こす等々の可能性があります。

・大規模な送電インフラを必要とします。

・貯水池から排出される温室効果ガス（GHG）についても懸念があります。

これは、最初に湛水された有機物の分解によるものであり、また計画期間を通じて、さらに上流から堆積する有機物によるものです。

大規模な発電所とは異なり、小規模な水力発電設備は、多種多様な設計、レイアウト、設備、材料で構成されています。したがって、競争力のあるコストで、環境に大きな悪影響を与えることなく利用可能です。

地元の資源を十分に活用するためには、最先端の技術、知識、設計経験が鍵となります。

4）水力発電の可能性

現在の水力発電は、規模別に３つのタイプに分けられます：

大型水力発電（10MWe 以上）、ミニ水力発電（100kWe～1MWe）をサブカテゴリーとする小型水力発電（10MWe 以下）、そして既存の水力発電所やダムのアップグレードに分類することができます。

アップグレードは、既存の水力発電所から生産されるエネルギーを最大化する方法を提供し、水力発電の生産量を増加させる安価な機会を提供する可能性があります。

ほとんどの水力発電所にとって、5%～10% の利益は現実的で費用対効果の高い目標です。非発電ダムが利用可能な場所では、潜在的な利益はもっと高くなります。

しかし、再出力プロジェクトへの投資には、技術的なリスクと法的なリスクの両方が伴います（例えば、数十年前に設計され、限られた技術文書しか記録されていないことが多い既存設備の再許可に伴うリスクがあります）。その結果、大きな可能性が未開発のまま残されています。

ほとんどの先進地域（ヨーロッパなど）では、経済的に利用可能な水力発電ポテンシャルのかなりの部分がすでに利用されているのですが、技術的ポテンシャルの約 50% はまだ未開発のままです。

表4－5　水力発電の技術進歩（IEA, 2008）

	大型水力（10MWe 以上）	小型水力（10MWe 以下）
設備	低水頭技術（渓流内流、先進的機器・材料を含む）	魚の個体数に影響を与えないタービン、低水頭技術、渓流内流技術
O&M	メンテナンスフリーと遠隔操作	O&M を制限したパッケージ・プラント
貯蔵とハイブリッド技術		風力－水力および水素－水力システム

小水力発電に研究開発と技術の進歩が必要であり、特に機器の設計、材料、制御システムが重要です。小容量・低水頭アプリケーションのための、より安価な技術の開発によってより控えめな資源の利用が可能になります。

5）性能とコスト

水力発電は、費用対効果の高い電力源です。初期投資コストは比較的高いのですが、高い効率と低い運転・発電コストを提供できます。

ほとんどの発電所はかなり前に建設されたものであり、ダムや水力の地質構造への初期投資は、その間に完全に償却されており、この償却後、残るコストは運転と O&M、そして数十年の運転後に起こりうる機械部品の交換だけです。

小水力発電所は、実質的な交換費用なしで50年程度運転できる可能性があります。

水力発電所の開発・建設には、特にダムと貯水池の組み合わせの場合、長いリードタイムが必要です。

新しい水力発電所の投資コストは、次のようなものが含まれます：

・用地準備や土木工事：これらは、特定の用地に付随する立地に大きく依存します。

・土木工事：ダムや貯水池の建設、トンネルや運河の建設、発電所の建設、敷地へのアクセスインフラ、送電網の接続などが含まれ、そのコストは主に現地の労働力と材料費に左右されます。

・計画や実現可能性評価、環境影響分析、許認可、環境保護、水質モニタリングなど、契約やその他の開発者のコストも必要となります。

・電気機械部品：タービン、発電機、変圧器、配線、制御システムなどが含まれますが、これらの部品のコストは、国際市場価格を反映しているとはいえ、最終的な投資コストにはあまり影響しません。

水力発電の生産量は、上流の集水域の降雨量に左右されます。降雨量が少ない期間を補うために予備容量が必要となる場合があり、この場合は投資コ

表4－6　中小水力発電（新設）の資本費（単位：万円/kW）

既設導水路活用型を除く場合

	想定値	平均値	中央値	
200kW 未満	100	172	169	分散が大きい
200kW 以上 1MW 未満	80	118	105	分散が大きい
1MW 以上 5MW 未満	93	92	87	
5MW 以上 30MW 未満	69	50	36	

既設導水路活用型の場合

(単位：万円/kW)	想定値	平均値	中央値
200kW 未満	50	180	170
200kW 以上 1MW 未満	40	76	69
1MW 以上 5MW 未満	46.5	44	37
5MW 以上 30MW 未満	26	26	20

中小水力発電の運転維持費（単位：万円/kW/年）

	想定値	平均値	中央値	
200kW 未満	7.5	5.9	3.9	
200kW 以上 1MW 未満	6.9	3.6	2.4	
1MW 以上 5MW 未満	0.95	2.5	2.1	分散が大きい
5MW 以上 30MW 未満	0.95	1.3	1.1	分散が大きい

「調達価格等に関する報告」（資源エネルギー庁、2022年4月）

ストが増加する可能性があります。

揚水発電システムのコストは、サイト構成にも大きく依存します。全体的な運転コストを評価するための重要なパラメータとして、揚水発電所の運転サービスが挙げられます。揚水発電は成熟した技術であり、技術学習によるコスト削減は期待できません。

「令和5年度以降の調達価格等に関する意見」(調達価格等算定委員会、2013年2月)によれば、中小水力発電(新設)の出力と資本費の関係は、表4−6のように報告されています。

水力発電所の設備利用率(単位:%)は、出力に依らず、平均値51.5〜57.8%、中央値51.0〜59.8%となっており、概ね安定しています。

水力発電所の稼働率は、目標や特定の発電所のサービス(ベースロード、ピークロードなど)によって23%〜95%の間で変動します。

＊設備利用率と稼働率(「再エネ用語辞典」):燃料としたエネルギーをどれだけ電気エネルギーに変換できるかの割合。NEDO(国立研究開発法人新エネルギー・産業技術総合開発機構)によると発電所の設備利用率の指標は、太陽光発電13%、陸上風力発電20%、洋上風力発電30%と言われている。設備利用率(%)=年間発電量(kWh/年)÷(年間時間数(365日×24時間)×設備容量(kW))×100(%)で計算される。なお、稼働率は出力の多少にかかわらず、発電していた時間の割合を指す。

表4−7　再エネ発電の設備利用率の比較

	小水力	太陽光	風力
設備利用率	平均51.5〜57.8%	13%	20%(陸上)30%(洋上)
特徴など	発電量の変動が少ない。	発電量が天気に左右されやすい。	風況により発電量が変動する。

水力発電の主要データを整理すると表4−8になります。

6) 小水力発電

定義

世界的には各国統一されておりませんが、概ね「10,000kW以下」を小水

表4－8　水力発電の主要データを整理

技術性能	代表的な現状の国際値と範囲		
エネルギー入力	水力		
出力	電力		
技術	超小型水力発電 (VSHP、1MWeまで)	小水力発電 (SHP、1～10MWe)	大水力発電 (LHP、10MWe以上)
効率(タービン、Cp最大)(%)	最大92		
建設期間（月）	6-10	10-18	18-96
技術寿命（年）	最大100		
負荷(容量)率（%）	40-60	34-56	34-56
最大(プラント)稼働率（%）	98	98	98
典型的な(容量)規模（MWe）	0.5	5	50
(既存の)容量（GWe）	75		925
環境影響			
CO_2およびその他のGHG排出量（kg/MWh）	ごくわずか		調査中
コスト(USD、2010年)			
投資コスト（USD/kW）	3400-10000 or 以上	1000-4000	1050-7650
O&Mコスト（USD/kW/年）	45-250or 以上	40-50	45（平均）
経済的耐用年数（年）	30		
利率（%）	10		
生産コスト（USD/MWh）	270 or 以上	20-100	20-190

「Hydropower Technology Brief」(IRENA、2015年)

力と呼んでいます。

①ESHA（ヨーロッパ小水力発電協会）でも、「10,000kW以下」を小水力として扱っています。

②IEA（国際エネルギー機関）の水力実施協定では、特に定義せず、ダムなどの大規模開発などが伴わない環境に配慮したものとして扱っています。

③日本の電力業界では、従来から「10.000kW以下」を小水力としてきまし

表4－9　小水力の特徴（太陽光、風力との比較）

長所	短所
・昼夜、年間を通じて安定した発電が可能 ・設備利用率が50～90％と高い ・出力変動が少なく、系統安定、電力品質に影響なし ・経済性が高い ・開発の包蔵量が沢山ある ・設置面積が小さい	・設置地点が限られる ・水利権、利害関係が付きまとう ・法的手続きが煩雑で、面倒 ・法的不利益（河川法。大規模水力計画と同じ手続き要求） ・2つの要素（落差と流量）による機器開発が必要 ・認知度が低い

た。NEDOのガイドブックでは、「10,000kW以下を小水力」、「1,000kW以下をミニ水力」、「100kW以下をマイクロ水力」などと分類していますが、この呼び方はほとんど定着していません。

④日本の法律では、1,000kW以下と1,000kWを超える水力を明確に区分しています。

・新エネルギー法*1の施行令改正（2008年4月施行）：1,000kW以下の水力発電は「新エネルギー」に認定していました。

・RPS法*2：1,000kW以下の水力発電はRPS法の対象としていました。

＊1 新エネルギーの利用等の促進に関する特別措置法、1997年6月施行
＊2 電気事業者による新エネルギー等の利用に関する特別措置法　2003年4月施行

表4－9に小水力の特徴（太陽光、風力との比較）を示しました。

小水力の適所
基本的に落差と流量のあるところであれば、場所は問いません。幾つかの事例を図4－14に示します。

7）農業用水路

新型水車は、連結された2つの回転水車を有し、水中で水流受部が水流による運動エネルギーを持続的に受け、それによってトルクを発生させる構造

一般河川
山間部には、まだまだこのような場所がたくさんある

砂防ダム、治山ダム

農業用水路
大きな落差、豊富な流量の場所も多くあり、数百 kW 程度の発電が可能な地点もある

上水道施設
減圧弁の代わりに小水力発電設備を入れる

下水処理施設

ダム維持放流

既設発電所の放流水

ビルの循環水、工業用水

図 4－14　小水力の適所
「小水力発電データベース」（全国小水力利用推進協議会）

になっています。水流の持つエネルギーを利用するという点で、単一の水車と同じ理論基盤を有しますが、連結した２つの歯車を離して設置することで、水流の運動エネルギーを最大限に利用することが可能となります。２つの回転水車の距離が遠ざかると水流受部の数が少なくなり、距離が近づくと水流受部の数は多く必要となり、回転水車が更に近接し、最終的に重なった水車

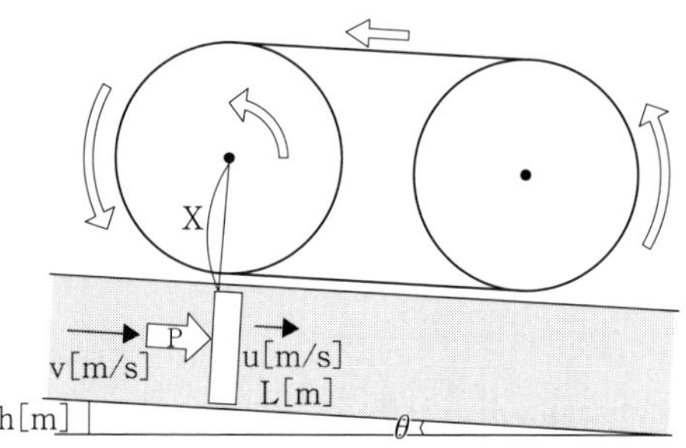

図４－15　用水路利用新型水車のモデル図

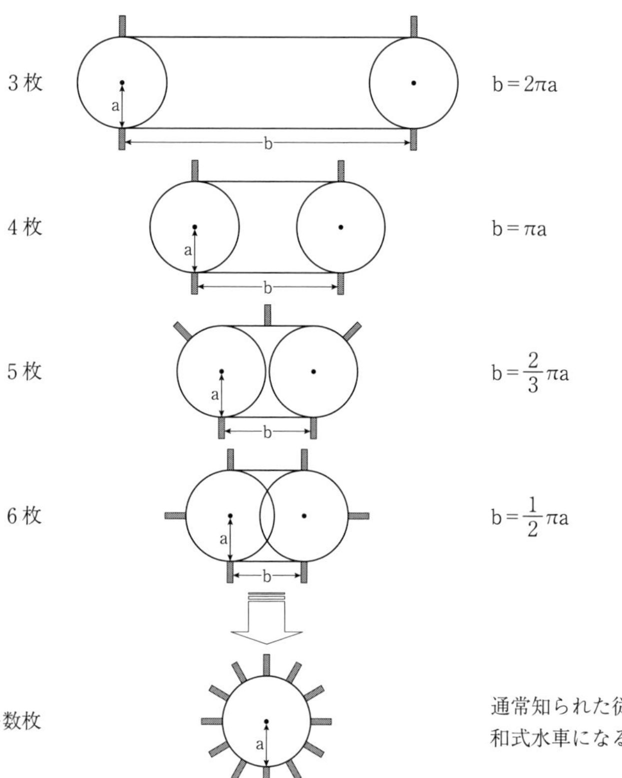

図４－16　用水路利用新型水車の理論体系図

羽根の枚数と２つの水車の位置関係：常に２枚は瞬間的に水中になければならない。連続回転させるには羽根は３枚以上必要となる。

「用水路の流水を利用した新しい小水力発電装置の出力特性の計算」（NERC、2007 年）

の構造はこれまでの和式水車と同様となります。

従来型水車の羽根に相当する水流受部の数が少ないことで、構造理論上、水流受部の水流に対する垂直面積は、水路断面積最大にまで取ることが可能となります。

本新型水車は、従来型水車が必要とする急峻な勾配がない場所での設置を可能とし、相当量のトルクが得られます。

(3) バイオマス

(3-1) 概　　括

1) バイオマス及びバイオマスエネルギー

バイオマスの代表である植物は、自然界では太陽光エネルギーによって、水素と CO_2 とを原料にし有機物を作って生育します。CO_2 は、大気中から取り込まれたもので、バイオマスが燃焼・消化される際に排出される CO_2 は、大気中に再放出されることになるため、バイオマスの成長期間中、大気中の CO_2 濃度を増加させることは無いとして、バイオマスから得られるエネルギ

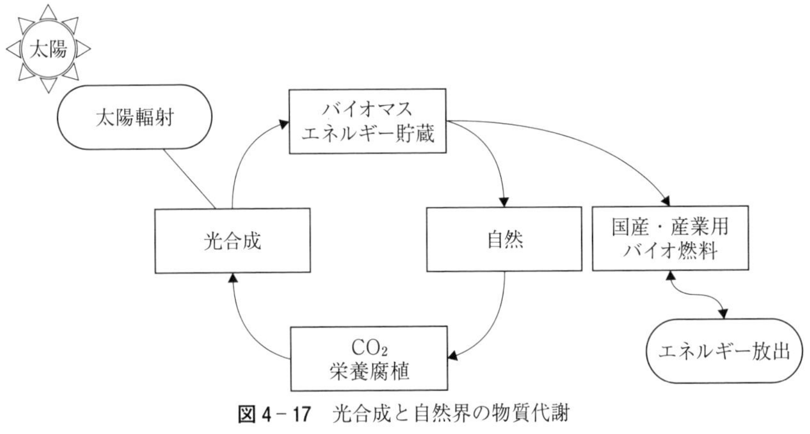

図 4－17　光合成と自然界の物質代謝

ーは、「カーボンニュートラル」であると言われています。この現象は、化石燃料を使用すると、大気中の CO_2 を増加させるのとは対照的です。

再生可能なバイオマスを燃料として大規模に使用すると、化石燃料は地下に温存され、温室効果ガス排出削減に重要な役割を果たします。

バイオマスやバイオ燃料としての太陽光のエネルギー貯蔵は、基本的な重要性を持っています。しかし、バイオマスを再生可能なものと考えるのであれば、少なくとも使用量に見合った成長を遂げなければなりません。

ここで予め用語の説明をしておきます（表4－10）。

表4－10　用語の説明

バイオマス （生物資源量）	植物や動物が持つ物質で、その廃棄物や残渣を含めた物質の総称 炭素を主成分とする有機物	全ての生物由来物質
バイオ燃料	バイオマスをより便利な形態に加工したもの 物理的、化学的および生物学的プロセスによって初期材料が変換された物質	暖房用の固体燃料 輸送用の液体燃料 多用途の気体燃料
バイオエネルギー	バイオマスとバイオ燃料を一緒に扱うための造語	
光合成	葉緑体において、自然界では太陽光エネルギーによって、根から吸い上げた水を水素と酸素に分解し、この水素と大気中から取り込んだ CO_2 とを使って有機物を作ると共に、酸素を大気中に放出する光化学反応のこと	図4－17
栄養腐植	微生物によって分解され、チッソやリン酸など、作物の養分供給の源になる腐植のこと	図4－17

＊腐植：土壌中に集積した動植物の遺骸が腐敗分解して生じた物質。普通、黒色を呈する。土壌の有機的成分として重要で、土壌の性質や生産力に影響を与える。

2) バイオマスエネルギー利用技術の体系

伝統的利用を除く近代的バイオマスのエネルギー利用技術は図4－18に示すように多くの技術があります。

バイオマスエネルギープロセスについて、原料あるいは生成物を3つに分類（A、B、C）し、反応プロセスを9つの一般的なタイプに分類（①～⑨）します（図4－19)。これらは個別に、後のセクションで詳しく説明します。

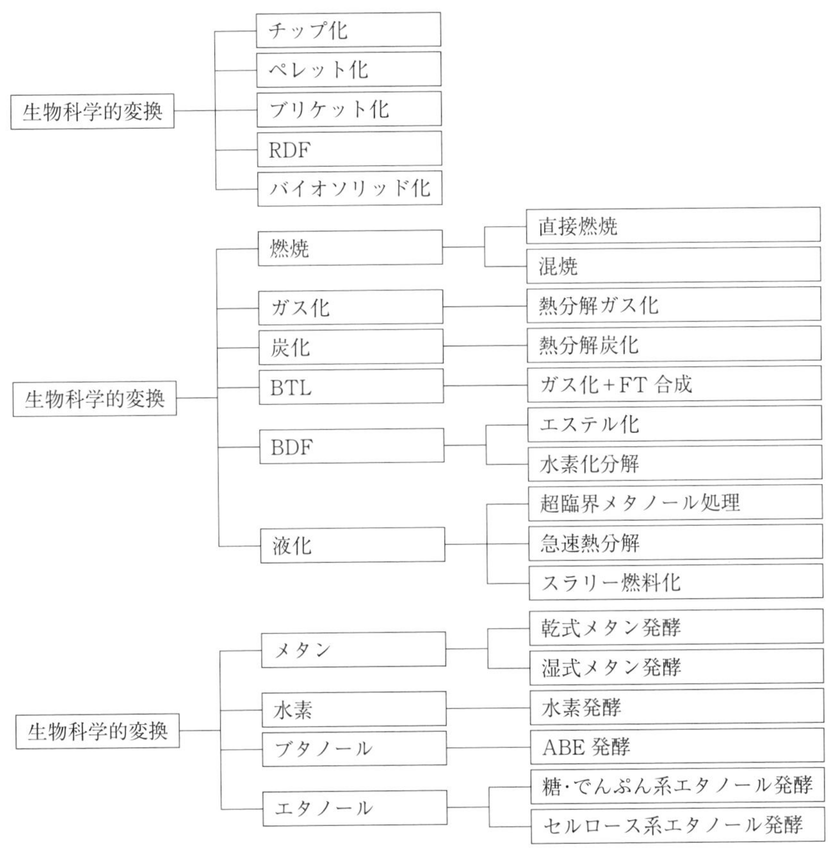

図4－18　バイオマスのエネルギー利用技術の体系

「バイオマスエネルギー導入ガイドブック（第4版)」(NEDO、2017年)

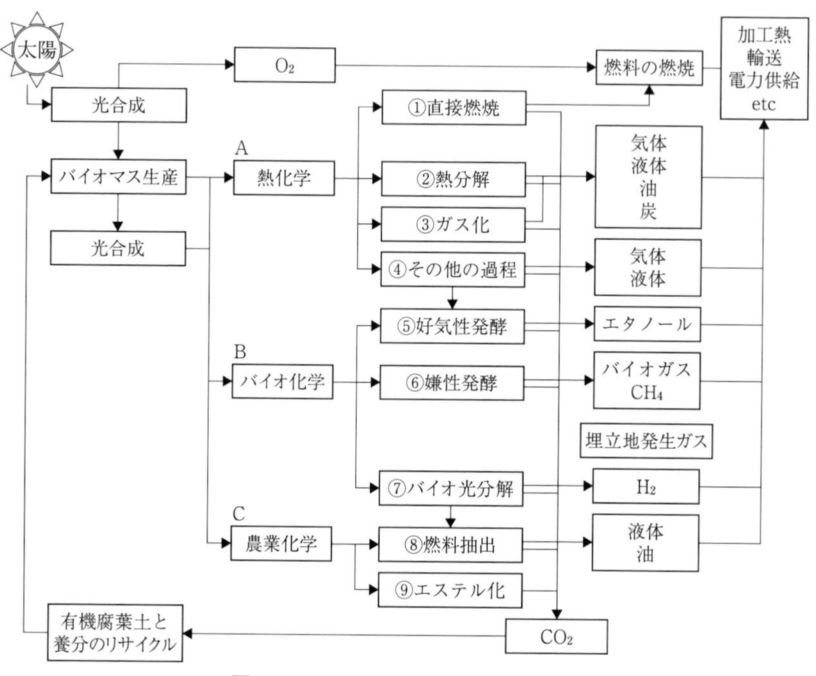

図４－19　バイオ燃料の製造プロセス

表４－11　３つの分類と９つのプロセス

３つの分類	９つのプロセス	
A熱化学	①直接燃焼	すぐに熱を得ることができる。乾燥した均質な投入が望ましい。
	②熱分解 ③ガス化	空気がない状態、または空気や酸素の供給が制限された状態でバイオマスの一部を部分的に燃焼させること。生成物は、ガス（ガス化）、蒸気、液体（液化）、油（油化）、固体のチャーや灰からなり、非常に多様であり、温度、投入原料の種類、処理工程によって異なる。
	④その他の熱化学的過程	さまざまな前処理やプロセス操作が可能。通常、高度な化学的制御と工業的規模の製造を伴う。 メタノール製造は、その一例。特に重要なのは、セルロースやでんぷんを糖に分解し、その後の発酵に利用する過程である。

Bバイオ化学(バイオケミカル)	⑤アルコール発酵(好気性発酵)	空気の存在下行われるバイオマスの微生物による好気性代謝。CO_2 を排出しながら熱を発生させるが、メタンは排出されない。 生物学的炭素循環にとり非常に重要であり、例えば、森林のリター*の腐敗などである。
	エタノール発酵	エタノールは、精製された石油の代わりに使用することができる揮発性の液体燃料。微生物の働きによって、糖類を原料とし製造される発酵過程ある。
	⑥メタン発酵(嫌気性発酵)	無酸素状態で、ある種の微生物は、炭素化合物と反応し、CO_2 と CH_4 を生成することによって、自らのエネルギー供給を得る。このプロセスは、最古の生物学的「崩壊」メカニズムであり、「発酵」とも呼ばれる。
	(消化)	反芻動物の消化管で起こる同様のプロセスから、通常は「消化」と呼ばれる。進化した CO_2 CH_4 と微量ガスの混合物は、一般用語としてバイオガスと呼ばれる。
	⑦バイオ光分解	光分解とは、光の作用で水が水素と酸素に分解されること。ある種の生物は、バイオ光分解で水素を生成させることができる。同様の結果は、実験室条件下で、生物を用いずに化学的に得ることができるが、商業的利用はまだ行われていない。
C農業化学(アグロケミカル)	⑧燃料抽出	液体または固体の燃料が、生きている植物または刈り取られたばかりの植物から直接得られることがある。これは滲出液と呼ばれ、生きた植物の茎や幹に切り込みを入れるか、収穫したばかりのものを粉砕することで得られる。 同様の方法としては、天然ゴムの製造がよく知られている。ある種のゴム科植物からは、ゴムよりも分子量の小さい炭化水素が得られ、石油の代替品やテレペンとして利用されることがある。
	⑨バイオディーゼルとエステル化	1892年、ルドルフ・ディーゼルが開発したエンジンは、天然植物油を含むさまざまな燃料で作動できたが、植物油を直接使用する場合、粘度が高く、燃焼時に沈殿物が発生、特に周囲温度が5℃以下の低環境下では困難が生じた。植物油をエステル化することで、この問題が解決できた。

*森のリター：森に落ちる葉や枝、種などのこと。森林の林床には落葉落枝などのリターが供給され、それらが分解・無機化されて有機物の層である堆積腐植層（O層）が森林土壌の最表層として形成される。

バイオマスは、種類や反応が多岐にわたるため、バイオマスのエネルギー利用可能性を見通すことは容易ではありません。日本でも、NEDOから膨大なガイドライン（総頁1,128頁、基礎編72頁・実践編：木質571頁・メタン485頁）[13]が出されていますが、これに目を通すことは殆ど不可能に近く、ましてや「全体を見通す」ことは困難に思われます。

3）バイオマスの潜在的有効性

バイオマスは、可能性への期待と不透明な不安が入り混じっている再エネの筆頭です。バイオマスに関する知見が広まれば広まるほど、不安感は期待感に代わることは多くの事例で明らかです。

バイオマスシステムの成功、即ちあらゆるバイオマス活動から、さまざまな製品やサービスが生み出される一方で、リスクもあります。これはしばしば理解されない原理や不透明な事柄によって生まれます。図4－20に、「バイオエネルギーの持続可能性に関連する潜在的な利益とマイナス面」を紹介します。

幾つか具体的事例を紹介します。

①廃棄物や残差物の価値

- サトウキビから砂糖を作る場合、廃棄される糖蜜や繊維から多くの商業製品を得ることができます。
  繊維を燃やせば、余分な熱は発電に利用できます。洗浄液や灰は肥料として土壌に還元できます。
- 高付加価値燃料製品の中には、デンプン作物からのエタノールや水素など、生産量よりも製造に必要な低付加価値エネルギーが多いものがあります。エネルギー比が1以上であっても、わら、作物繊維、森林伐採物などの廃棄物を消費することでエネルギーを安価に入手できるのであれば、このようなエネルギー不足は経済的なハンディキャップとはなりません。

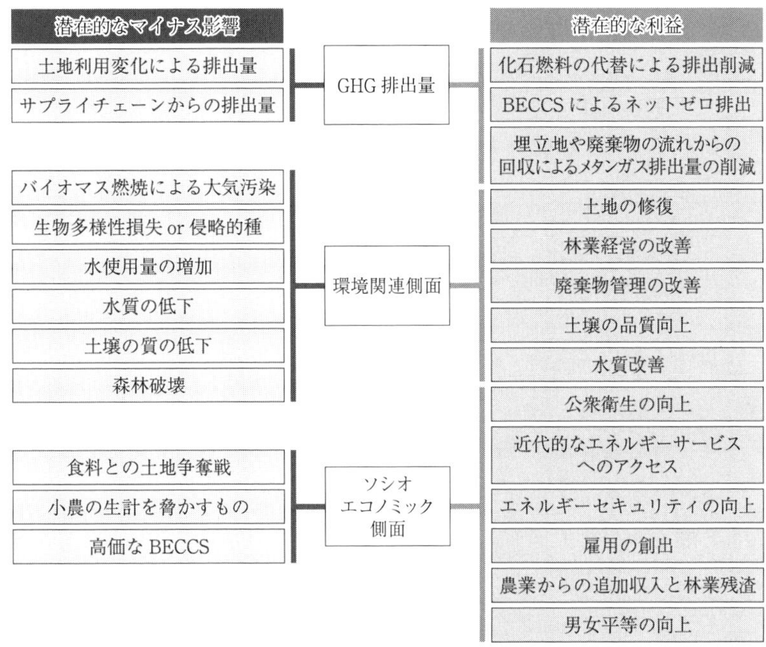

図 4－20　バイオエネルギーの持続可能性に関連する潜在的な側面[14]（著者訳）

＊GHG＝greenhouse gas　温室効果ガス、BECCS（ベックス）＝bioenergy with carbon capture and storage：バイオエネルギーの使用と二酸化炭素回収・貯留を合わせた技術

＊ソシオエコノミック：socioeconomic　社会経済的

②バイオマス生産の経済性

- 農産業の経済的利益は、広範囲に及ぶと思われますが、その評価は難しいものです。考えられる多くの利益の１つは、地域資源としての利活用と雇用創出による地域の「価値」の増加です。
- バイオ燃料の生産が経済的であるのは、生産工程ですでに濃縮された原料を使用する場合のみで、おそらく副産物として使用されるため、低コストで入手できるか、廃棄物の処理と除去のための追加収入として入手できることがベターです。生産予定地の近くに、バイオマスの供給がなければならないのです。
- 家畜の飼養から出る廃棄物、製材所から出る端材、牧草等の刈り込み、自治体の下水、稲作から排出される稲わらやもみ殻、穀物から出る藁などです。

- バイオマス開発の可能性を特定する前に、地域経済の研究の視点でこれらのバイオマスの流れを特定し、定量化することは非常に重要です。このようなバイオマスがすでに確立されたシステムとして存在しない場合、バイオマス収集のコストは通常、経済発展には負担が大きく、複雑すぎます。一部の作物は、主にエネルギー生産のために栽培されるかもしれないのですが、農業補助金の広範な慣行の中で、根本的な費用対効果を評価することは困難です。

③バイオマス燃料利用

- バイオ燃料は有機物であるため、化学原料や構造材として利用するという選択肢が常に存在します。例えば、パーム油は石鹸の重要な原料であり、多くのプラスチックや医薬品は天然物から作られ、多くの建築板は複合材料として構成された植物繊維から作られています。
- バイオマス処理や燃焼の制御が不十分な場合、特に比較的低温の燃焼、湿った燃料、燃焼領域への酸素供給不足などから、好ましくない汚染が発生する可能性があることは確かです。現代のバイオマス処理には、かなりの注意と専門知識が必要です。

④バイオマスの持続可能性

- 化石燃料の代わりに持続可能なバイオ燃料を使用することで、CO_2 の排出を抑制し、気候変動の強制力を低減することができます。このことを認識することは、気候変動政策の重要な側面です。バイオ燃料が持続可能な開発にプラスに寄与し、マイナスにならないためには、社会、経済、環境に関する考慮が不可欠です。
- バイオエネルギーの副産物を利用して土壌の質を改善したり、ファイトレメディエーション*のための植林で水質を改善したり、アグロフォレストリーで生物多様性を高めたりすることで、潜在的な利益を得る余地もあります。

⑤バイオマスのマイナス影響

- 広範なバイオマス燃料利用の主な危険性は、森林破壊、土壌侵食、燃料作物による食用作物の置き換えにあります。
- バイオエネルギー供給の増加は、現在の食料生産や生態系サービスなどの土地利用からエネルギー利用へと変化させ、食料問題や生物多様性の損失に関わるリスクをもたらす可能性があります。

以上の点を踏まえて、バイオエネルギー普及のための障壁の克服に、以下の４つの項目が挙げられます：

- 金銭的・経済的な障壁：化石燃料補助金、高コスト、手頃な価格の金融へのアクセスがない、低レベルの技術対応力、技術の信頼性、インフラ不足。
- 技術・インフラ関連の障壁：安定した原料の不足、有資格者・技能者の不足、サステナビリティリスク。
- サプライチェーンに関わる障壁：信頼できる情報の欠如、世間の認知度の低さ。
- 政治的・制度的な障壁：政策の不確実性、脆弱な組織構造。

殆どがコストと技術問題ですが、この二つは相互に影響しています。例えば、技術進歩（＝イノベーション）は性能を良くするとともにコストを下げます。バイオマス利用は、正に技術進歩（イノベーション）が必要です。

＊Phytoremediation：植物を利用して土壌の浄化等を行う技術。微生物等の働きを利用して汚染物質を分解等することで土壌地下水等の環境汚染の浄化を図る技術であるバイオレメディエーションの一方法。

4) 光　合　成[15)]

①光合成の意義

バイオマスの持続可能性は正に光合成によるものであり、「光合成」はバイオマスに根源的かつ本質的です。地球の生態系が今日の豊かさを獲得し、その状態が全く当たり前のように感じていますが、それを保証しているのは、正に植物の光合成にあります。

光合成は光という物理的なエネルギーを生命体が利用可能な化学エネルギーに変換する反応です。第1次生産（糖の生成）を通して地球上のほぼすべての生物の生命を維持する反応です。歴史的には化石燃料を生産し、現在の人類の生活を支えています。さらには、シアノバクテリアによって水を分解し酸素を発生する光合成系が実現されると、地球上の還元的であった大気に酸素が供給され、酸素呼吸生物の繁栄を誘起し、細胞の大型化、多細胞化を促し、生物進化を推し進める原動力ともなりました。光合成は歴史的、そして現在的な意味において、人類の生活に大きくかかわっています。

しかしながら、この光合成については、深遠な構造的・機能的ユニークさによって、多くの未知の複雑な相互作用が未解明のままです。また、光合成は物理的・工学的なプロセスにもかかわらず、ほとんどの物理学や工学の教科書に記述されておらず、もっぱら生化学の側面から論じられている状況が有ります。そこで本項では、この光合成という重要なプロセスを物理学的・工学的観点から見てみます。

②光合成によるバイオマス生産量

バイオマスのそもそもの出発は、先ず光合成にはじまります。即ち、光合成は、先ず太陽輻射から取り込まれたエネルギーを安定したバイオマスという物資に貯蔵します。そしてこの貯蔵されたエネルギーが、自然の生態系や農業プロセスの中で、化学元素がリサイクルを繰り返しながら、食物、腐敗、燃焼を経て、最終的に熱として放出されます。この自然生態系のリサイクル過程の中で、太陽エネルギーを取り込み、バイオマスを持続可能なものとしています。

生物圏で循環しているバイオマスの乾物質量は 250×10^9t/年であり、約 100×10^9t/年の炭素が含まれています。これは全て光合成によるものであり、実に1年間に約1,200億トンの炭素を固定する量です。光合成で取り込まれるエ

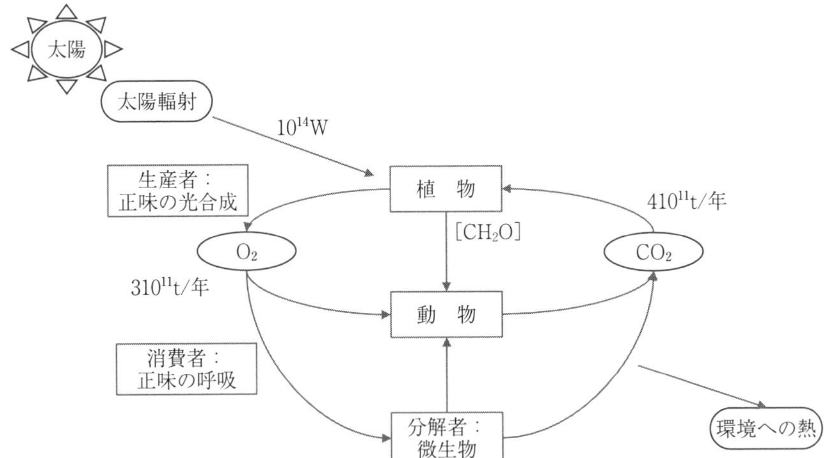

図 4－21　水を必要とする栄養レベルのグローバル光合成

大気中濃度：酸素 21%；CO_2 濃度：1850 年の産業革命以前は体積比 0.030% であったが、人間活動により増加し、2018 年には 0.041% に達し、現在も増加中である。

ネルギーは約 2×10^{21}J/y（= 0.7×10^{14}W、つまり一人当たり平均約 10kW）になります。このうち、人間の食料となる作物としてのバイオマスは、重量にして約 0.5% です。人間の代謝は、食物から一人当たり約 150W を連続的に放出しており、すべての生命の材料とエネルギーは、地球の大気中を循環する気体である二酸化炭素と酸素です。バイオマスが分解または燃焼すると、蓄積された 10^{14}W の量のエネルギーは酸素との反応によって放出されます。これは、大型原子力発電所約 100 万基分の出力に相当するエネルギーであり、現在の人類の商業エネルギー総使用量の約 4 倍に相当するものです（図 4－21）[15]。

③光合成のメカニズム：植物レベルの光合成

光合成による水の分解は、光合成反応の中で残された最大の課題であると考えられています。

地上の光合成はほとんどすべて、生きている植物の葉で行われます。太陽光線は、葉の重要な部分（葉緑体）で電子を励起させ、複雑な一連の化学過程を経て、酸素と炭素ベースの構造物質を生産します。これらの化学プロセ

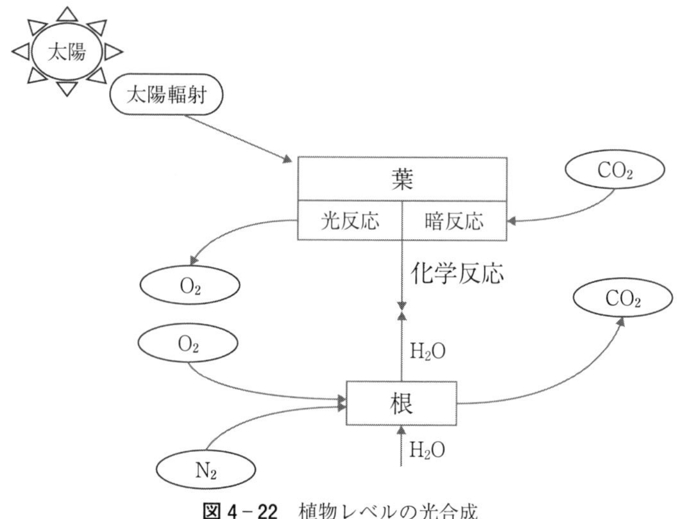

図４－22　植物レベルの光合成

スは葉の温度に敏感であるため、植物は日射の一部が吸収されるのではなく、反射または透過されるように進化してきました。化学反応と温度制御の両方における水分蒸散の役割は、プロセスの統合的な側面です。

図４－22に、植物の光合成（上段は「葉」）と呼吸（下段は「根」）の概要を簡略化して図示しました。

光合成は、植物のスケールから分子レベルに至るまで、あらゆる面で多種多様です。この章では一般的な物理的原理を中心に説明していますが、どのシステムもこのように単純ではありません。しかし、最終的な結果は、太陽からのエネルギーを安定した化学物質に貯蔵し、その後使用することです。

光合成は、大気中に容易に分散する気体を通してエネルギーと炭素系物質を供給するものであり、これが持続可能な地球生態系の基本的メカニズムです。エネルギー供給のために、主に熱帯で形成される酸素が地球規模で拡散することで、極地でも動物の生活や燃焼が続けられるのです。

光合成によって太陽光から取り込まれたエネルギーの一部は、植物の内部で成長などの代謝過程に利用されます。全体的なプロセスは呼吸と呼ばれ、光合成によって形成された糖とポリマーが複雑な一連の反応で酸素と結合し、二酸化炭素、水、余剰エネルギーを熱として放出します。中間反応には複雑な分子と酵素（触媒）が関与しています。しかし、常温での酵素を使った呼吸の全体的な反応は、高温での燃焼の反応と同じであり、光合成の反応とは逆です。

呼吸は、植物だけでなく動物にとっても重要なプロセスです。私たちは皆、図4－22に示すように、酸素を吸い込み、二酸化炭素と水を吐き出し食物を「燃やし」ています（「呼吸」している)。しかし、植物と動物では、内部の詳細な化学反応は異ります。

重要なことは、光合成によって取り込まれたエネルギーが、すべてバイオマスとして蓄積されるわけではなく、貯蔵されたバイオマスが酸素と反応してバイオエネルギーとして利用できるわけではないことです。バイオマス資源評価にとってより有用で、測定がはるかに容易なのは純一次生産量（NPP*）であり、これは植物が化学エネルギーを貯蔵する速度から、植物自身の呼吸と成長に使用されるエネルギーを差し引いたものです。

＊NPP＝総一次生産量－呼吸のエネルギー

13)「バイオマスエネルギー地域自立システムの導入要件・技術指針（ガイドライン）第6版」(2022年3月改定、NEDO)

14）IRENA 2022

15）Renewable Energy Resources 4th ed.

(3－2) 木質バイオマス

木質バイオマスは、バイオマスの中では最も大量に存在する資源* であり、その殆どが前節で紹介した「エネルギー利用技術」の適用が可能な資源です。通常、未利用間伐材、製材工場残材、建設発生木材などが該当しますが、最も多様性のある資源です。

固体バイオマス燃料（PKS、ペレット、間伐材・林地残材等、製材等端材、剪定枝等、建設解体材・廃材、黒液）の全体像を把握することが必要です。本節では、この具体的内容から見ていきます。

＊「陸上植生群の年間純1次生産量（129.02Gt乾物/年）の73.1%は森林で、他の植生タイプは残り26.9%を分担するに過ぎない。」[16)]

1）木質バイオマスの発生場所と種類

木質バイオマスは、森林、その他の森林地帯、樹木に覆われたその他の土地など、さまざまな土地利用（但し、農業用地や都市用地は含まれない）から発生します（表4－12）[17)]。

木質バイオマスを大局的に分類すると、その発生場所に関連して、図4－23のように示すことができます。

対象となるバイオマスは、生きたバイオマスと枯れ木から構成、地上部と地下部に存在します（表4－13）。

更に木質バイオマスを生産するための方法として、森林再生と植林があります。再植林とは、森林に分類される土地に植林や意図的な播種を行い、森林を再確立することです。

表4－12　木質バイオマス発生場所の定義[17)]

森林	0.5ha以上の土地で、高さ5m以上、樹冠率10%以上の樹木を有する土地
木材供給可能な森林	森林の一部で、環境的、社会的、経済的な制約が、木材供給に大きな影響を与えない森林
その他の森林地帯（OWL）	「森林」に分類されない、0.5ha以上の土地で、高さ5m以上、樹冠率5～10%の樹木、または低木、潅木、樹木の合計被覆率が10%以上の土地
樹木に覆われたその他の土地	何らかの樹木に覆われた土地すべてを指し、果樹園、アグロフォレストリー、都市環境における樹木、ヤシの木などが含まれる

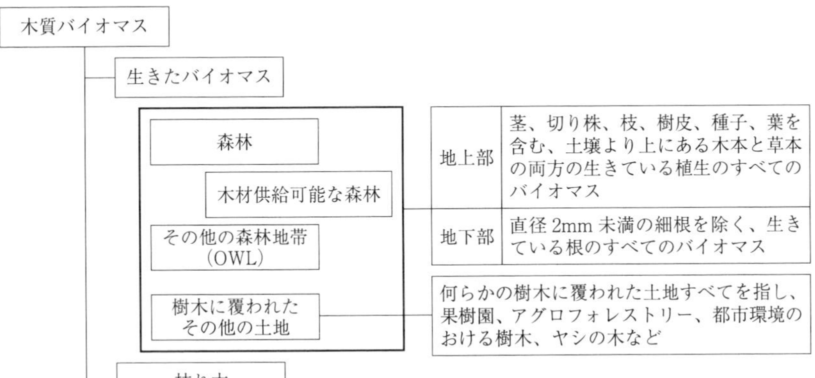

図 4－23 木質バイオマスの大局的分類[17)]

表 4－13 木質バイオマスの存在場所[17)]

	地上部	地下部
生きたバイオマス	茎、切り株、枝、樹皮、種子、葉を含む、土壌より上にある木本と草本の両方の生きている植生のすべてのバイオマス	直径 2mm 未満の細根を除く、生きている根のすべてのバイオマス
枯れ木	リターに含まれないすべての非生物木質バイオマス	
	地表に横たわっている木材、直径 10cm 以上の切り株	枯れた根

2) 一次木質バイオマスと二次木質バイオマス

エネルギー利用に供給される木質バイオマスは、収穫された全ての木材（上記の木質資源）を指し、これは「一次木質バイオマス」と呼ばれています。この一次木質バイオマスは、具体的には表 4－14 の対象になります。

木質バイオマスのエネルギー利用のためには、材の需要や供給能力、素材生産効率を向上させることと共に、薪やチップ、ペレットなどの燃料にする必要があります。またエネルギーの利用の仕方（電気か、熱利用か）で違いが出て来ます。

表 4－14　一次木質バイオマス[17]

種別	説明
未利用間伐材等	間伐や主伐により伐採された木材のうち、未利用のまま林地に残置されている間伐材や枝条等。今後これらを利用していくためには、施業の集約化や路網の整備等により安定的かつ効率的な供給体制を構築するとともに、新たな需要の開拓などを一体的に図っていく必要がある。
製材工場等残材	製材工場等から発生する樹皮や背板、のこ屑などの残材。そのほとんど（約 95％）が製紙原料、燃料用、家畜敷料等として利用されている。
建設発生木材	土木工事の建設現場や住宅などを解体する時に発生する木材。そのうち約 90％が燃料用や製紙原料、木質ボード原料等として利用されている。
流木	海岸流木、河川流木。

二次木質バイオマスは少なくとも一つの産業で過去に加工された木質バイオマスから構成されるものです。チップやパーティクルのような固形副産物、黒液のようなその他の副産物、樹皮、利用後の木材などが含まれます。

木質バイオマスの特徴のひとつは、伐採や転換の過程で生じる副産物のほとんどが、いくつかの異なる目的に利用できることで、伐採されたバイオマスの利用効率を高めています。さらに、多くの木質系製品は、そのライフサイクルの終わりにリサイクルや再利用が可能です。このような特徴を評価するために、木質バイオマスのカスケード利用*を定義し、評価することが必要です。

＊本報告書で言うカスケード利用とは、あるシステム内のバイオマス利用可能量を拡大するために、副産物やリサイクル材を材料として利用することによる資源の効率的な利用を意味する。

3）地域資源としての木質バイオマス

地域循環共生圏の形成に係る森林[18]は、日本国土の 2/3 を占め、重要なバイオマス供給源となっていますが、現在「森林飽和」状態になっています。自治体が核となって、木質バイオマスのマテリアル利用とエネルギー利用を進める燃料生産工場を各地域に設立し、公共施設での熱利用を中心とした地

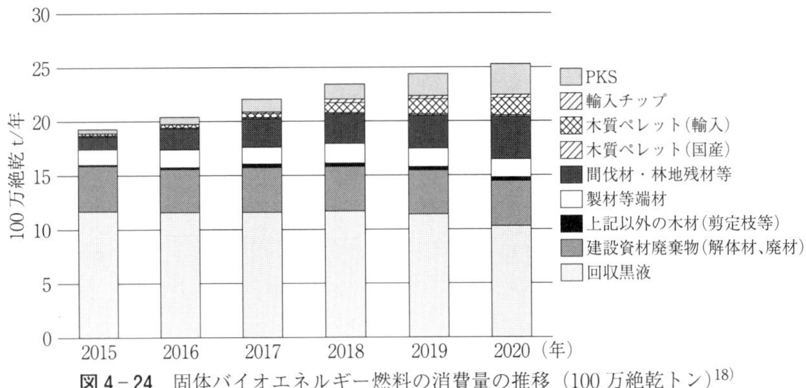

図 4－24 固体バイオエネルギー燃料の消費量の推移（100 万絶乾トン）[18)]

産地消型利活用を進める必要が有ります。

現在乱立する熱利用を伴わない大規模バイオマス発電所は、7 割以上のエネルギー損失があり、燃料材の需要が大きすぎて地域の林業ではまかなえないことなどが問題点として指摘されています。木質バイオマスのエネルギー利用のあるべき姿を考えると、燃料の地産地消による熱利用を中心とした小規模分散型システムが合理的であり、それに地域住民の参加が伴うもの、地域に様々な波及効果をもたらすものであることが望ましいことは言うまでも有りません[18、19)]。木質バイオマスが自立・分散型社会の形成に資するにはこのような利用のあり方が前提となります。

図 4－24 で、輸入バイオマス量 2015 年 400 万 t から 2020 年 798 万 t と倍化し、輸入比率 2015 年 36% から 2020 年 44% と増加していますが、この増加は PKS と輸入ペレットの増加によるものです。輸入バイオマス（PKS*、輸入チップ、ペレット、輸入パルプ）が占める割合が問題です。

＊PKS（Palm Kernel Shell）とは、アブラヤシの実から搾り取られた油のこと。

4）燃　料　化

木質バイオマスをエネルギー利用するためには、燃料化する必要が有りま

ピンチップ

切削チップ

おが粉

図 4－25　代表的な木質バイオマス燃料

す。木質バイオマス燃料は、3 種類に分けられます。

固体燃料：薪・チップ・ペレット・ブリケット・おが粉・RDF・木炭・バイオソリッド、等々

液体燃料：バイオエタノール・BDF・グリーン合成燃料

気体燃料：バイオガス・熱分解ガス

適応サイズ　含水率

・EN P16-P31S（スクリューコンベア使用の場合）

概ね 45mm アンダー切削チップ対応　ダスト 2～3% 以下、灰分 2～3% 以下

・低含水率燃料対応：排ガス再循環装置　低含水率 10%WB まで可能

・高含水率燃料対応：移動床（階段式火格子）含水率メーカー保証 20～35%WB 推奨、最大 45%WB

木の炎の安心感

木質ペレットで暖をとる皆さんから、ペレットの炎を見ていると癒されるという声が聞かれます。ペレットに限らず「薪」の燃える炎でも同じ声が聞かれ、最近レストランでも巧みに作られたイミテーションが見受けられます。何故ペレットの炎は癒効果があるのでしょうか？

人間が火を使う歴史を振り返ってみると、燃料として、木→石炭→石油・天然ガス→核燃料と進んで来ました。木は 50 万年以上の歴史がありますが、石炭・石油は 100～200 年、核燃料は 50 年の歴史しかありません。恐らく 50 万年という間、人間は木の炎への畏怖の念を抱きつつも、絶大な安心感をもって眺めてきたと思われます。

人間の頭脳の休息には、瞼を閉じて太陽を見たときの輝くばかりの朱色が最も良いと言われています。木の炎の赤もそれと共通しているのかも知れません。太陽の輝きの安心感、木の炎の安心感は、人間の歴史の中で生命を維持する本能的な感覚として DNA に

刻み込まれたのかも知れません。
拙著「『木質ペレット』で地産地消とエコの促進を」(月刊クォリティ姉妹誌『うおんつ』、ブックレット vol.76) より

5) 木質バイオマス熱利用

木質バイオマス燃料焚き温水ボイラーの技術的到達水準

木質バイオマスは、熱利用が最も適切であることは先に述べた通りです。日本には、多くの外国製の温水ボイラーが持ち込まれていますが、ここでは、ドイツN社製のボイラーを例にして、幾つかの特長を紹介し、温水ボイラーの技術的到達点を明らかにします[20]。

特長:

- DENA*の認定を受けた技術的に優秀な性能を持っている温水ボイラーです。
- 利用可能な燃料の種類・性状(含水率)の幅が広いボイラーです:樹種を選ばず、チップ・ペレットのどちらにも対応し、高含水率燃料も燃焼可能です。
- ドイツを中心に全世界で2万台以上の普及実績を有しています。
- 将来、日本で製造もできるライセンスを得ています。

＊DENA (Deutsche Energye-Agentur ドイツエネルギー機関):エネルギー効率、再生可能エネルギー源、インテリジェントエネルギーシステムなどのトピックに取り組んでいる企業であり、多数の公的および民間投資家から資金提供を受けている。その主要株主は、ドイツの国と州、KfW バンケングルッペ、アリアンツ SE、ドイツ銀行 AG、DZ 銀行 AG です。Dena のプロジェクトは、エネルギー消費を削減しながら経済成長を促進することを目的としている。この機関は、建物、モビリティ、グリッド、電力貯蔵に関する情報を公開している。それはそれ自体を政治とビジネスの間のインターフェースと見なしている。

性能:効率*

- ボイラー効率:最大90〜93% (30%WB)

＊道内公的機関によって導入地における実燃焼時の効率90%が確認されている。

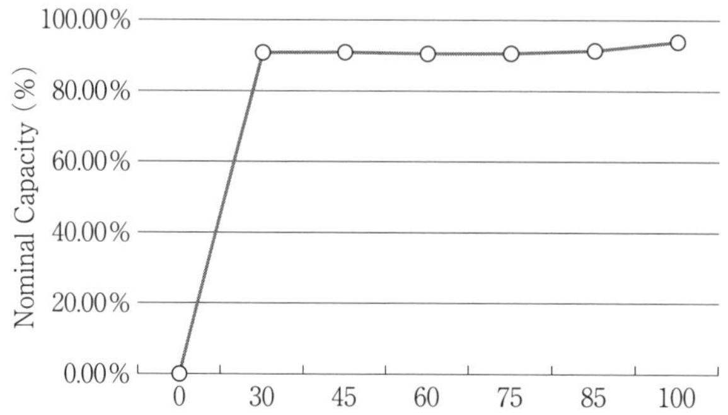

図4－26　ボイラー負荷変動（負荷率100～30%）におけるボイラー効率：90%
N社ボイラー特性

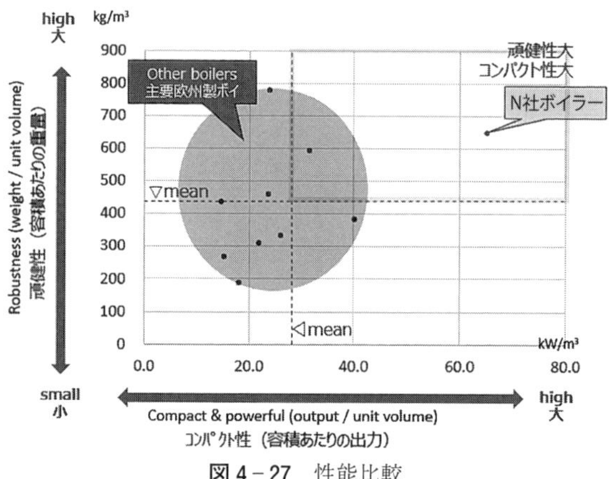

図4－27　性能比較

Nominal Capacity：最大出力に対する割合%（図4－26）

- 頑健性：コンパクト性

  単位体積当たりの出力、重量の比較（図4－27）

  ・出力大きい（右方）➡小さくてパワフル

  ・重い（上方）➡鋼材厚く耐熱性、耐久性あり

- 燃料の搬入

  半ピット式供給装置の側面図（図4－28）

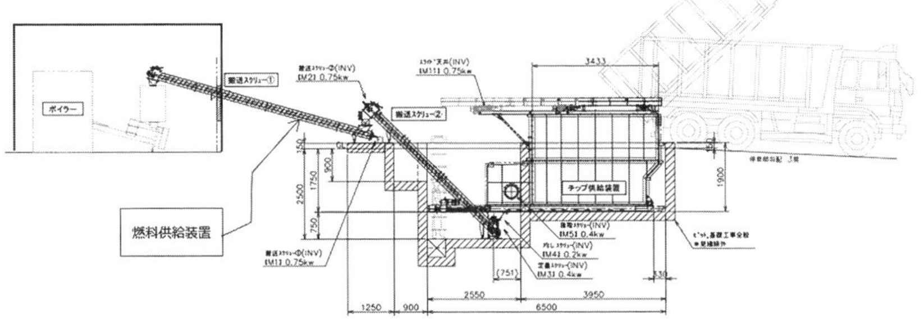

図 4－28　半ピット式供給装置の側面図

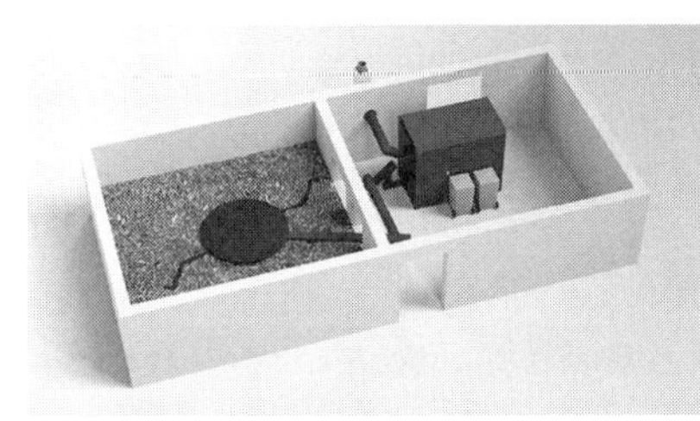

NOF 型　　プッシングフロアー型

図 4－29　燃料供給装置

受入ホッパーの大型化　サイロ半ピット式　投入に時間がかからない。

ピット：基礎工事必要

• 燃料供給装置

最も重要な技術　これがいい加減では使い物になりません。

２種類（図 4－29）

NOF 型

・簡易なつくりで、頑強性に難あり

プッシングフロアー型

・頑強で、故障、トラブルが少ない

6）木質バイオマスの発電利用

①主な発電方式の比較（表 4－15）

表4－15　直接燃焼及びガス化による発電方式の特徴[21)]

	方式	発電効率	原料調達	採算性	熱利用
①直接燃焼	木材チップ、廃材などを直接燃焼して蒸気をつくり、タービンを回して発電する方式。	小規模になるほど発電効率が低下。数千kW級以上の中・大規模発電が適している。	中・大規模発電に必要な多量の燃料の安定的な確保が必要（広範囲から調達等）。	発電のみ（全量売電）でも採算がとれやすい。	タービン方式によって、発電を最大にする方式（復水式）や、熱利用を主とする方式（背圧式）がある。
②ガス化	木質バイオマス等から可燃性のガスをつくり、エンジンの燃料とする方式。	小規模でも比較的効率が高い。数十kW～数千kW級の小・中規模発電が適している。	発電効率が高い小出力では、必要バイオマス量が比較的少ないため、地産地消で実施しやすい。	採算をとるためには、低コスト・高発電効率の設備の導入や熱利用と発電を合わせた利用が望ましい。一般的に導入費用は①より高い。	熱需要から発電規模の検討が必要。

＊ガス化発電方式は、木質バイオマス等の固体原料を高温状態にし、熱分解と化学反応によって可燃性の高い合成ガスを燃焼させる方式で、低出力でも20%程度の発電出力を得ることが可能である。ただし、導入実績や稼働実績が少なく、現在実証導入されている施設もある。

②直接燃焼型発電

図4－30は、FIT以降に建設・計画された実際の発電所における発電量と燃料チップ消費量の関係です。

この結果は、発電の熱効率20%、年間設備稼働率85%、チップ水分率30%程度を標準にしており、チップ消費量（t/年）＝12×発電出力（kW）の関係が得られます。発電出力300kW＊の木質バイオマス発電では、チップ消費量は3,600t/年（＝12×300kW）となります。

＊300kW以上の規模になるとボイラ・タービン技士の配置や24時間監視体制が必要となる。

直接燃焼における発電出力と発電効率の関係を図に示します。約5,000kW以上の場合、発電効率は25～30%を示すのですが、5,000kW未満の場合は著しく低下します。そのため、採算性の観点から、直接燃焼は数千kW以上

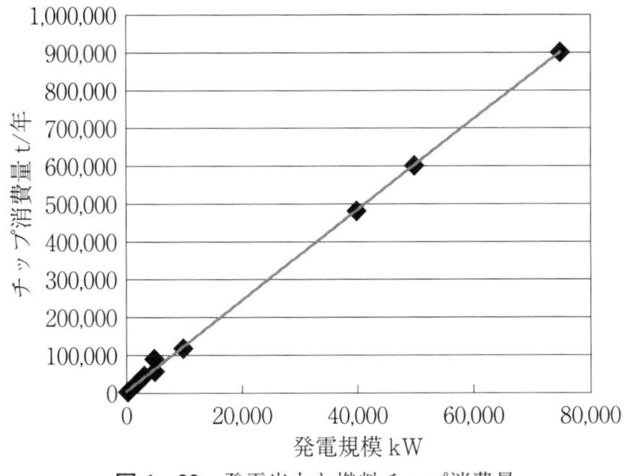

図 4－30　発電出力と燃料チップ消費量

表 4－16　発電規模とチップ消費量

発電出力（kW）	1,000	5,000	10,000	50,000
チップ消費量（t/年）	12,000	60,000	120,000	600,000

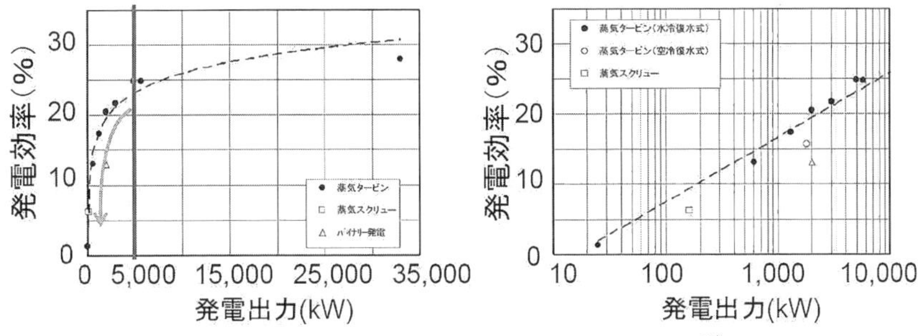

図 4－31　直接燃焼の発電出力と発電効率の関係[22)]

の中・大規模発電が適しています。因みに300kWの場合の発電効率は10%程度です。

コスト・経済性

直接燃焼型木質バイオマス発電は、導入実績や稼働実績が多く、技術的にほぼ確立されています。発電出力と費用単価の関係をみると、負の相関関係が

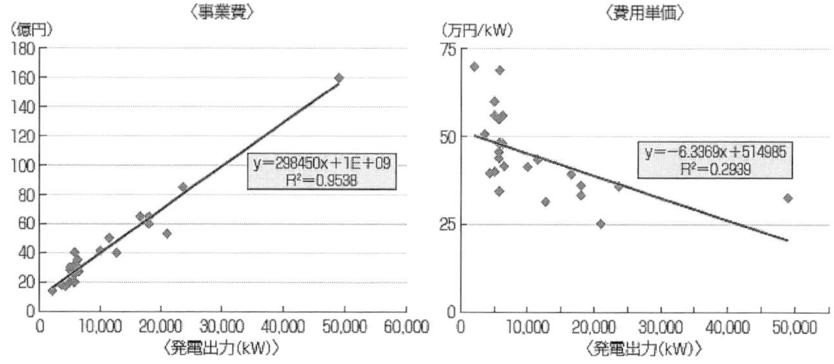

図4－32　発電出力と事業費および費用単価の関係（FIT後発表27施設）[23]

みられ、発電出力が高まるにつれて費用単価は低下する傾向を示します。既存資料やメーカーへのヒアリング等によると、直接燃焼の設備単価は40万円/kW程度となっています。ただし、500kW前後の設備では1kW当たり35～70万円と最大2倍の費用単価差がみられ、小規模事業では1kW当たりの単価が高くなります[24]。

7）木質バイオマスガス化発電とタール問題

①ガス化過程とタールの問題[25]

バイオマスは、熱化学的および生物学的プロセスによって、H_2や合成ガスに変換することができます。熱化学プロセスは、熱を利用してバイオマスを分解し、水素を生成します。

バイオマスのガス化は、高温（700～1200℃）かつガス化剤（空気、酸素、水蒸気、二酸化炭素またはこれらの混合物）の存在下で行われます。このプロセスの主な生成物は、主にH_2、CO、CO_2、CH_4のガス状混合物です。ガス化では、固体残渣（チャーやスス）やタール（重質炭化水素）のような望ましくない生成物も生成されます。

バイオマスガス化炉の設計は、燃料の入手可能性、粒子の形状、サイズ、含水率、灰分、およびエンドユーザーの用途に依存します。したがって、固定床（上昇気流および下降気流）、流動床（バブリング、循環、二重および多段）、巻

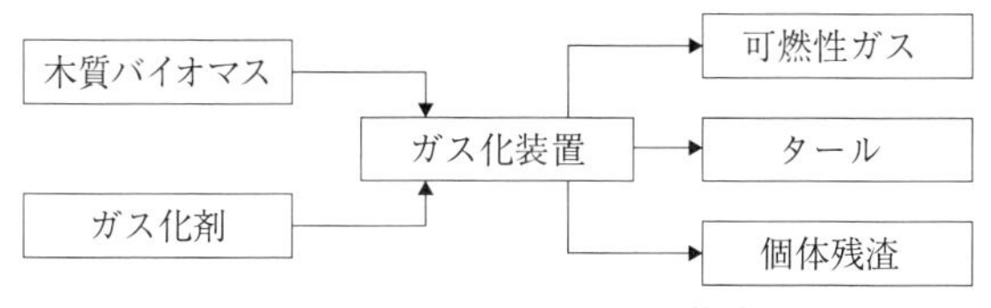

図 4－33 バイオマスガス化の模式図

き込み流、噴出床またはプラズマ反応器など、多数のガス化炉が設計されており、最もよく使用されるのは最初の3つです。

多様な熱化学的経路の中で、ガス化はバイオマスの大規模利用のための重要な技術として注目されています。しかし、バイオマスガス化の開発には、バイオマスの効率的な変換と、タールなどの厄介な副産物の軽減が不可欠です。

②タールの定義と分類

タールは、凝縮性炭化水素の複雑な混合物を表す曖昧な用語です。バイオマスガス化に取り組む機関や研究者の多様性を考えると、タールの定義やタールサンプリング技術も数多く存在します。そこで、IEA バイオエネルギー協定のガス化タスク、米国エネルギー省（DOE)、欧州委員会の DGXVII は、タールをベンゼンより分子量の大きい炭化水素と定義することに合意しました。

③タールの分類方法とその特性、代表的な化合物[25)]

オランダのエネルギー研究センター（ECN）による分類を表 4－17 に示します。

タールの生成と変質のメカニズムを理解することは、タールの発生を防ぐために不可欠です。脱アルキル化・脱炭酸反応、二量化反応、環化反応を連続的かつ同時に行うことで、軽質芳香族化合物が重質化することはよく知られていますが、そのメカニズムそのものはまだ完全には解明されてはいません。この分野でのさらなる研究が必要であることは間違いありません。

表4－17

命名法	解説	性質	代表的な化合物
クラスⅠ	GC*検出できない化合物	8個以上の環を持つ非常に重い化合物　GCで検出されない 総重量タール量からGC検出タール量を差し引いて算出する	
クラスⅡ	複素環化合物	単環芳香族化合物 ヘテロ原子含有 水への溶解性が高い	ピリジン、フェノール、クレゾール、キノリン　イソキノリン
クラスⅢ	軽質芳香族化合物	単環芳香族化合物 凝縮性、溶解性の問題なし	トルエン、エチルベンゼン、キシレン、スチレン
クラスⅣ	軽質PAHs	2-3環芳香族化合物 低温で凝縮する	インデン、ナフタレン、メチルナフタレン、ビフェニル、アセナフタレン、フルオレン　フェナントレン、アントラセン
クラスⅤ	重質PAHs	3環以上の芳香族化合物 非常に低い温度で凝縮する	ピレン、フルオランテン、ベンゾフルオランテン、ベズノピレン

＊GC（Gas Chromatography）ガスクロマトグラフ

バイオマスガス化で生成される不純物とそれに伴う問題

タール分を多く含む合成ガスは、パイプラインの汚損、下流の腐食、触媒の不活性化、健康や環境への悪影響などを引き起こし、バイオマスガス化技術の商業化を阻害する元凶です。タール生成の低減はバイオマスガス化における重要な課題であるため、タールの定義や分類、タール生成および変換メカニズムなど、以下の側面について包括的な説明を行います（表4－18及び表4－19参照）。

タール化合物は、下流のパイプラインや熱交換器、フィルター上でより複雑な構造に重合し、腐食、汚損、目詰まりを引き起こす可能性があるため、製品ガス中ではすべて望ましくないものです。その結果、プロセス効率が低下し、排出ガスと運転コストが増加します。

表4－18 バイオマスガス化で生成される不純物とそれに伴う問題点[25)]

不純物の型	より一般的な化合物	関連する問題
窒素	主としてNH_3、HCN ピリジンの痕跡、 キノリン類・・・	NOx 排出量 ガスコンディショナーが必要 下流触媒のポイズニング
硫黄	主としてH_2S、COS チオフェンの痕跡、 メルカプタン…	アルカリ金属との相互作用により、エミッション、デポジット、腐食が発生する ガスコンディショナーが必要 下流触媒のポイズニング
塩素	主としてHCl CH_3Clの痕跡	排出物、腐食、灰の焼結 Kとの相互作用により、沈殿・凝集が起こる 灰の軟化温度が低下
アルカリとアルカリ土類金属	塩を形成する	灰の沈殿や堆積物の形成に関与している 灰の溶融温度の低下（Na、K）または上昇（Mg、Ca） SiやSとの反応により、沈殿、凝集、ファウリング、腐食につながる 灰の処理 灰の溶融挙動
重金属	Hg、Cdの痕跡	排出量 灰処理費用の増加
タール	アロマティックとポリアロマチック炭化水素類	下流機器への腐食、ファウリング、目詰まりの凝縮のしやすさ ガスコンディショナーが必要 下流触媒の不活性化

④発電効率

ガス化方式の発電出力と発電効率の関係を図4－34に示します。ガス化方式は、直接燃焼方式で発電効率が低下する5,000kW未満の出力であっても発電効率が高いのが特徴です。また、ガスを燃焼したときに発生する熱を有効利用することで、事業の採算性を向上することができます。

⑤コスト

既存資料によると、ガス化発電方式の設備単価は100万円/kW以上と、蒸

表 4－19　バイオマスガス化プロセスにおけるタールの副作用[25)]

副作用	説明
低温時のパイプラインの閉塞	300℃ 以下では、ガス流中のタールが急速に凝縮し、ガスパイプラインに付着しやすくなるため、パイプラインの閉塞や操業に支障をきたす可能性がある。
下流機器への腐食	タールの酸の性質により、下流機器の腐食が激しくなる可能性がある。
下流反応器での触媒の失活（使用した場合）	タールが触媒表面に堆積して活性サイトを塞ぎ、触媒の寿命が短くなる可能性がある。
プロセス効率の低下	原料に含まれる全エネルギーの 3～5%、製品ガスに含まれるエネルギーの 10～15% をタールが占め、全エネルギー利用率とプロセス効率を低下させる。
フェノール系廃液の製造	タールにはフェノール化合物が多く含まれるため、ガス洗浄では大量の廃水が発生し、その処理が必要となる。
体・環境リスク	タール化合物の多くは発がん性があるため、放出されると人体や環境の健康が害される。

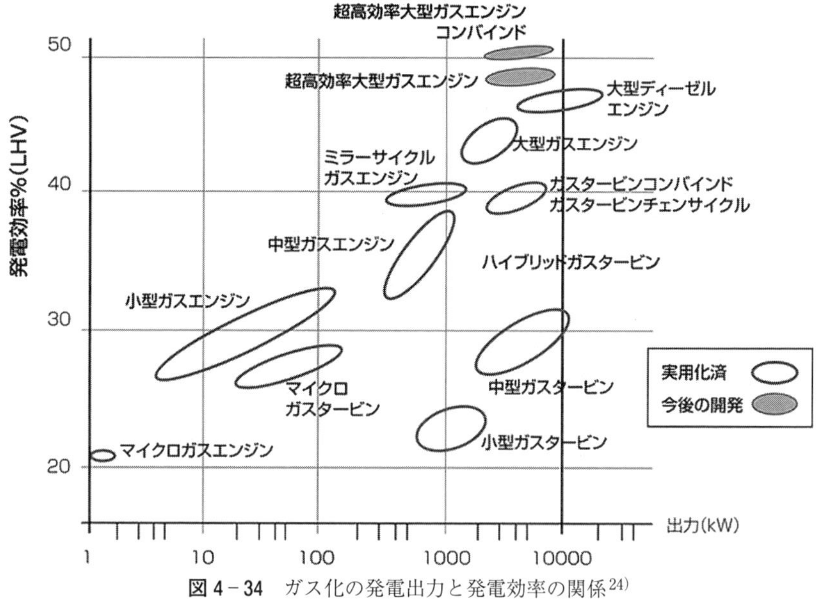

図 4－34　ガス化の発電出力と発電効率の関係[24)]

気タービン発電方式と比べて高く、ガス化発電方式の導入を検討する際、採算性の観点から発電効率の高いシステムの採用や熱需要先の確保が重要となります。また、50～200kW の低出力のガス化発電をワンユニットとして、これらを複数組み合わせた発電システムの導入例もあります。

8) オーガニックランキンサイクル（ORC）

ORC は、水のかわりにシリコンオイルなどの有機媒体を用いてタービンを回して発電する技術で、2000 年代半ばから普及し始めています。沸点が 300 ℃ 程度と、通常の蒸気タービンと比べ低くすむこと、発電出力を 30% 程度にまで下げても運転できるなどの特徴があり、熱利用を主目的として発電を行うことに適しています。発電効率は 10% 代と、相対的に低いのですが、沸点が低い分、設備を簡略化でき設備投資を抑制することができ、蒸気タービンより小型で採算がとれると言われています。

ORC の基本原理は、ヒートポンプの逆になります。ヒートポンプは電力を使って熱エネルギーを作り出し、さまざまな用途に利用しますが、ORC システムは熱エネルギーを使って電気を作り出します。

典型的な ORC システムの設計では、熱エネルギーが蒸発器に供給され、膨張機または「逆圧縮機」を駆動させ、これにより発電を行います。熱源には、地熱のような自然界のものと、さまざまな産業界の廃熱を利用したものがあります。このように ORC は、大気中に放出されてしまう熱エネルギーを持続的に利用することができます。

熱交換器は ORC システムを構成する重要な機器であり、いくつかの段階で使用されます。熱交換器は、蒸発器、凝縮器、再生器またはエコノマイザーとして機能します（分かりやすい図解は添付の図 4－35 を参照ください）。用途に応じて最適なプレート式熱交換器を使用することで、システムの信頼性、効率、そして持続可能な発電を実現することができます。

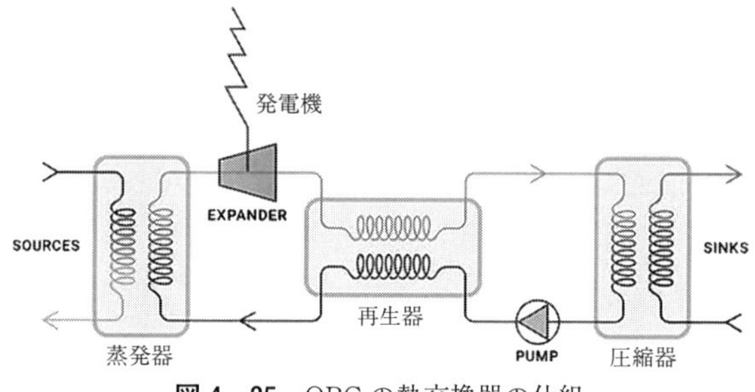

図 4－35　ORC の熱交換器の仕組

ORC は日本にない技術であるため、ORC ユニットなどを日本に輸入しようとすると、電気事業法により事前審査を受ける必要があります。また ORC は圧力容器に指定されているほか、300kW 以上の規模になるとボイラ・タービン技士の配置や 24 時間監視体制が必要となります。これらにより事業費が大きくなり、日本での ORC を採用した事業が進まない理由となっており、ORC 普及には規制緩和の措置などが必要となっています。

9）低温炭化トレファクション[26)]

木質バイオマスに 300℃ 前後の低い温度で「ほどほどに熱をかける」ことにより半炭化物が得られます。ちょうどお茶やコーヒー豆を「焙じる」イメージです。半炭化製品のエネルギーを 30％ 程度大きくできます。さらに、木質ペレットと同様に押し固めて加工できることから、体積当たりのエネルギー（エネルギー密度）を木炭より高くできるとともに、取扱いやすいので燃焼装置で自動運転ができます。

この「焙じる」方法を英語で「トレファクション」といいます。そこでこの技術を「トレファクション」技術と名付けて研究が進められています。

①プロセス図

様々なリアクターコンセプトに適用されるプロセス条件の範囲には多少の違いがありますが、焙焼と高密度化プロセスの基本コンセプトは同じであり、一般的に熱統合が組み込まれています（図 4－36 参照）。

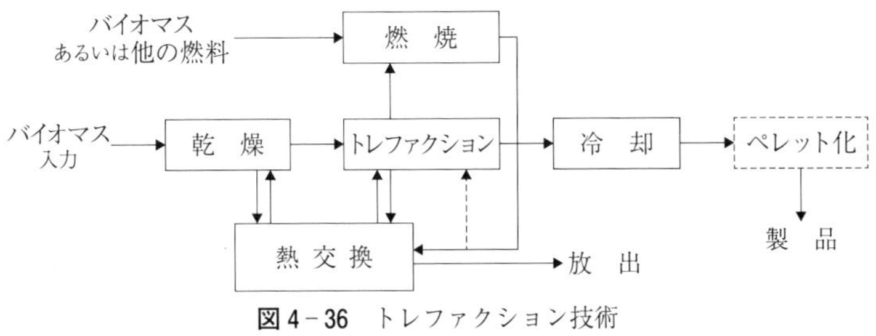

図4－36 トレファクション技術

トレファクション処理をするとエネルギーが大きくなる他に、ペレットに固める際の粉砕エネルギーを最大90％程度減らせること、水に対して強いこと、従来のペレットと同様の着火性を示すことなど、様々なメリットを持つことがわかりました。さらに、木炭工場での実験を通じて、外熱式ロータリーキルン型炭化装置とペレット製造機の組み合わせで燃料を量産できる見通しが立ちました。現在、トレファクション燃料をつくるプラントによるトレファクション燃料の製造が始まっています。

リグノセルロース系バイオマスは通常、乾燥質量ベースで約80％の揮発分と20％の固定炭素を含みます。乾留プロセスでは、固体バイオマスは酸素がない状態、または大幅に減少した状態で約250～350℃の温度まで加熱され、バイオマス中の水分と揮発性物質の一部が失われます。揮発性物質の部分的除去（約20％）により、元のバイオマスの特性は劇的に変化します。乾留は水蒸気爆発とは異なり、異なる製品特性をもたらします。

トレファクションの過程で、元のバイオマス原料の粘り強い繊維構造は、ヘミセルロースの分解によって大きく破壊され、セルロース分子の分解はより少なくなるため、原料は脆く粉砕しやすくなります。その結果、原料は親水性から疎水性へと変化します。バイオマス中の酸素の大部分を含む軽揮発性分が除去されると、残りの材料の発熱量は、19MJ/kgから徐々に増加し、焙焼木材の場合は21または23MJ/kgになり、最終的に木炭になる完全脱揮の場合は30MJ/kgになります。

②半炭化ペレットの組成

木質チップ、木質ペレットとの比較（表4－20）[27)]

表4－20　木質チップ、木質ペレットとの比較

	Wood	Wood pellets	Torrefaction pellets	Charcoas	Coal
Moisture content (% wt)	30-45	7-10	1-5	1-5	10-15
Lowerheating value (MJ/kg)	9-12	15-18	20-24	30-32	23-28
Volatile matter (% db)	70-75	70-75	55-65	10-12	15-30
Fixed carbon (% db)	20-25	20-25	28-35	85-87	50-55
Density (kg/t) Bulk	0.2-0.25	0.55-0.75	0.75-0.85	～0.20	0.8-0.85
Energy density (GJ/m^3) (bulk)	2.0-3.0	7.5-10.4	15.0-18.7	6-6.4	18.4-23.8
Dust	Average	Limited	Limited	High	Limited
Hydroscopic properties	hydrophylic	hydrophylic	hydrophylic	hydrophylic	hydrophylic
Biological degradation	Yes	Yes	No	No	No
Grindability	Poor	Poor	Good	Good	Good
Handling	Special	Special	Good	Good	Good
Quality variability	High	Limited	Limited	Limited	Limited

10）その他の利用

再エネ・省エネに関わる木材・木質バイオマスのマテリアル利用として、興味深い事例を幾つか紹介します。

①木造の風車支柱（Timber Tower）[28)]

風力発電は早ければ2027年にEU最大の電源になると予想されています。スウェーデンのM社は、興味深いことに伝統的な材料に回帰して、金属ではなく、木材で風力タービンを製造しています。この新しいモデルは、風力エネルギーの将来に面白い可能性を拓いています。

木製の塔は、木造の構造は鋼と同じくらい強く、鋼に比べてはるかに低コストで建設できます。木材の軽量化とモジュラーコンセプトにより、タワー

図４－37

を公道の建設現場に輸送することが可能になり、時間とお金を節約できます。

「高さ150メートルのタワーを30％低コストで建設できます。」

スチールの代わりに木材を利用すると、製造工程での二酸化炭素排出量を削減できるため、木製の風力発電タワーは環境面でも多大な利点があります。木製タワーは配備までの二酸化炭素排出量を１機当たり約2,000トン削減できると試算されています。

②ナノセルロース

木材、草、竹、稲ワラ等の植物の主要成分は、セルロース、ヘミセルロース、リグニンです。植物組織はセルロース分子の超微細な集合体が積層して形成されています。機械的な処理等で、この部分を取り出したのがナノセルロースです。

ナノセルロース（CNFセルロースナノファイバー）は鋼鉄の５倍の強度でありながら５分の１の軽さしかなく、軽量・高強度・高弾性・低熱膨張・安全安心な天然物・再生型資源といった優れた特徴を持っています。

セルロースナノファイバーは、その形状や特徴的な物性により、フィルター部材、高ガスバリア包装部材、エレクトロニクスデバイス、食品、医薬、化粧品、ヘルスケアなど様々な分野において利用が期待されています。

CNFが構造材として注目されながら普及が進まない理由として、大量の水に分散させてナノスケールまで繰り返して細かく繊維をほぐすための機械処

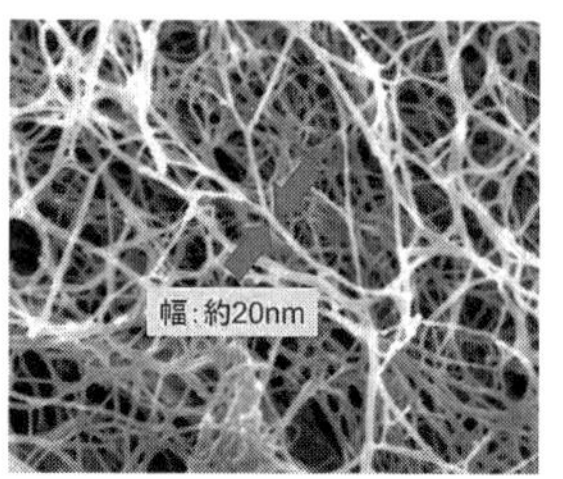

図4－38　ナノセルロースの高分解能走査型電子顕微鏡（FE-SEM）
産業技術総合研究所[29)]

理が必要であり、そのためのコストの高さが挙げられます。

植物ならば木や草でも基本的に同じようにCNFの原料として使用できます。間伐材や食用や飼料用の植物の刈り取った後の茎など未利用のバイオマス資源を原料とすることも可能です。石油系の資源をつかわずに、今まで利用されてこなかった植物、すなわちバイオマスを資源に使えるCNFは、廃棄物削減や地球温暖化防止という現代のニーズにマッチする素材だと言えます。天然素材であることで人体に触れる用途にも安心して使えるなど、応用分野はこれからも広がっていくことでしょう。

③木質繊維断熱材[28)]

北海道苫小牧市に設立され、敷地面積2万5000m^{2}の広大な用地にドイツ製の木材解繊設備を導入、製造・出荷を開始しました（年間生産能力は3,000㌧）。木質繊維断熱材で唯一JISの適合性認証を取得、しかしながら思うように需要が伸びず、別会社に売却、製造販売を開始しましたが経営が移管した以降も受注面では苦戦が続いていました。

ウッドファイバー最大の特徴は原材料が国産材針葉樹間伐材等で製造されていることで、カラマツ、トドマツなどの北海道産材をはじめ、原材料丸太を持ち込むことで、割高にはなりますが、地域産材指定にも対応してきました。

性能面では優れた透湿性があります。吸放湿性能（ウッドファイバー40K）

は吸湿量229g/m^2、放湿量で180g/m^{2}と、グラスウール24Kに比べ吸湿量で15倍以上、放湿量で13倍以上、セルロースファイバーと比べても2倍近い性能を有します。

断熱性能では特に熱が伝わる速度を示す熱容量の大きさが最大の特徴です。ウッドファイバー（55K/m^2）は高性能グラスウール（16K/m^2）の6倍強にもなり、それだけ外の熱の建物内に侵入する速度が遅く、木質繊維断熱材を採用する工務店の多くは夏の暑さを意識することが多いものでした。

熱伝導率は0.038（W/m･k）でZEH等の省エネ住宅にも採用することができます。また、吸音性能、防火性能、施工性能等にも優れています。

16)「平成19年度自然資源の統合的管理に関する調査　成果報告書　3. 各論　付属資料—1　第3章関係：バイオマス資源と食料生産」（文部科学省、2008年3月）
17)「The use of woody biomass for energy production in the EU」（European Union, 2021）
18)「地域循環共生圏の形成に木質バイオマス利用が果たす役割」（『ランドスケープ研究』、2021年）
19)「固体バイオマス燃料の消費量」（相川高信、自然エネルギー財団、2021年）
20) メーカーパンフレット等
21)『バイオマスハンドブック』（日本エネルギー学会編、オーム社）及びメーカーヒアリング等
22)「木質バイオマス発電等検討会　報告書」（新潟県、2014年）
23)「木質バイオマス発電の動向と課題への対応」（『農林金融2013･10』、農林中金総合研究所）
24) NEDO　http://www.nedo.go.jp/activities/ZZ_00337.html
25)「A comprehensive review of primary strategies for tar removal in biomass gasification」Energy Conversion and Management 276（2023）
26) Biomass co-firing experience in NL & Black pellets status update ECN　Status overview of torrefaction technologie IEA（2012）
27) 産業技術総合研究所
28) Timber Tower　https://www.cordes-holzbau.de/en/projekt/timbertower-hanover/
29) 木の繊維

（3－3）地域で発生する有機物資源

有機物は、嫌気性条件下で、微生物によって分解され、バイオガスを生成します。自然界でも土（収穫後の田畑）、沼や下水の泥等々の中でメタン菌*が有機物を分解し、バイオガスを発生しています。このことを嫌気性発酵（AD：Anaerobic Digestion）と呼んでいます。

現在は、有機物は、人工的にバイオガスに変換され、電気や熱、車の燃料として利用できる再生可能な資源となっています。農業や工業から出る有機物や残渣、都市部の有機物、下水汚泥などの AD は、最も魅力的な再エネの一つです。

＊嫌気性細菌であるメタン生成細菌は、地上に出現して以来、35 億年もの歴史を有し、古細菌とも呼ばれる微生物である。人類はじめ好気性生物に必要な酸素を消費することがない古細菌は、嫌気的な環境の中で生命活動を営んでいる。最近地球温暖化への影響で、AD の例として牛のゲップが話題になっている。

1）嫌気性発酵の技術的基礎

①原理

図４－39 に、バイオガスを人工的に生成する仕組みを示してあります。

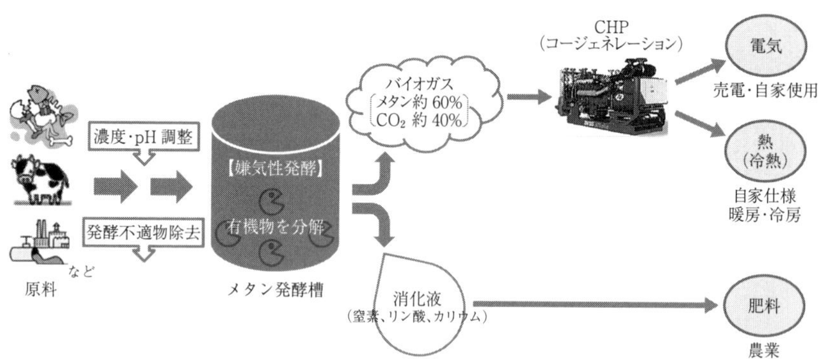

図４－39　バイオガスの生成と利用の仕組

文献 30）の図に一部加筆

必須要素は、有機物原料、ガス化装置（発酵槽と呼ばれる密閉容器）、エネルギー化装置（発電機、CHP）、残差物処理の4つが揃う必要があります。換言すれば、密閉容器（発酵槽）に有機物を入れておくと、原料中のメタン菌が有機物を栄養素として増殖し、その過程でバイオガス（主に、CH_4 ガス60%、CO_2 ガス40%の可燃性ガス）を生成し、消化液を残差物として排出します。

以下、これらを順に見ていきます。

②原料の情報

ADに用いる原料は、水分を多く含む有機物が最適です。有機物は、家畜の排泄物や農産物残渣（野菜屑等）、家庭の生ごみまたは湿った有機物（カフェやレストラン、食品市場、企業の有機物）が該当します。自治体が取り扱っている一般廃棄物（OFMSW：Organic Fraction of Municipal Solid Waste　都市固形廃棄物）の有機成分もあります。これらの有機物は、含水率が高く分解性が高いため、大気に曝しておくと腐敗が進み、悪臭の原因となります。OFMSWに該当するバイオマスは表4－21の通りです[30)]。

＊「廃棄物」という記述について：廃棄物とは、通知（「行政処分の指針について」、平成25年3月　環廃産発1303299」）において、「占有者が自ら利用し、又は、他人に有償で譲渡することができないため不要となったもの。この内容に該当するか否かは、5つの要素（①その物の性状、②排出の状況、③通常の取扱い形態、④取引価値の有無、及び⑤占有者の意思等を総合的に勘案して判断すべきもの）となっている。メタン発酵の原料である点を考慮すると、「地域資源」としての「有機物資源」（単に「有機物」）あるいは「バイオマス」と明確に表現されるべきと考えられる。

表4－21　OFMSWに該当するバイオマス

	一般廃棄物	産業廃棄物
食品系バイオマス	食品廃棄物（生ごみ）	動植物性残渣（食品加工残渣）
紙系バイオマス	紙ごみ	紙くず
し尿・汚泥系バイオマス	し尿・下水汚泥・浄化槽汚泥	有機性汚泥（下水汚泥含む）
その他	家畜排せつ物	

＊文献30）では繊維類、木質系廃棄物、動物の死体については対象としない。

AD プラントにおいては、使用するバイオガス技術を決定するのは原料であって、その逆ではありません。バイオガスプラントを適切に設計するためには、その原料を十分理解する必要があります：

- 原料の性状：液体か固体か、どのような形態か？
- 原料の量：どれくらいの量か？　原料はいつ調達できるのか？
- 原料の収集方法：原料はどのように集められ、AD プラントに到着するのか？　運搬車はどのタイプか？
- 原料の発生状況：季節を通じて、量に大きな変動はあるか？　この量は何年もかけて増えたり減ったりするのか？　等々。

③原料とガス発生量

ガス発生量は、原料の組成で決まります。

- 原料の組成：乾物含有量または全固形物（TS：Total solids）、揮発性固形物（VS：Volatile Solids　強熱減量、分解性有機物量）、全ケルダール窒素（TKN）、pH、汚染物質（プラスチック、ガラス、金属など）の異物の有無、等々。
- バイオガスの発生量：原料中の水分を除いた「固形分」から「ミネラル分」と「難分解性有機物」を除いた「分解性有機物量 VS」の量で決ります。また、VS は、炭素量の多い油脂類＞タンパク質＞炭水化物の順で多くなり、従ってこの順にバイオガス生成量が多くなります。バイオガス中の「メタン含有率」は、原料により異なりますが 50～60% 程度で安定しています。

＊全ケルダール窒素（TKN：Total Kjeldahl Nitrogen）：全窒素のうち、有機態窒素とアンモニア態窒素の総称のこと。

畜産系有機物を主原料としていたバイオガス発酵槽に、生ごみや食品残渣物等を混入させると、バイオガスの発生量が増加することから、様々な有機物のバイオガス発生量が詳しく調べられました。図 4－40 に示されるように、有機物 1 トン当たりのバイオガス発生量は、牛ふん尿を 1 とすると、新鮮な

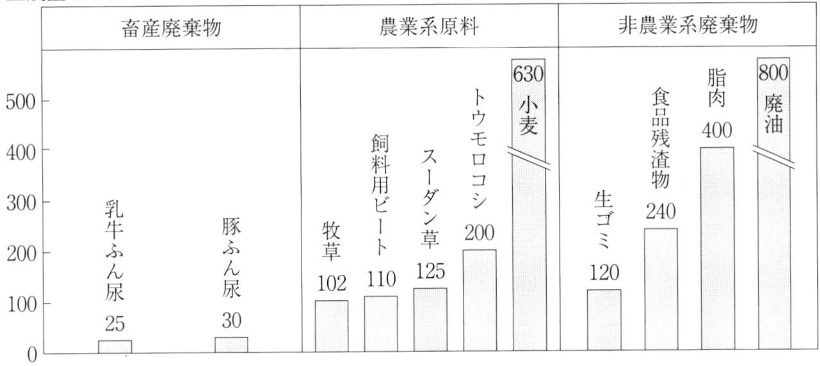

図 4－40 有機物 1 トン当たりのバイオガス発生量[31)]

牧草は 3 倍化し、トウモロコシのサイレージでは 7 倍化します。

この結果、従来有効活用がなされていなかった余剰牧草の利用に着目することになり、更には遊休農地でのトウモロコシ等の「エネルギー作物」の栽培が大々的に進みました。

バイオガスの発生量の増加は、生成する電力の増加ともなり、売電収入が増えるため、農家の新たな収入源を確保することになりました。

しかしながら、AD プラント*を考える場合、原料の安定性からは、毎日発生する家畜の排せつ物や生ごみ、通年にわたって保存が出来る藁類などをベースに計画を作ることが重要です。

＊本章では、「バイオガスプラント」と「AD プラント」とは同義として扱っている。

2) AD プラントの意義

AD プラントには以下のようなメリットがあります。

①環境面でのメリット

従来、ふん尿は農業の肥料として直接使用されており、環境問題や水質汚染、公害の原因となりかねないものでした。またふん尿の自然分解は、貯蔵中にCH_4とCO_2の排出につながります。バイオガスはこれらの厄介な問題を解決します：

- ADは、ふん尿の貯蔵や分解に伴う悪臭を緩和し、人間や動物の健康に重大なリスクをもたらす可能性のある病原菌を除去するのに貢献します。
- ふん尿を利用してエネルギー源となるバイオガスを生産することで、化石燃料を代替し、GHG（Greenhouse Gas 温室効果ガス）排出量やその他の汚染物質の排出量削減に貢献します。
- バイオガスは、大気中のCO_2を増加させない「カーボンニュートラル」と呼ばれる特性により、地球温暖化対策に有効です。
- メタンガスの利用は、石炭、石油、ディーゼル、天然ガスに由来する炭素集約型のエネルギーに代わる再エネ源となります。即ち、天然ガスパイプラインにRNG（Renewable Natural Gas 再生可能な天然ガス）を注入することやディーゼルをRNGに置き換えることによる、輸送またはバイオガスからの発電という形で、化石燃料由来のCO_2を削減します。
- 圃場すき込みによるCH_4発生量を削減します。

＊CH_4（メタン）は、無臭で、生物に対する毒性は無く、水に溶け難く、燃焼によってCO_2とH_2Oのみを生成するので、環境的にはクリーンである。CH_4をそのまま大気中に放出すると、温暖化を促進させる（CH_4の地球温暖化係数はCO_2の25倍にもなる）。

②持続的循環型農業の実現を進めるメリット

図4－41に、農家経営及び農村の維持・発展を促す持続的循環型農業を実現する仕組を紹介しています。

この仕組には幾つかの新しい考え方が含まれています。

- 元々の原料は、家畜の飼料とエネルギー作物等の地域の圃場から得られる資源とし、バイオガス発酵槽から排出された「消化液」は地域の圃場に肥料として還元することによって、地域の圃場から生まれたものが、再び地域の圃場に戻る、即ち、“地元産有機物資源”を使う→排泄物を元に戻す、という形で“循環”が成立し、持続的循環型農業の実現に役立ち

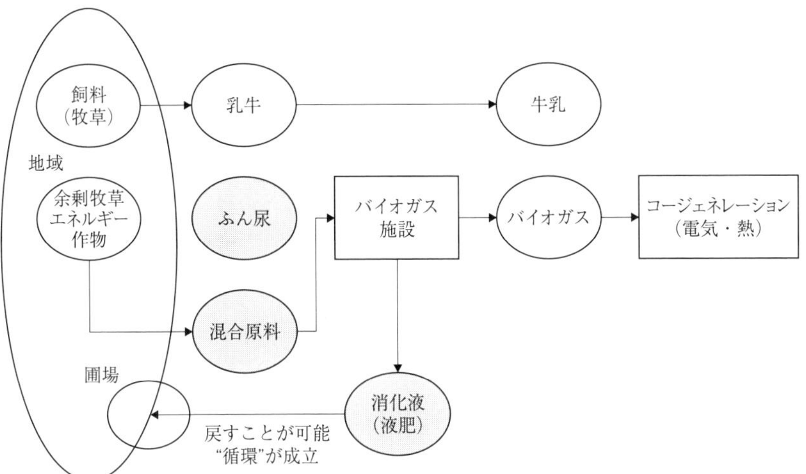

図 4－41 農家経営及び農村の維持・発展を促す持続的循環型農業を実現する仕組[31]

ます。

- バイオガス生産からの消化物は、ふん尿と同じ栄養素を含んでおり、化学肥料の代替として使用することができ、これにより、農場での化学肥料の使用を減らすことができます。
- 栄養分の流出を減らし、メタン排出を回避することで、さらなる経済的利益をもたらします。

③地域内経済循環確立のメリット

農村地域の自立した経済循環の確立に役立ちます。

- 農家がバイオガス施設を所有し、エネルギーを賄い、肥料も格安で得ることができれば、農家の収入増になります。
- その収入増の分だけ、飼養頭数を減らす（増やす）ことも出来ます。また地域の牧草や藁などを原料にすることも可能になり、労働負担を減らすことができます。
- 発生したバイオガスは、外国からの輸入資源による電気・熱に替えて使うことができます。原料は地域資源ですから、エネルギーに支払われた

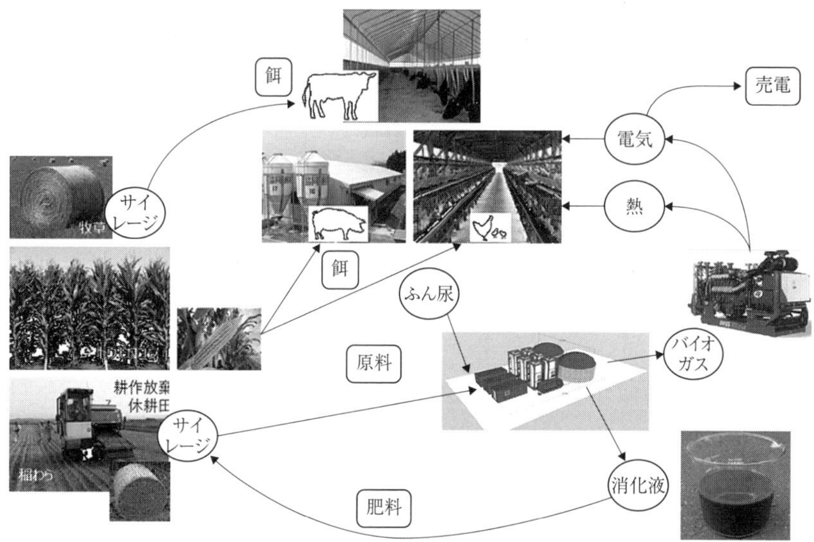

図 4－42　AD プラントを利用した家畜飼養の地産地消の構造

お金は地域に留まり地域を循環し、新たな経済効果を生み出します。

④耕作放棄地や休耕田の利活用に道を拓くメリット

耕作放棄地や休耕田に、トウモロコシ（デントコーン）を栽培し、子実は鶏・豚の餌とし、茎葉はサイレージ化し牛の餌にし、且つ鶏ふん等と混合し、AD プラントの原料にする。AD プラントで生成する電気・熱はエネルギー利用とし、排出される消化液は、トウモロコシ（デントコーン）畑に肥料として戻す。こうした仕組みを作り出すことによって、耕作放棄地や休耕田を昔のような圃場に戻すことが注目されています（図 4－42）。

⑤地場産業としての確立のメリット

バイオガスの利活用には、地域の仕組が必要であり、地域の合意形成及び担い手の存在・育成が必要です。ここで自治体の役割は大きく、原料供給者、エネルギー生産者、エネルギー需要者、インフラ整備者、学識経験者、一般住民、行政関係者、金融機関関係者などから構成されるラウンドテーブル（協

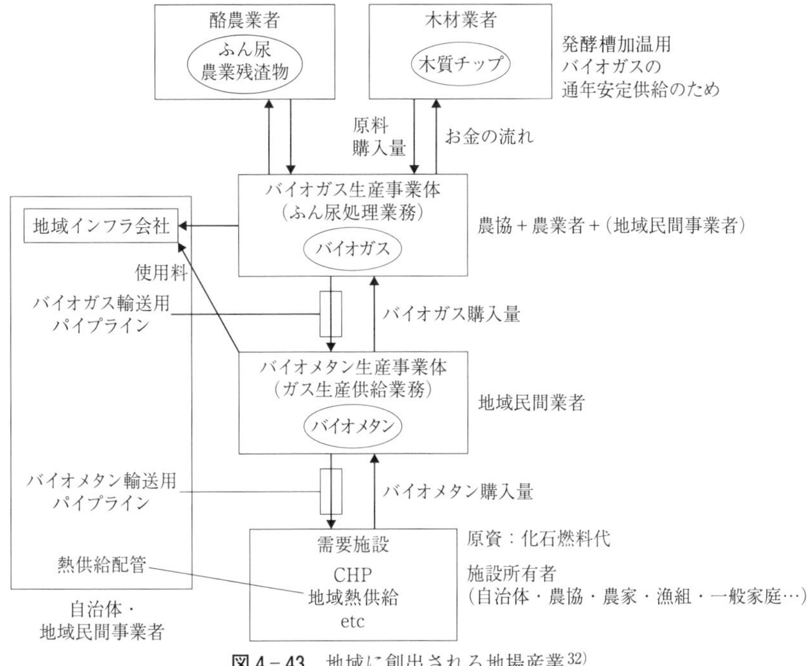

図 4－43 地域に創出される地場産業[32)]

議会あるいはプラットホーム）を開催し、地域の合意形成の中核となって、共通認識を醸成し、地域の計画の作成・実行の推進役としての役割が求められています。

また地域における担い手及び不足するノウハウとそれを補完するための人材育成策も、自治体及び農協等の公的機関が主体となって進める必要があります。既に、バイオガスの専門家が配置されている自治体や農協もあり、地場産業として確立させる取組が進められています。

農村地域は、過疎・高齢化が深刻化している地域であり、こうした地域で、担い手の発掘・呼込み・育成が進むなら、地域が経済的に潤い、雇用も生まれ、地域内経済自立循環を確立する取組が進みます。

こうした結果、我国が抱える“資源の外国依存体質”を解決する一助になるはずです。地域資源（農村地域の畜産系及び農業系有機物等）から生み出された電力と熱（及び将来は自動車の燃料等）の利用を地域内で行うこと、およびその担い手として、農家を中心にして、地域の民間事業者等の異業種連携の力で、地場産業として確立する努力が求められています。

以上は、10 年前に紹介した内容ですが、期せずして、「バイオマス活用推進基本計画（第 3 次）」（閣議決定、2022 年 9 月 6 日）で全く同じ内容が指摘されました。

3）AD プラントの普及状況

こうした数々のメリットから、AD プラントは全世界で普及しています。

過去 10 年間で欧州のバイオガスプラントの数は着実に増加し、2017 年末までに、欧州全体で 17,783 のプラントが稼働しています[33)]。

①ドイツの到達点

ドイツでは、2021 年時点で、バイオガス発電プラント 9,879 カ所、累積設備容量 5,926MW、年間発電量 33TWh（ドイツの総発電量の約 6%）、バイオガス産業の雇用者数 46,000 人、市場規模 97 億ユーロと世界最大規模になって

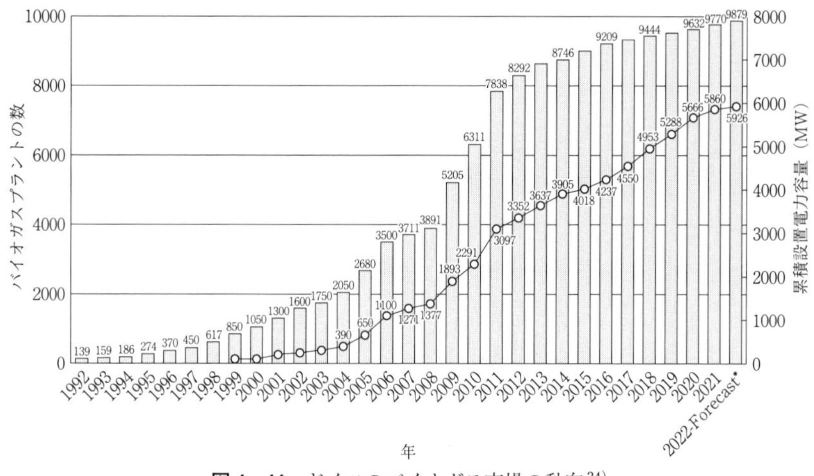

図 4－44　ドイツのバイオガス市場の動向[34)]

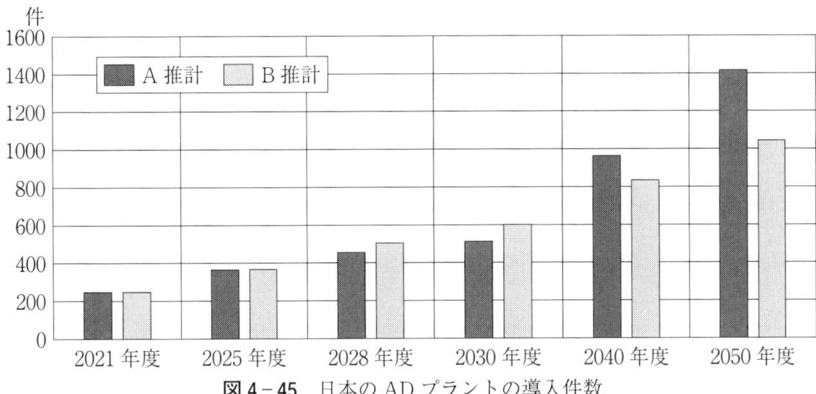

図 4－45 日本の AD プラントの導入件数

A 推計：導入加速型　B 推計：導入急加速＋将来平衡型

います。この到達状況が図 4－44 に示されています。

②日本の状況

日本の AD プラントの導入件数は、2030 年度 365 件、2040 年度 515 件、2050 年度 1,415 件と予測されています（図 4－45）[35)]。

日本の AD 原料は、ドイツに引けを取らないだけありますから、ドイツ並みの普及があっても不思議なことではありません。

しかし実際は、日本のバイオガスの普及は相当に遅れています。この要因はどこにあるのでしょうか？　今日のバイオガスに係る技術的到達度は、拡大に耐えるだけの水準になっていないのでしょうか？

4）AD プラントの普及を阻むもの

日本でも、「バイオマスは上手くいかない」との声が多数聞こえてきます。

ドイツでも現実は、不適切な計画と設計によって、最適とは言えない AD プラントの運転と経済性に苦しんでいるケースもあります。その誤りの多くは、AD プラントに関する初期の誤解や知識不足、情報不足が原因と指摘されています。

また、ADとバイオガス利用をテーマにした優れた出版物は数多くありますが、バイオガスエンジニアリングとバイオガスプロジェクト全体をテーマにしたものはほとんどありません。見あたらないことも原因の一つです。

我国でもバイオマスのエネルギー化について、膨大なガイドラインが、NEDOから出されていることは先に紹介しました[36)]（本書第4章（3）バイオマス（3-1）概括2）バイオマスエネルギー技術の体系」を参照）。

バイオガスについては、何故かくも莫大な情報が必要となるのでしょうか？　全貌はどうすれば把握可能なのでしょうか？

技術は階層構造・繰り返し（再帰的）構造を持っています。ADプラントの「初期の誤解や知識不足、情報不足」を乗り越え、「全体を見通して」、「ADプラントの技術的到達度」を推し図ることができるように思えます[37)]。

技術の階層構造

『テクノロジーとイノベーション　進化／生成の理論』[37)]、に、次のようなことが書かれています。

「テクノロジー（技術）はアセンブリーとシステム、個別パーツというコンポーネント・パーツで出来上っている。」「この階層構造は木のようなもので、テクノロジー全体が幹、主要アセンブリーが大枝、下位アセンブリーが枝、基本パターツは小枝ということになる。この階層の深さは、幹からいくつもの小枝へ至る大枝の数であり、…現実のテクノロジーでは階層は2から10以上であり、複雑さを増すほどにテクノロジーのモジュール性が進み、階層が深まっていく。」「テクノロジーはそれ自体がテクノロジーである構成要素で成り立っており、そのテクノロジーはさらに、そのものがテクノロジーである構成要素によって成り立っているという繰り返しが、最も基本的なコンポーネントの段階まで続いていく。テクノロジ－とは、別の言葉で表せば、再帰的な構造をもっている。」

5）ADプラントの技術の全体系

①ADプラントの技術の全体構成

ADプラント技術の全体構成を、一目で見えるように、階層的（入れ子構造）に整理してみました（図4－46）。

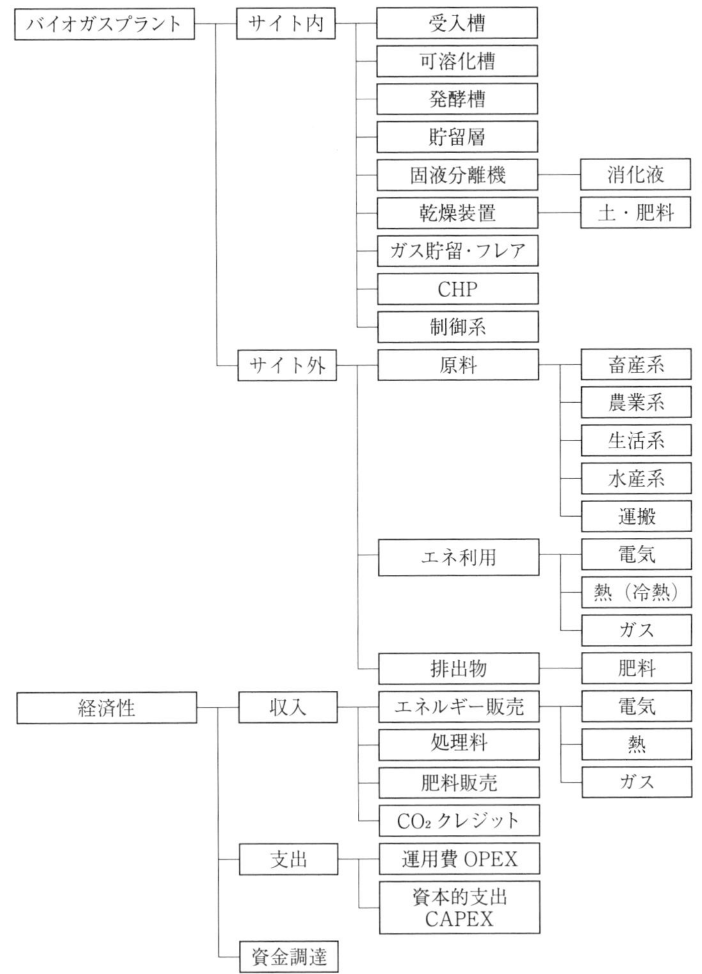

図 4－46 AD プラント技術の全体

②AD プラント構成設備の概要

AD プラントは、標準的には次の設備から構成されています（表 4－22)。

6）AD プラントと連携が考えられる社会インフラ施設

第1章で、「要はインフラだ」というジェレミー・リフキンの言葉を紹介

表4－22　ADプラント構成設備[38]

設備種別	方式・機能	構成機械装置	目的
受入・供給設備	投入方式	専用収集・運搬車（パッカー車、アームローダー車）	臭気の拡散防止の観点
	受入設備	計量機、プラットホーム、受入ホッパ、受入ピット	
	一時貯留	機械選別	
前処理設備	破袋・破砕 多軸式低速回転破砕機、回転ブレード式破砕分別機、湿式破砕分別機		
	選別	磁選機	
	調質	調整槽（可溶化槽）、調湿槽	可溶化原料の定量投入、酸発酵促進
メタン発酵設備	バイオガス生成	密閉槽	嫌気性条件維持
		断熱構造	熱放散防止
		撹拌装置	
		引き抜き装置	スカムや堆積物を排出
バイオガス貯留設備	ガス前処理	脱硫装置	大気汚染防止：数百～数千ppmの硫化水素除去
	ガス貯蔵	ガスホルダー	圧力調整、供給量調整
バイオガス処理	ガス洗浄		
		余剰ガス燃焼装置（フレア）	CH_4を無処理で大気放出防止
バイオガス利用設備	発電と熱利用	CHP（コジェネレーションシステム）	
	精製、圧縮		
発酵残渣処理設備	液体排出物（消化液）	脱水設備、脱水ろ液処理設備 脱窒処理装置 乾燥機	液体肥料 希釈水としての再循環
	固体排出物	固液分離機、乾燥機	堆肥、土壌改良材、戻し堆肥
脱臭設備		微生物脱臭、水・薬液洗浄脱臭、活性炭脱臭	

しました。この言葉の通り、ADプラントの有効利用先はインフラ施設です。即ち、バイオガスをエネルギーにして利用するには、インフラの整備状況に大きく依存します。

①都市規模によるメタンガス化の方向性：ADプラントとインフラとの連携

廃棄物系バイオマスの発生量や堆肥等の需要量の傾向などから、都市規模別のメタンガス化の導入見込みが高いパターンを整理すると表4－23のようになります。当該地域でのメタンガス化施設の検討に役立ちます。

該当する施設は例えば以下のような施設です。

- 焼却施設（廃棄物の資源化処理施設を含む）
- 尿処理施設
- 下水処理施設
- 畜産排泄物処理施設（堆肥化、メタンガス化施設）

表4－23 都市規模別のメタンガス化の導入見込みが高いパターン[30、39]

都市区分	主要な利用モデル
大都市	・食品廃棄物（又は食品廃棄物＋紙ごみ）分別収集→メタンガス化（残渣焼却） ・可燃ごみ収集→機械選別→メタンガス化（残渣焼却）
地方中心都市	・食品廃棄物（又は食品廃棄物＋紙ごみ）分別収集→メタンガス化（残渣焼却） ・可燃ごみ収集→機械選別→メタンガス化（残渣焼却） ・食品廃棄物分別収集→メタンガス化（残渣焼却）【他のバイオマスとの混合処理】
小規模都市	・食品廃棄物分別収集→メタンガス化（残渣焼却又は肥料化）【地域単独あるいは広域的な処理】 ・食品廃棄物分別収集→メタンガス化（残渣の肥料化）【他のバイオマスとの混合処理】
農山漁村	・食品廃棄物分別収集→メタンガス化（残渣の肥料化）【他のバイオマスとの混合処理】
受皿起源（ユーザー立地地点）	・可燃ごみ収集、炭化、燃料利用（電力会社等における化石燃料代替） ・品廃棄物分別収集、液体燃料化、輸送燃料利用

- 福祉施設（介護施設、老人ホーム等）
- 教育・研究施設（小中学校、高校、研究機関等）
- 警察、消防施設
- 市区役所、町村役場
- 交通施設（鉄道駅、道の駅）
- 娯楽施設（浴場、スポーツ施設等）
- エネルギー供給施設（電気、ガス）
- 農林水産業関連施設（農地、畜産農家、水産加工業等）

②インフラ施設との連携の目的

インフラ施設との連携の目的を整理すると、排水・廃棄物の処理、資源化、

表4－24　インフラ施設との連携の内容[30)]

連携の目的	連携する他のインフラ施設	連携の内容
廃棄物・排水の処理	・焼却（熱回収）施設	メタンガス化後の発酵残渣の焼却
	・し尿処理施設	メタンガス化後の発酵残渣・排水の処理
	・下水処理施設	メタンガス化後の発酵残渣・排水の処理
資源化、メタンガス化	・廃棄物中間処理施設	堆肥化等の共同化
	・し尿処理施設	し尿汚泥のメタンガス化、堆肥化の共同化
	・下水処理施設	下水汚泥のメタンガス化、堆肥化の共同化
	・畜産排泄物処理施設	メタンガス化、堆肥化の共同化
熱利用（平常時）	・市区役所、町村役場 ・福祉施設、教育・研究施設 ・警察・消防施設、交通施設 ・下水、し尿処理施設	メタンガス化によって生成するバイオガスの直接利用または発電後のエネルギーの利用
防災機能等の整備（災害時）	・災害用備蓄施設	災害時用資機材の備蓄
	・非常時のエネルギー供給施設	災害時エネルギー（電力、ガス）の供給

メタンガス化、熱利用、防災等の機能の整備等が挙げられ、上記の社会インフラ施設との連携の内容は表4－24のように整理できます[30]。

7) ADプラントの懸案事項

①臭気問題の克服：大木町（福岡県）の例

日本のこれまでの多くのバイオガスプラントは臭気の一定程度の軽減は実現していますが、臭気ゼロ（臭気を外に出さない）の実現はなされてはいませんでした。しかし最近、この臭気問題を克服している事例があります。

大木町（福岡県）のADプラント（図4－47）の周辺に住宅等が存在していることから、臭気対策を徹底することで、外部に臭気を出さないプラントになっています。具体的には、バキュームカーや収集車の施設内受け入れの際には、高速シャッターが稼動すると同時に、部屋の気圧を下げ外気を吸い込みながら脱臭装置を通るため、施設外に臭いが漏れないようにしています。

また処理工程では、生物脱臭装置、活性炭吸着装置、薬液洗浄搭などの完璧な脱臭システムで臭いが漏れない管理をしています。

液肥の貯留施設からも臭いが発生するため、脱臭装置を設置しています。

周辺住民とトラブルになった事はなく、ADプラントを取り巻くように、道の駅を配置し、レストランでプラントを見ながら飲食ができます。

図4－47　大木町（福岡県）のADプラント

②ADプラントのリスク[38]

ADプラントで起こり得るリスクは、その要因と合わせて表4－25の様に整理できます。

バイオガスプロジェクト開発の全過程で安全対策を徹底すれば、これらのリスクはすべて軽減できます。

表4－25　ADプラントのリスク

要因物質と性状	リスク
腐敗原料：病原体	病気
バイオガス：可燃性ガス	火災、爆発（CH_4は空気中で5%～15%の濃度で爆発）
NH_3、H_2S：可燃性、有毒ガス	火災、爆発、腐食性、刺激性
ガス・液体：加圧状態	漏洩
反応槽：密閉空間	酸欠の危険性
機械装置、重機：回転性	事故
電気系統	感電、漏電

③ADプラントの安全対策[36)]

ADプラントの安全対策を、視点を変えて詳しく見てみます（表4－26）。

表4－26　ADプラントの安全対策

各段階	安全対策
設計段階	閉鎖空間を回避、リスク分析、運転活動の全過程の把握
建設段階	建設労働者の健康と安全を確保、現場での適切な計画と対策
試運転段階	最も危険な段階であることの認識、構造物の破損の発生、ポンプやバルブの水圧による突出
運転段階	機器の故障、機器の不適切使用、ヒューマンエラー 開放空間や閉鎖空間でのガス中毒（H_2SやNH_3）：最も致命的 適切な閉鎖空間トレーニングと携帯用ガス検知器の義務づけ 病原体による病気の回避：適切な衛生手順（シャワー、手洗いなど）を実施、基本的な消火技術の訓練と心肺蘇生法の実践

30）「廃棄物系バイオマス利活用導入マニュアル」（環境省、2017年）

31）Biogas production: current state and perspectives, Peter Weiland, Applied

Microbiology and Biotechnology September 2009
32)「地域資源の活用による地域内経済自立循環の確立—バイオガスエネルギーによる農村地域の新たな可能性—」(拙著、『農業と経済』2015年1·2月合併号、第18巻第1号、p.57〜p.61)
33) Market State and Trends Report 2021 Gas for Climate.
34) Development of the number of biogas plants and the total installed electric capacity in megawatt [MW] in Germany (as of 10/2021) Biogas market data in Germany 2020/2021
35)「国産バイオマス発電の導入見通し」(日本有機資源協会・木質バイオマスエネルギー協会、2021年3月)
36)「バイオマスエネルギー地域自立システムの導入要件・技術指針(ガイドライン)第6版」(2022年3月改定、NEDO)
37)『テクノロジーとイノベーション　進化/生成の理論』(W・ブライアン・アーサー、みすず書房、2011年)
38)「メタンガス化施設整備マニュアル(改訂版)」(環境省大臣官房廃棄物・リサイクル対策部廃棄物対策課、2017年3月)
39)「廃棄物系バイオマス活用ロードマップ」(環境省、2014年)

(3-4) ADプラントの技術的到達点

現代のメタン発酵技術の到達点を押さえるために、ADプラントの技術の発展段階を以下に整理しました。

1) 発展段階の概括:マルチステージ式の登場(表4-27)

第1段階　初期段階の技術　ワンステージ型　畜産ふん尿処理(臭気軽減対策を含む)の方法

酪農家が中心

・原料変更:4〜6週間(1日10%までの変更)かかります。

・高繊維質の藁・馬糞、窒素含有量の多い鶏糞等は利用困難です。

第2段階　ワンステージ型　CHPの発達　バイオガスのエネルギー化(電気・熱)利用

FIT制度による経済性確立

表 4－27　AD プラントの技術的発展段階

第 1 段階	初期段階の技術	ワンステージ型	乳用牛ふん尿処理（臭気軽減の実現）
第 2 段階	CHP の発達	FIT 制度による経済性確立	バイオガスのエネルギー化（電気・熱）利用
第 3 段階（現在）	新しい技術の登場	マルチステージ型	家畜ふん尿以外の多様な原料の利用 地域の多様な人々の参画が可能
	→地域資源を総動員して、地域経済・社会の自立化に貢献…ここに「地域協議会」が位置づく		
第 4 段階	更に新しい技術の登場	AD プラントをベースにしたグリーン合成燃料の生産	

第 3 段階（現在）　新しい技術の登場　マルチステージ型　家畜ふん尿以外の多様な原料の利用

・原料変更：毎日可能です。

・高繊維質の藁・雑草・馬糞・肉牛糞利用可能です。

・窒素含有量の多い鶏糞利用可能です（但し、藁などとの混合原料として）。

地域の多様な人々が参画可能

→地域資源を総動員して、地域経済・社会の自立化に貢献。「地域協議会」が位置づく。

これが現時点の到達技術です。

第 4 段階　更に新しい技術の登場　AD プラントをベースにしたグリーン合成燃料の生産

この萌芽的な技術が登場していますが、世界的に普及するには今少し時間が掛かります。

2）前処理技術

嫌気性消化は成熟した技術ですが、高度な前処理技術は、嫌気性消化で使用する原料の範囲を広げることができます。これは、バイオガスとバイオメタン生産の可能性を高めるための重要な方法です。前処理は、物理的、化学的、生物学的、またはその複合プロセスのいずれかで、多種多様な試みが進んでいます。

欧州を中心に、現在、新しく建設されるADプラントは、バイオメタンを生産するためのアップグレイド技術と組み合わさっています。この技術は、リグノセルロース基質、わらなどの追加的な供給原料を使用することによって、ADを通じて生産されるバイオガスの量を増やすことにあります。このために、先進的な前処理技術が、ADにおいてより広範な原料の利用を可能にするために開発中です。前処理は、収量を増加させ、自動化や高速消化の新たな可能性を提供することで、ADプロセスの効率を向上させることができます。消化の高速化は、滞留時間の短縮につながり、より小型のリアクターの使用を可能にするため、投資コストの削減につながります。

前処理技術への関心の高まりは、図4－48が示すように、この技術に関する研究論文の増加にも反映されています。

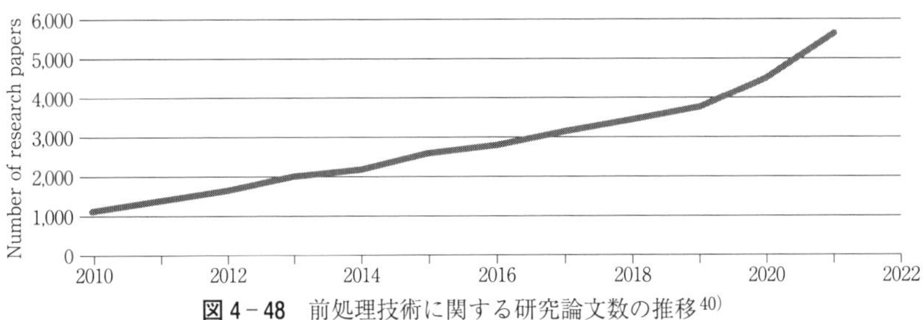

図4－48 前処理技術に関する研究論文数の推移[40)]

①前処理

前処理技術の主な目的は、ADの高速化、バイオガス収率の向上、および新規基質や現地で入手可能な基質を幅広く利用できるようにすることです。

この目的を達成するには、微生物の原料物質へのアクセス性を高め、発酵可能な糖に分解するための理想的な環境条件を、前処理で実現することです。

前処理技術については、エネルギー作物、農業残渣、下水汚泥などのセルロース系廃棄物は、バイオ燃料の生産に大きな可能性を持っていること、こ

表4－28　前処理技術のメリット・デメリット[41)]

プロセス	メリット	デメリット
蒸気前処理／蒸気爆発	セルロース繊維の反応性を高める	阻害混合物を形成するリスクが高い。消化可能なバイオマスの量が少ない沈殿反応
マイクロ波	バイオガス生産量の増加（4～7%）	—
液体温水	酵素のアクセス性を高める	阻害組成物を形成する危険性が高い。高い熱エネルギー消費。一定の温度で作動
押出し成形	—	高コスト。高いエネルギー消費
強酸前処理	ヘミセルロースを可溶化する。メタン菌の適応性	阻害性混合物の形成や腐食の危険性が高い
アルカリ前処理	ヘミセルロースとリグニンを可溶化。メタン生成の増加	阻害混合物を形成するリスクが高い。濃アルカリを生成するリスクが高い
粉砕	メタン生産量の増加（5～25%）。生産抑制混合物の不足	高コスト。高いエネルギー消費

のためには「前処理技術」の高度化が必要であることが学術的に明らかにされています（表4－28）。しかしながら、それぞれデメリットがあって、実用技術には至っていません。

②前処理技術の効果

前処理は、リグノセルロースとそのポリマー（セルロースとヘミセルロース）の構造的な障壁を、微生物の分解活動に供することで克服し、バイオマス分解の促進とバイオガス収量の増加をもたらします。図4－49は前処理技術の効果を示したものです。

前処理は、ADの速度を上げたり（ケースb）、メタン収量を増やしたり（ケースc）できます。

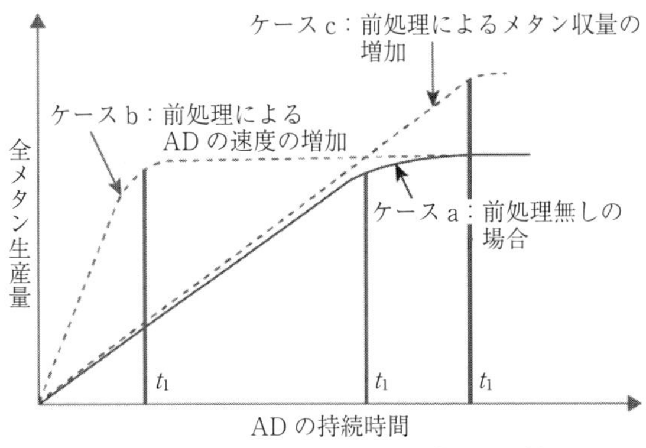

図4－49　AD時間とCH_4収量に影響する前処理

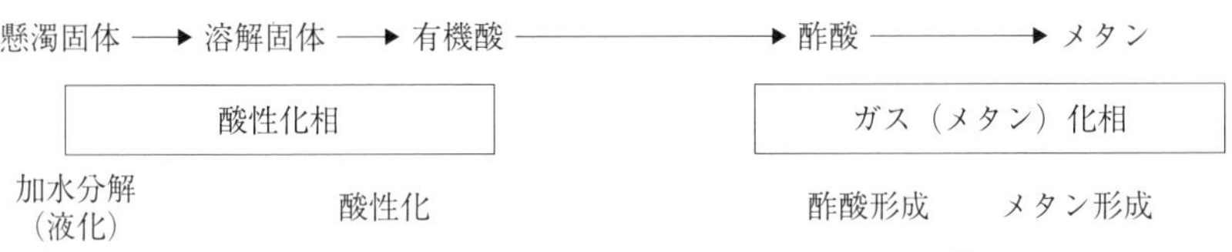

図4－50　標準のマルチステージ嫌気消化システム[41)]

3）マルチステージ式の特長

①原料の優位性

実用化されたマルチスタージ・ADシステムを紹介します。このシステムの最大の特長は、幅広い種類の原料を利用することができることです。

シングルステージのプラントは、トウモロコシサイレージやスラリーなどの消化しやすい原料に限定されていました。高繊維質の藁・雑草・馬糞・敷料を含む肉牛ふんやアンモニア含有量の多い鶏ふん、食肉処理場からのエネルギーの多い残渣物などの取扱いは難しかったのです。

これに対して、実用化されたマルチスタージ・ADシステムでは、これらのシングルステージのプラントで難しかった原料を含め、75通りの原料が利用可能です。

- 75通りの原料が利用可能（図4－51）
- 原料を毎日変えても安定に発酵が進む

エネルギー作物	トウモロコシサイレージ／トウモロコシの穂軸／スーダン草／その他の草／クローバー／ライ麦／テンサイ／小麦／ジャガイモ
農業系廃棄物	液状きゅう肥（牛・豚）／家畜ふん（アヒル・鶏・馬）／穀物製品／稲わら・もみ殻／敷き藁／オリーブの搾りかす／蒸留残渣／サトウキビ／トウモロコシの茎／白菜
産業有機廃棄物	食品残渣（ビール・パン・チョコレート菓子・野菜・果物）／果実／皮／ヤシ柄／肉骨紛／食肉加工残渣／動物死体／乳清／アイスクリーム／牛乳
その他の有機廃棄物	レストラン・店舗からの生ごみ／自治体からの生ゴミ／下水汚泥

図4－51　75通りの原料が利用可能

日々変化する材料までが利用可能になります。複数の原料の混合比率を毎日変えても安定に発酵が進みます。

②性能の優位性

- 発酵効率に優れ、概ね98％、最大で99.5％にもなります。このため、スカムの発生は見られません。
- 原料に依らず発酵日数は20日（従来型は繊維質の場合60～120日）となります。
- 電気出力が従来より3割以上多くなります。

③コストの優位性

- システムの小型化、敷地面積の縮小等で、建設総費用が縮減されます。

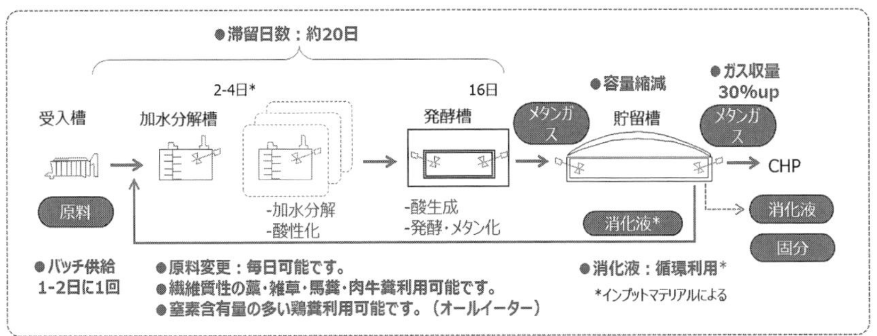

図 4－52 マルチステージ AD システムの全体図

④消化液取扱いの優位性

- 消化液の再循環利用ができ、原料の組合せによって、日常的な消化液の排出を無くすことができます。

⑤オプションとなりますが、夏の余剰熱から冷水が作れます（図 4－52）。

4) マルチステージ技術の本質

①牛の胃袋の実現

マルチステージシステムは、牛の胃の機能を実現しています（図 4－53）。

自然は、セルロース系飼料を消化する牛等の反芻動物の胃の中で、最も効率的な AD プロセスを自ら実現しました。牛がセルロース系飼料* を分解し、牛自身に貴重な栄養を与えるために、主に 4 つの段階に特有の微生物が、牛の胃袋の中で働いています（図 4－54）。

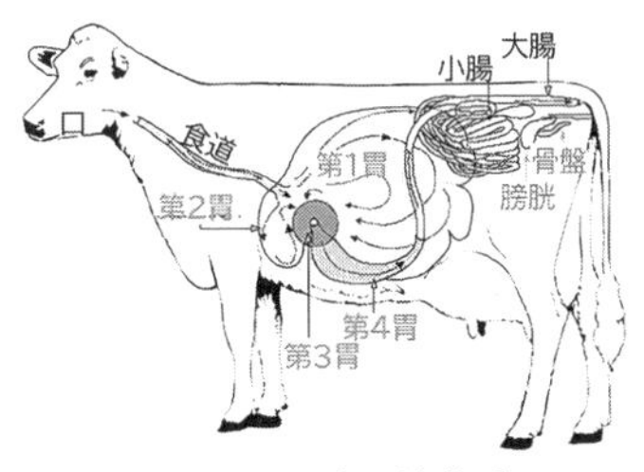

図 4－53 牛の消化系

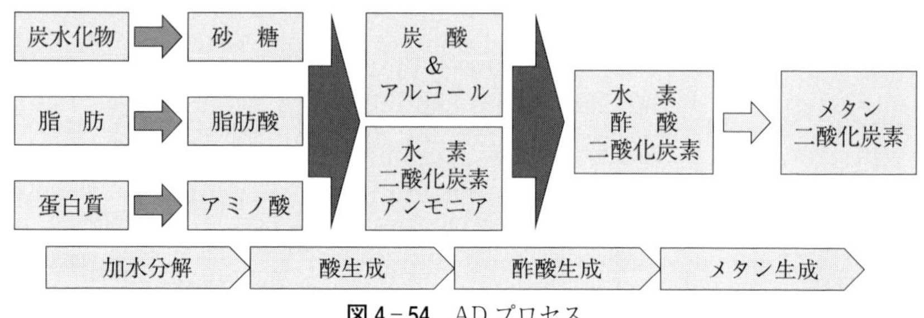

図4－54　ADプロセス

＊セルロース系廃棄物

①セルロース：地球上で最も豊富な有機化合物であり、植物バイオマスの25％以上を占めている。高分子ポリマーの可溶化は、温度（熱化学的感受性）、pH（酸性またはアルカリ性環境）、含水率などのさまざまなパラメータと関連している。

②リグノセルロース：セルロース、ヘミセルロース、リグニンという3つの主要な有機成分から構成されている。リグノセルロースの複雑な構造が、バイオリファイナリーの操業に経済的・技術的な障壁を作り出している。

③リグニン：天然に存在する細胞壁のヘテロポリマーである。農業残渣や牧草は5％～30％のリグニンを含むが、作物残渣は主にヘミセルロースで構成されている。最近の研究では、組成や構造などのリグニンの特性が加水分解プロセスにプラスの影響を与え、その結果バイオガス生産効率が向上することが報告されている。

④2段式のAD[41)]

ADの効率を高めるために、さまざまな構成（単段または多段の反応器など）を評価するために、相当数の研究プロジェクトが行われています。最近の研究では、加水分解／酸生成と酢酸生成／メタン生成を別々のリアクターで行うように、嫌気消化プロセスを2段階に分離することで、有機物のメタンへの変換率を高めることができることが明らかになりました（図4－50）。

シングルステージ式と2ステージ式のADを性能の観点から評価した結果、「2ステージ式プロセスの方がCH_4生成の収率が高いこと、ADを2段階に分けることで、特定のバクテリアタイプに対して様々な手順設定が可能になり、有機物の分解速度が向上する」ことが報告されています。

5) マルチステージ式と従来システムとの比較

現在日本も含め世界的に実用化されているシステムはシングルステージ式で、メーカーは多数あります。

一方マルチステージ式のものが登場しています。これは、今現在、ドイツのメーカーが実用化に漕ぎつけたものです。実用化に漕ぎつけている技術は、微生物による前処理技術であり、先に紹介した前処理技術には報告されていません。

そのマルチステージ式のシステムが、従来システムと比べて、画期的に優秀であることを表4－29に整理しました。

表4－29 従来システムと比べて画期的に優れている点

		マルチステージシステム	シングルステージ（従来システム）
原料	種類	多種多様　75種類で実証済	多様性が無い
	供給	バッチ式　1日or2日に1回の供給	連続式　30分or1時間ごとに供給
	変動	日々量と種類の変動を許容	1日10%の変動許容
発酵槽	加水分解	加水分解（高温）と発酵（中温）	無し
	温度	中温（40℃）or高温（55℃）	通常は中温のみ
	滞留時間	高繊維質原料でも20日	高繊維質原料 平均60～120日
	発酵槽サイズ	発電出力500kW級の場合：3,400m^3	1万m^3～2万m^3 (3～6倍)
	拡張性	増強可能なモジュール型	
CHP		最適な容量を選定	柔軟性に欠ける
消化液	循環利用	野菜・食品残差・鶏ふん 例：27,000m^3/年	無し
	排出量	同上の場合：730m^3/年（全量の3%）	全量排出
性能	発酵効率	従来よりも30%以上up	
敷地	面積	従来型の場合より大幅に節減	

マルチステージ式システムの性能の実証結果

従来のシングルステージ式をマルチステージ式にアップグレイドした結果、性能が向上した事例を紹介します[42]。

これは、ドイツのＳ牧場に導入されていたシングルステージ式 AD プラント（従来のシステム）に、後付け可能な加水分解モジュールを追加することで、ガス発生量が目覚ましく増加し、同じ出力を出すために必要とする原料量が大幅に減少した（原料に有価なコーンを使用していたことで、経済性の著しい改善が果された）という事例です。

図4－55に後付けされた加水分解モジュール（白丸内）及び図4－56にアップグレイド前後の原料消費量の変化を示します。

図4－55　後付けされた加水分解モジュール（白丸内）

- Ｓ氏が運営するバイオガスプラントの原料消費量は図4－56の通りです。

  灰色　加水分解なしの場合（従来のシングルステージ）の原料消費量（t 固形物 /日）：

  黒色　加水分解ありの場合（マルチステージ）の原料消費量（t 固形物 /日）：マルチステージ→１年間で計算すると、Ｓ氏のプラントのアップグレードにより、年間約 3,279.6 トンの節約になります。

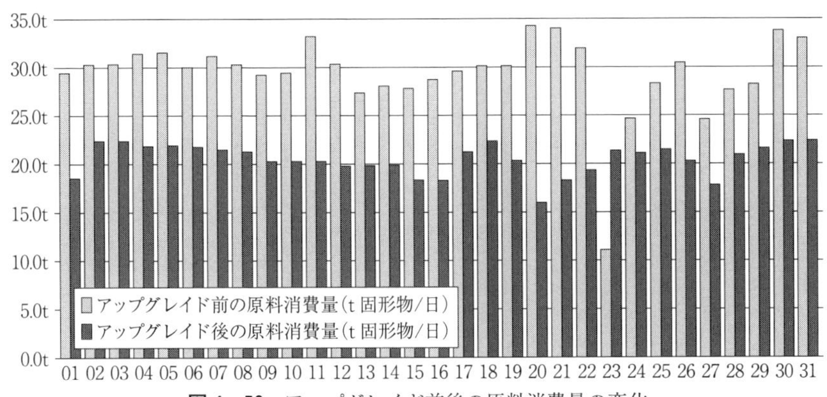

図 4－56 アップグレイド前後の原料消費量の変化

この結果、月間で 273t の新鮮な原料質量（例えばコーンなど非常に高価な原料）を節約できます。1 年間で計算すると、S 氏のプラントのアップグレード効果は、年間約 3,280t の原料節約になりました。

6）一般廃棄物処理プロセスへの組込

現在自治体が扱っている一般廃棄物（家庭ゴミ）は、可燃ごみが分別回収されますが、その半分は生ごみなどの水分の多い有機物です。これを燃焼させるために、補助燃料として化石燃料が使われ、自治体財政を圧迫している一つでもあります。

この可燃ごみを機械的に、自動的に分別して、湿った有機物を分別します。

この分別された有機物を、メタン発酵させてエネルギーに変えるとともに、容積・重量を大幅に縮小させます。

また非有機物のみを焼却炉で焼却しなければなりませんが、焼却炉はより小型にできます。即ち建設費用が少なく済みます。元々の可燃ごみの数% 程度が処分場で埋立するだけになります。

この一般廃棄物処理プロセスへの組込は日本においては特に重要であると考えられます。

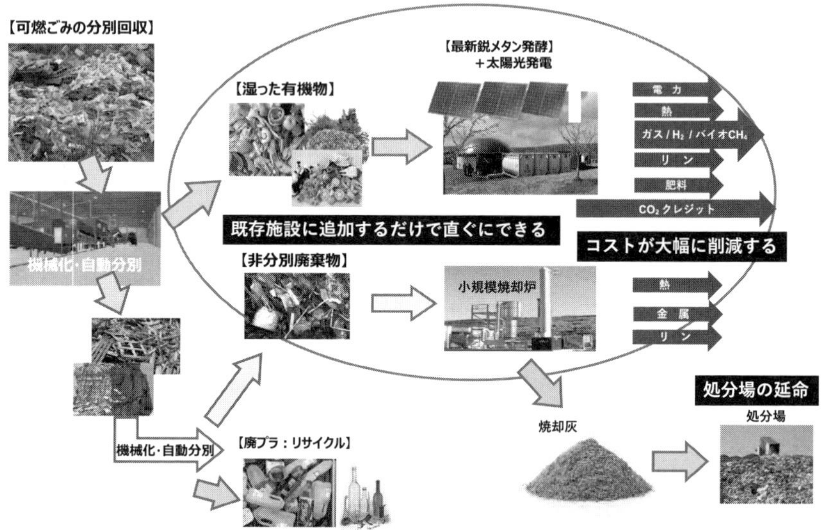

図4－57　マルチステージ・メタン発酵システムを組込んだ新たな可燃ごみ処理方式

7）バイオガスプラントをベースにしたグリーン合成燃料の生産

「グリーン合成燃料」[41)]の製造の可能性が見えてきています。合成燃料は基本的に、CO_2 から CO（一酸化炭素）に転換し、触媒反応を使って CO と H_2 を反応させて、炭化水素を合成してできた燃料です。

グリーン合成燃料製造については、「第6章　水素とグリーン合成燃料」で詳述します。

本章を終えるにあたり、先に紹介した「技術の階層構造」を参考に、AD プラント技術についても同じように表現してみます。

AD プラントは単なる「発電技術」ではない。個々の要素やその技術は、その「機能・性能」、あるいは「部品」の姿として見えていても、単にその積み上げが「製品」や「仕組み」になるというものではなく、この裏には、具体的にはなかなか見えにくい“全体をまとめ上げる概念”や、そのための技術が隠されているからに他なりません（「バイオガスプラント技術の全貌」、著者）。

AD 技術はアセンブリーとシステム、個別パーツというコンポーネント・パ

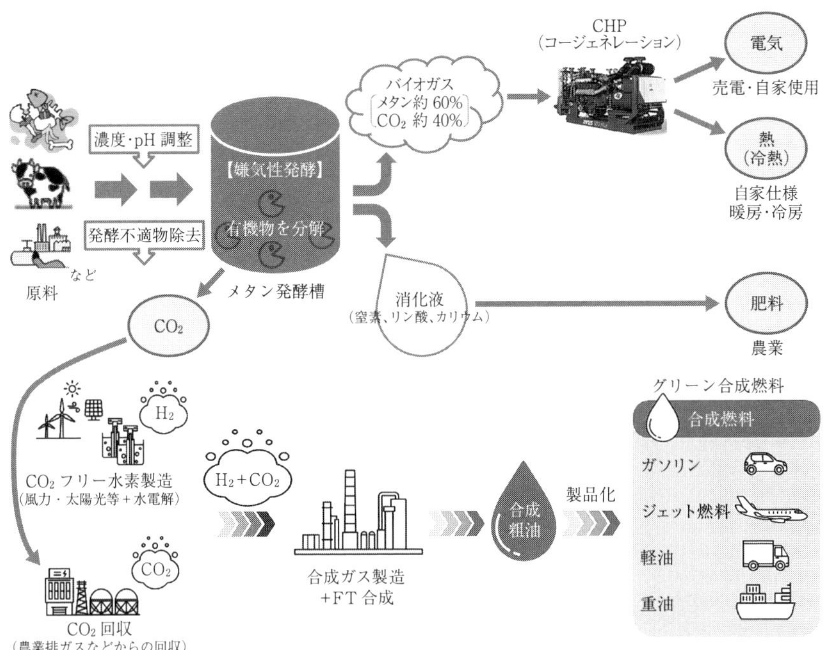

図 4－58

ーツで出来上っている。この階層構造は木のようなもので、テクノロジー全体が幹、主要アセンブリーが大枝、下位アセンブリーが枝、基本パーツは小枝ということになる。この階層の深さは、幹からいくつもの小枝へ至る大枝の数であり、…現実のテクノロジーでは階層は 2 から 10 以上であり、複雑さを増すほどにテクノロジーのモジュール性が進み、階層が深まっていく。テクノロジーはそれ自体がテクノロジーである構成要素で成り立っており、そのテクノロジーはさらに、そのものがテクノロジーである構成要素によって成り立っているという繰り返しが、最も基本的なコンポーネントの段階まで続いていく。テクノロジーとは、別の言葉で表せば、再帰的な構造をもっている（図 4－46）。

40) Market state and trends in renewable and low-carbon gases in Europe A Gas for Climate report 2021

41）A Technological Overview of Biogas Production from Biowaste Engineering 2017
42）Retrofitting of a Batch-Hydrolyse BGA to make the linings more flexible（内部資料）

第５章

廃　棄　物

“ごみは宝”と言われますが、廃棄物を再エネの資源として利用することは、正にその通りです。

本章では、この点について、３つの内容を紹介します：

・可燃ごみ（一般廃棄物）の分別による有機物のエネルギー利用

・廃プラの舗装資材化

・太陽光パネルのリサイクルと廃棄処分

(1) 廃棄物とは何か？

1)「廃棄物」の定義

環境省によれば、「『廃棄物』とは、ごみ、粗大ごみ、燃え殻、汚泥、ふん尿、廃油、廃酸、廃アルカリ、動物の死体その他の汚物又は不要物であって、固形状又は液状のもの（放射性物質及びこれによって汚染された物を除く。）をいう。」と定義されています[1)]。

更に「廃棄物とは、占有者が自ら利用し、又は他人に有償で売却することができないために不要になった物をいい、これらに該当するか否かは、占有者の意思、その性状等を総合的に勘案すべきものであつて、排出された時点で客観的に廃棄物として観念できるものではないこと」とし、「総合的に勘案」「排出された時点で客観的に廃棄物として観念できるものではない」ものであることが追加されています[2)]。

「不要物は、客観的要素だけでなく主観的要素も考慮しなければ適切に判断できない概念であり…占有者の意思や取引価値の不明確さにより不要物であるか否かの判断が困難な事例が多い…判断要素の具体化・客観化を図ることが必要である。」とより細部に渡って検討が追加されています[3)]。

「ごみは宝」「積めれば宝、崩れればゴミ」「すてればごみ、分ければ宝」「混ぜればゴミ、分ければ資源」「ある人にとってのごみは、別の人にとっては宝」等々、ごみは資源であることが言われています。

バイオガスプラントの原料として使われてきた「乳牛ふん尿」は、「畜産廃棄物」といわれています。しかし、マルチステージのメタン発酵システムが実用化している現在、家畜廃棄物は、廃棄物ではなく、貴重な「地域資源」と見るべきものです。また都市の一般廃棄物とされる生ごみ、下水汚泥等も、貴重な「地域資源」と見るべきものです。

こう見ると、これまで「廃棄物」として取り扱ってきた地域で排出する「有機物」（生ごみ、下水汚泥、食品加工工場残渣物・汚泥等々）は、全て「地域資源」と見るべきものであることになります。全く妥当な見方です。

核（原発）のごみ

宝にならないごみがあります。それは核（原発）のごみです。

原発の使用済み核燃料から使用可能な未反応のウランや生成したプルトニウムを取り出す「再処理」は、「現代の錬金術」と揶揄されています。

高速増殖炉原型炉もんじゅの相次ぐ事故による廃炉措置、ウランとプルトニウムをまぜた混合酸化物（MOX）を燃やすプルサーマル炉（通常原子炉）の危険性等から、「核燃料サイクル」が破綻しています。

2)「都市鉱山」

「都市鉱山[4)]」と呼ばれる、国内に蓄積されリサイクル対象となる金属量を算定し、それが世界有数の資源国に匹敵する規模になっていることが明らかにされています。

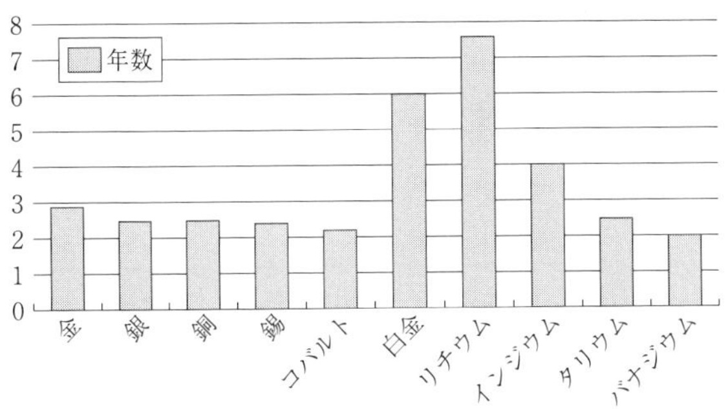

図5－1 都市鉱山の埋蔵量／世界の年間消費量[5)]

計算によると、金は、約6,800トンと世界の現有埋蔵量42,000トンの約16%、銀は、60,000トンと22%におよび、他にもインジウム61%、錫11%、タンタル10%と世界埋蔵量の一割を超える金属が多数あることが分かっています。また、他の金属でも、国別埋蔵量保有量と比較すると白金などベスト5に入る金属も多数あります。図5－1は日本の都市鉱山の埋蔵量が世界の年間消費量の何年分を賄えるかを示したものです。

NEDOと、産業技術総合研究所（産総研）は、自動選別システムの試験装置群を導入、金属リサイクルの高度化を目指すプロジェクトを行う集中研究施設「CEDEST」を産総研つくばセンター内に開設しました。CEDEST開設により、金属リサイクルの高度化と省人化を両立する世界初の自動・自律型のリサイクルプラントの開発・構築に向けた本格的な装置開発に着手し、従来の手作業による廃製品の解体・選別プロセスの10倍以上の処理速度と、廃部品を分離効率80%以上で選別する性能を実現し、都市鉱山の有効活用を目指しています[6)]。

1）「廃棄物の処理及び清掃に関する法律（廃棄物処理法）」（環境省、1970年法律第137号）

2）「廃棄物処理法の一部改正について」（環境省、1977年3月26日環計第37号厚生省環境衛生局水道環境部計画課長通知）

3）「今後の廃棄物・リサイクル制度の在り方について（意見具申）」（2002年11月22日中央環境審議会意見具申）

4）「わが国の都市鉱山は世界有数の資源国に匹敵」（国立研究開発法人物質・材料研

究機構、2008年１月11日）
5）「都市鉱山蓄積ポテンシャルの推定」（日本金属学会誌、2009年）
6）「都市鉱山活用に向けた集中研究施設「分離技術開発センター（CEDEST）」を開設」（NEDO、2018年）

(2) 環境再生的な設計を施された蝶経済

廃棄物は資源循環として見ること、資源循環としての視点は、今日の大量生産・大量消費・大量廃棄社会を改めることを求めています。廃棄物を資源循環の視点でとらえると、「廃棄物は宝」と言われることを真に理解する分かり易いイメージを作ることができます。

『ドーナツ経済学が世界を救う』[7]の著者ケイト・ラワースは、「芋虫が蝶になる」という見事な表現で、廃棄物を巡って使われている、「高度循環型社会」、「究極的な物質フロー」、「静脈ロジスティクス高度化」などの難しい言葉を使うことなく、資源循環を分かり易く説明しています。以下、ケイト・ラワースの説明を紹介します。

1）“芋虫”経済から“蝶の羽”経済へ[7]

ケイト・ラワースは、物質の流れに関する従来の考え方は“芋虫”＝直線型経済：「始まりから終わりへ」の考え方であるとしています。

これは図５−２の中央を貫いている「取る→作る→廃棄する」「取り、作り、使い、失う」という使い捨て経済を意味しています。

これからの循環型経済の考え方は“蝶の羽”になるとしています。即ち循環型経済：「始まりから始まりへ」という考え方で、図５−２の蝶の左右の羽として描かれた「二つの原料のサイクル」を意味しています：左の羽は「生物的な原料」（土壌、植物、動物など）、右の羽は「人工的な原料」（プラスチック、合成素材、金属など）

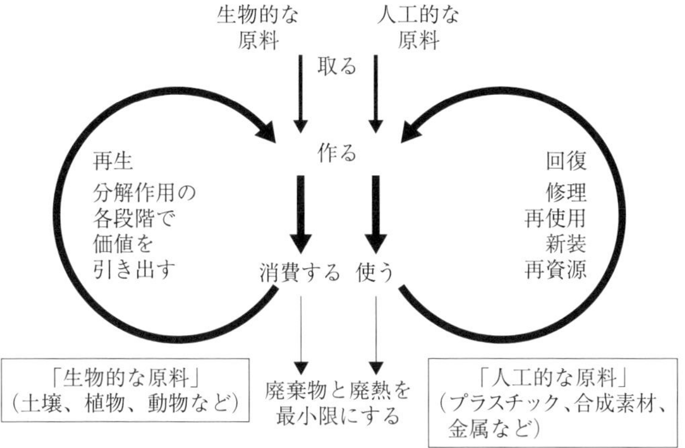

図5－2 芋虫から蝶へと変る循環型経済

『ドーナツ経済学が世界を救う』[7] より

意義

現段階では、「循環型経済」なるものは実現していない（そう簡単に実現するとは考えられない）ので、当面は「循環型」にはならず、廃棄物の処理・処分をゴールとする「芋虫型」にならざるを得ないのです。

しかし近未来社会では、明らかに芋虫は蝶に変わることに間違いありません（何故ならば、そこに気が付き、そこに向かっての努力が開始されているから）。

処理・処分・埋立てされる廃棄物を「資源」として生かす方向を目指すことが重要です。

ラワースの言う“蝶の羽”を開かせるために、先に紹介した「マルチステージ・バイオガスシステム」が必要になります。

現在自治体が扱っている一般廃棄物（家庭ゴミ）は、可燃ごみが分別回収されますが、その半分は生ごみなどの水分の多い有機物です。

これを焼却処分するために、補助燃料として化石燃料が使われ、自治体財政を圧迫している要因になっています。

「環境的な上限の外側では、生命を育む地球のシステムへの負荷が限度を超過している。例えば、気候変動や海洋酸性化、化学物質汚染がその原因だ。しかしこれらの境界線の内側には、最適な範囲——ドーナツの形をした部分——が広がる。つまり環境的に安全で、社会的に公正な範囲だ。この安全で公正な範囲にすべての人を入れるという前代未聞の事業を成し遂げることが、21世紀の課題になる。

ドーナツの内側の輪——社会的な土台——は生活の基本となる部分であり、誰一人としてこの部分が不足してはいけない。基本項目は12ある。まず十分な食糧。それから上水道と衛生設備。エネルギーの利用（空気を汚さない調理設備）。教育、医療。人間にふさわしい住居。最低限の所得と人間らしい仕事。情報通信と社会的な支援のネットワーク。さらには男女の平等、社会的平等、政治的発言力、平和と正義も、基本項目に含まれる。」[7)]

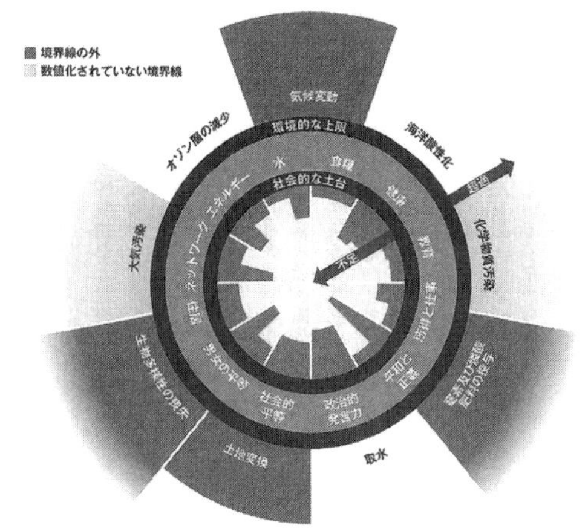

図5－3　ドーナツ経済の基本要素
『ドーナツ経済学が世界を救う』[7)] より

2) 地球の限界（プラネタリーバウンダリー）

人間活動による地球システムへの影響を客観的に評価する方法の一例として、地球の限界（プラネタリー・バウンダリー）という注目すべき研究があります。「プラネタリーバウンダリー」とは、スウェーデンにあるストックホルム・レジリエンス・センターの所長だった環境学者ヨハン・ロックストローム（現在はドイツのポツダム気候影響研究所に所属）を中心とする総勢29名の研究グループが、2009年に発表した論文の中で提唱した考え方です。内容は、2015年、2017年、2022年と何度かアップデートが行われています[8)]。

その研究によれば、「気候変動」、「生物圏の一体性」、「土地利用変化」、「生物地球化学的循環」については、人間が安全に活動できる境界を越えるレベルに達していると指摘しています。

7）『ドーナツ経済学が世界を救う』（ケイト・ラワース、黒輪篤嗣訳、河出書房新社、2018年）

8）「第五次環境基本計画に至る持続可能な社会への潮流」（平成29年度　環境白書・循環型社会白書・生物多様性白書　第1部　第1章）

(3) マルチステージ・メタン発酵システムを組込んだ新たな可燃ごみ処理方式

ラワースの言う“蝶の羽”を開かせるために、先に紹介した「マルチステージ・バイオガスシステム」が必要になります。図4－57（本書第4章（3-4）5)）を参照下さい。

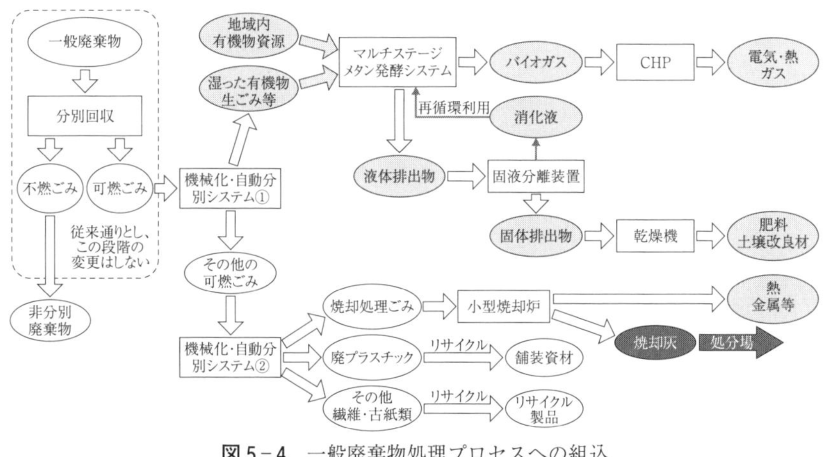

図5－4　一般廃棄物処理プロセスへの組込

現在自治体が扱っている一般廃棄物（家庭ゴミ）は、可燃ごみが分別回収されますが、その半分は生ごみなどの水分の多い有機物です。これを燃焼させるために、補助燃料として化石燃料が使われ、自治体財政を圧迫している一つでもあります。

この可燃ごみを機械的に、自動的に分別して、湿った有機物を弁別します。
この分別された有機物を、メタン発酵させてエネルギーに変えるとともに、容積・重量を大幅に縮小させます。また非有機物のみを焼却炉で焼却しなければなりませんが、焼却炉は小型で良くなり、建設費用が少なく済みます。元々の可燃ごみの数％程度が処分場で埋立するだけです。

(4) 下水汚泥のメタン発酵処理[9)]

バイオガスプラントは、下水汚泥*の利用に関して、生態学的、経済的にいくつかの可能性を秘めています：

*「下水汚泥」とは、下水処理場での廃水処理中に発生する主に有機物のことである。

「下水汚泥問題」とは、下水汚泥の処理、処分、管理に関連するさまざまな課題や問題のことで、この問題はいくつかの側面に分けられます。
1. 環境への影響：下水汚泥には、重金属、医薬品、マイクロプラスチック、その他の工業化学物質などの汚染物質が含まれている可能性があります。不適切に処理された場合、これらの物質が環境に流入し、土壌、水、大気を汚染する可能性があります。
2. 健康リスク：農業における下水汚泥の利用は、食物連鎖に汚染物質を放出する可能性があります。これは人間や動物に潜在的な健康リスクをもたらします。
3. 規制上の課題：下水汚泥の処理と処分に関する法律は複雑で、国や地域によって異なります。これらの規制を遵守することは、自治体や下水処理場の運営者の課題です。

4. 処分とリサイクル：下水汚泥の安全で効率的な処分は不可欠な側面です。埋め立て、焼却、農業利用など様々な方法があります。それぞれの方法には長所と短所があります。

5. 持続可能性と資源回収：下水汚泥は、エネルギー（バイオガス生産など）や栄養塩（リンや窒素など）を回収するための資源として利用することができます。下水汚泥からの資源回収のための持続可能で効率的なプロセスの開発は重要な課題です。

6. 一般市民の認識と受容：下水汚泥の利用、特に農業への利用は、時として環境や健康へのリスクに対する社会的懸念に直面することもあります。

7. 技術的課題：下水汚泥の処理と処分のための効率的で費用対効果が高く、環境に優しい技術の開発と実施は、現在進行中の課題です。

要約すると、下水汚泥問題は、慎重な検討と革新的な解決策を必要とする、環境、健康、規制、技術、社会的な問題を幅広く含んでいます。

これらの課題の多くがバイオガスプラントの活用で解決します。

1. エネルギー生産：バイオガスプラントの最も重要な利点は、下水汚泥を再エネ源であるバイオガスに変換することにあります。このプロセスで生産されるバイオガスは、主にメタンからなり、熱や電気を発生させるのに利用できます。これにより、化石燃料の必要性を減らすことができます。

2. 温室効果ガス排出量の削減：下水汚泥を焼却したり埋め立てたりする代わりにバイオガスプラントで利用することで、温室効果ガスの排出量を削減できます。通常、埋立地での下水汚泥の分解によって生じるメタン排出は、制御されたバイオガス生産によって大幅に削減されます。

3. 資源回収：バイオガスに加えて、下水汚泥から栄養豊富な消化残渣を得ることができ、これは農業の肥料として利用できます。これは循環経済を促進し、化学肥料の必要性を減らせます。

4. 環境汚染の削減：バイオガスプラントにおける下水汚泥の処理は、汚染物質を安定化させ、下水汚泥の量を減らすことで、環境への影響を減らすことができます。これにより、さらなる処理や廃棄が容易になります。

5. 経済性：バイオガスプラントは、下水汚泥処理のための費用対効果の高い解決策となります。生産されたエネルギーは、下水処理場自体の電力として使用することで、潜在的な収入源となります。

6. 柔軟性と拡張性：バイオガスプラントは様々なサイズで設計できるため、小規模な自治体から大規模な産業廃水処理プラントまで、幅広い用途に適用できます。

7. 地域経済の促進：バイオガスプラントの運転は、雇用を創出し、地域循環を強化することによって、地域経済を支援することができます（例えば、地域農業における肥料の使用）。

要約すると、下水汚泥の利用に関連したバイオガスプラントは、持続可能なエネルギー生成から環境汚染の削減、地域経済循環の促進まで、様々な利点を提供できます。

廃水処理プラントの既存の消化槽を、有機基質の添加によって本格的なバイオガスプラントにアップグレードすること（しばしば共消化と呼ばれる）には、多くの利点があります：

1. バイオガス生産量の増加：食品廃棄物、農業残渣、グリーストラップの内容物などの有機物を追加することで、バイオガスの生産量を大幅に増加させることができます。これはプラントのエネルギー効率の向上につながります。

2. 経済効率の向上：バイオガスの追加生産は、再エネの供給源となるため、廃水処理プラントの運転コストの削減に役立ちます。バイオガスは、電気や熱の生成に使用することができ、処理プラントのエネルギーコストを削減し、余剰エネルギーを販売することで収入を得ることもできます。

3. 循環型経済の促進：共消化は、埋め立てや焼却されるはずの有機廃棄物を貴重な資源に変えることで、循環経済の原則を促進します。

4. 汚泥の質の向上：消化プロセスは、残りの下水汚泥を脱水しやすく安定させることで、汚泥の質を向上させることができます。これにより、下水汚泥のさらなる処理と利用が容易になります。

5. 温室効果ガス排出量の削減：管理された環境で有機廃棄物を処理することにより、自然分解によって発生する温室効果ガスの排出量を削減することができます。

6. 収入源の多様化：廃水処理施設は、第三者から有機廃棄物を受け入れる料金を徴収することで、追加収入を得ることができます。

7. プロセスの安定性の向上：異なる基質が微生物の活性を促進しバランスをとるため、異なる有機物の添加は、より安定した効率的な消化につながります。

8. 廃棄物量の削減：外部の有機廃棄物を処理することで、廃水処理プラントは、そうでなければ埋立地や焼却炉に送られる廃棄物の量を減らすのに役立ちます。

9. 環境にやさしい廃棄物処理：共消化は、埋め立てや焼却といった従来の方法と比べ、有機廃棄物を処理するための環境に優しい選択肢です。

まとめると、消化槽をバイオガスプラントにアップグレードすることで、廃水処理施設はエネルギー効率を高め、環境への影響を減らすことができ、同時に財政的・運営上の利益を得ることができます。

9）本節の内容は、グレゴール・ウルバン Gregor Urban（Goffin Energy 社の社長）からの私信

(5) リン　すべての自治体の不可避の課題[10)]

下水汚泥からのリン回収に関する法的要件は、国や地域によって異なりますが、一般的には持続可能な廃棄物管理や資源保全の一環としてリン回収の重要性に対する認識が高まっていることを反映しています。EUをはじめとする多くの国では、近年、下水汚泥を含む廃棄物の流れからのリン回収を促進または義務付ける法律や規制が制定されています*。

＊各国の法律：各国には、下水汚泥からのリン回収に関する特定の法律や規制がある。例えばドイツでは、下水汚泥条例（AbfKlärV）[11)]が下水汚泥や下水汚泥灰からのリ

ン回収を義務づけている。

1. 法的要件：EU の規制では、再生リンの肥料としての使用基準を定めた EU 肥料規則などの規制があります。これらの規制は、循環型経済を推進し、リン酸塩の輸入依存度を下げることを目的としています。

2. 技術的実現[12]

熱プロセス：これらのプロセスでは、下水汚泥が焼却され、リンを多く含む灰からリンを抽出することができます。このようなプロセスの例としては、AshDec プロセスや TetraPhos プロセスがある。

湿式化学プロセス：下水汚泥や下水汚泥灰から化学処理によってリンを直接抽出する方法があります。例えば、Leachphos プロセスや BioCon プロセスなどがあります。

生物学的プロセス：特定の微生物を利用して下水汚泥からリンを抽出する方法です。これらのプロセスはまだ開発段階にあり、熱や湿式化学的方法に比べると一般的とは言えません。

結晶化プロセス：ここでは、リンはストルバイト（リン酸マグネシウムアンモニウム）の形で下水汚泥から抽出されます。このプロセスは、得られる製品の純度という点で特に効率的です。

適切な技術の選択は、下水汚泥の組成、地域の法律や規制、経済的側面、下水処理場の具体的な目的など、さまざまな要因によって決まります。全体として、リンの回収は、下水汚泥が環境に与える影響を軽減する上で重要な役割を果します。

10）Gregor Urban 私信

11）The German Sewage Sludge Ordinance（AbfKlärV） https://ptc-parforce.de/en/german-abfklaerv/

12）Overview of recent advances in phosphorus recovery for fertilizer production Eng Life Sci. 2018

(6) 廃プラスチックの処理処分（マテリアル利用）

次に検討すべきことは、焼却炉に持ち込まれる廃プラスチックをどうするか、という問題です。

現在様々なリサイクル技術があります。が、本節では舗装資材化する技術について紹介します。

舗装資材化[13)]

1) オ ラ ン ダ

オランダでは、再生プラスチックを道路整備に活用する取り組みが進んでいます。2018年9月と同11月にオランダ国内の2都市で再生プラスチック製の自転車専用道が開通しました。

自転車専用道には、オランダの道路工事会社KWSがプラスチック配管メーカーのWavin（ウェイビン、チェコ）、石油会社のTotal（トタル、フランス）と共同で開発した「プラスチックロード」と呼ぶ箱型のモジュールを採用しています[14)]。モジュールを構成する材料の約70%を再生プラスチックが占めます。KWSによると、幅3m、延長30mの自転車専用道の整備に、プラスチックカップ21万8,000個分の再生プラスチックが使用されているとのことです。モジュールは1m^{2}当たり84kgと軽量で、地盤への負荷が小さく、取

図5－5 再生プラスチックを使った自転車専用道[13)]

図5－6 廃プラ活用アスファルト舗装の作業の様子[14)]

り換えも容易なのが特徴です。

2) 英国スコットランド

現在この分野で世界をリードするのは、英国スコットランドのMacRebur社です。同社では、廃プラスチックを破砕してアスファルトの「骨材」として利用する技術を開発しました[15)]。

プラスチック混合アスファルトは従来のアスファルトより軽く、耐久性が増して6倍長持ちすると報告されています。2016年から英国をはじめトルコ、カナダ、オーストラリア、ニュージーランドなどへ導入の動きが広がっており、また、インド、タイ、インドネシア、フィリピン、ガーナなども独自技術を開発しています。

13)「RECYCLED MATERIALS IN ROADS AND PAVEMENTS A TECHNICAL REVIEW」(August 2020、WASTE TRANSFORMATION RESEARCH HUB, SCHOOL OF CHEMICAL AND BIOMOLECULAR ENGINEERING)
14) World's First Recycled Plastic Bike Path Opens in The Netherlands, Yale Enuiron ment 360, 2018
15) Plastic Waste Road to redemotion, CLAIRE BAKER-MUNTON, 2019

(7) 太陽光パネルのリサイクルと廃棄処分

米国の状況から見てみます。現在の処理能力では、パネル１枚をリサイクルするのに推定20～30ドルかかると言われています。同じパネルを埋立地に送れば、コストはわずか1〜2ドルです。

通常は住宅の屋根に設置されているパネルはデリケートでかさばる機器であり、パネルがトラックに積まれる前に粉々にならないよう、取り外しますが、取り外すには専門的な労働力が必要です。

さらに、政府によっては、ソーラーパネルに含まれる微量の重金属（カドミウム、鉛など）のために、有害廃棄物に分類する場合もあります。この分類には、危険廃棄物は指定された時間帯に指定されたルートでしか輸送できないなど、高額な制限がつきまといます。

2031年までに廃棄物量が新規設置量を上回り2035年には、廃棄されるパネルが新規販売台数の2.56倍を上回ると推測されています。その結果、LCOE(平準化エネルギーコスト、エネルギー生産資産の耐用年数にわたる総合的なコストの尺度）は、現在の予測の4倍にまで跳ね上がると見られます。

差し迫った廃棄物の第一波をリサイクルする責任としては、関連機器のメーカーが公平に分担することが先ず必要です。

ソーラーパネル・リサイクルに必要な能力を、設置解除、輸送、(その間の)ソーラー廃棄物の適切な保管施設を含む包括的な使用済みインフラを、構築しなければなりません。

他の再エネ技術にも同じ問題が迫っています。例えば、処理能力が大幅に向上しない限り、今後20年間で72万t以上の巨大な風力タービンブレードが米国の埋立地に行き着くと専門家は予想しています。一般的な推計によれば、電気自動車用バッテリーの5%しかリサイクルされていません。電気自動車の販売台数が前年比で40%も増加し続けているため、自動車メーカーはこの遅れを取り戻そうとしています。

これらのグリーン・テクノロジーとソーラー・パネルの本質的な違いは、ソーラー・パネルが消費者向けの収益エンジンを兼ねていることです。パネル製造業者と最終消費者という2つの別々の利益追求主体が、このように大規模な普及を実現するために地場産業することを考えなければならないのです。

我国でもエネルギー基本計画（閣議決定、2021年）や環境省（2022年）[16]等における太陽光発電の導入見込みにおいて、政策対応強化の一つの政策として、「温対法に基づく政府実行計画等に基づき、公共部門を率先して実行」により、6.0GW分のソーラー・パネルの導入が見込まれています。

「政府及び自治体の建築物及び土地では、2030年には設置可能な建築物等の約50%に太陽光発電設備が導入され、2040年には100%導入されていることを目指す。[17]」としています。

今後大量に使われることが予想されている太陽光発電は、一方で大量の廃棄パネルを排出します。この廃パネルのリサイクルは、CO_2固定効果に加えて、地域に新規事業を創出し、新たな雇用を生み出します。

「廃棄物は発生場所で処理・処分する」という一般原則があること、また廃パネルの最初の大発生は2030年代であり、本事業の中間点までの間に、この準備を進め、2050年までには新たな地場産業として確立できると期待できます。

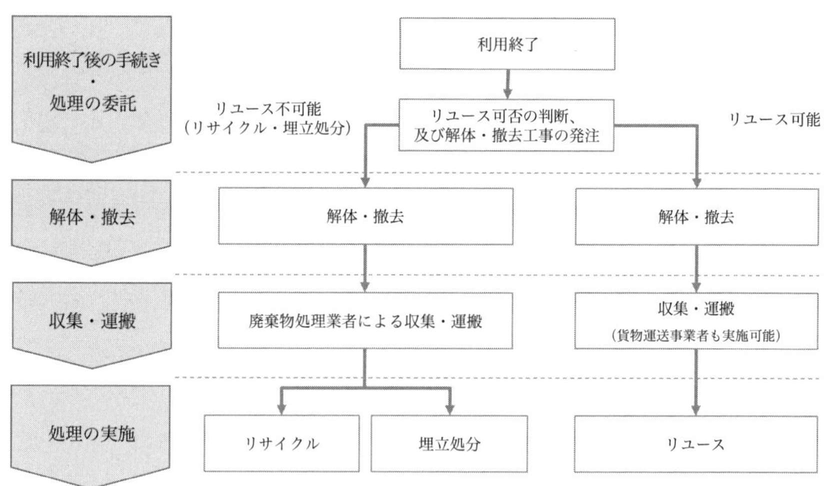

図5−7 太陽電池モジュール処理の全体像[18,19]

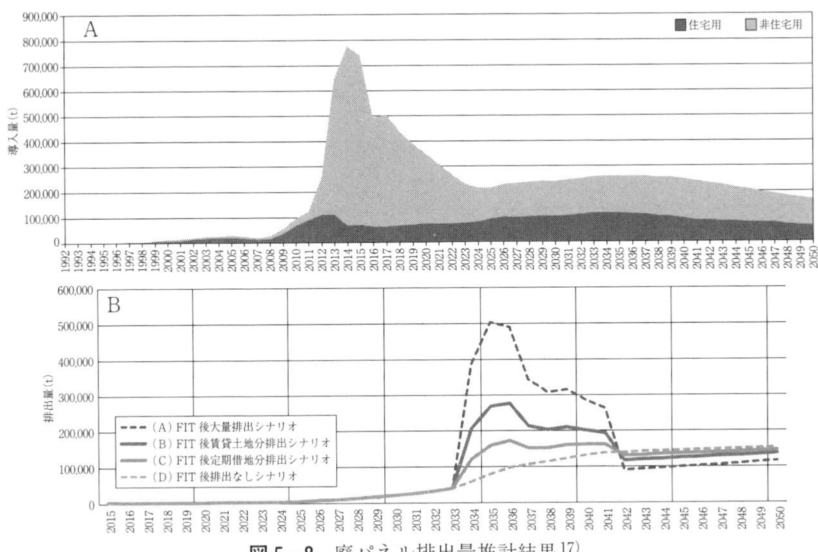

図 5－8　廃パネル排出量推計結果[17)]

A：太陽光パネルの導入量（t/年)、B：廃パネルの排出量（t/年）

日本の太陽光発電パネルは、10 年前（2012 年）に導入された国の「固定価格買取制度」（通称 FIT）によって、爆発的に導入が進みました。累計の導入量はおよそ 6,000 万 kW となり、10 年で 20 倍以上に増えました。

太陽光パネルの寿命（耐用年数）は、20 年から 30 年ほどですので、その後使用済み太陽光パネルが排出され、その排出量は、2040 年頃には現在のおよそ 200 倍に当る年間 80 万 t が排出されると予測されています（環境省)。

「2018 年の時点で日本の太陽光パネルの排出量は 4,400t。国の推計ではこのうち 3,400t がリユース、1,000t がリサイクルまたは埋め立て処分されているといわれていますが、実態はよく分かっていません。

国の新たな制度では、リサイクルするか埋め立て処分するか事業者が自由に選べるので、多くの業者がリサイクルより費用がかからない埋め立て処分を選ぶ可能性があります。

ただ、埋め立て処分場の容量には限界があるので、リサイクルが広がらなければ、結局、不法投棄や不正な輸出につながってしまうと危惧されています。

16）「エネルギー基本計画」（閣議決定、2021年10月）、環境省「公共施設への太陽光発電の導入等について」（2022年）
17）「地域脱炭素ロードマップ」（国・地方脱炭素実現会議決定、2021年6月）
18）「太陽光発電設備のリサイクル等の推進に向けたガイドライン（第二版）」（環境省、2018年）
19）「太陽光発電リサイクル技術開発プロジェクト」（NEDO、2019年）

第6章

水素とグリーン合成燃料

最近の世界的な脱炭素化の取組の進展の中で、ひと際注目を集めている技術として、「水素化」とそれを含む「グリーン合成燃料」の製造があります。本章では、水素の基礎知識を見た上で、これまでの利用の状況を押さえ、水素利用とグリーン合成燃料の可能性について紹介します。

(1) 水素の基礎知識

水素エネルギーの利用は、「究極のクリーンエネルギー」、「理想のエネルギー」となることは古くから指摘されています。

水素は元素中で最小の元素です。水素（元素記号H）とは、原子番号1の元素であり、1766年イギリスの化学者キャベンディッシュが単離し、ギリシャ語で「水を生ずるもの」という意味から名付けられました。

宇宙においては最も豊富に存在する元素です。宇宙空間だけでなく木星のような惑星も主成分は水素で構成されています[1]。水素単体では自然界にほとんど存在せず、地球表面には酸素との化合物である水（H_2O）として大量に存在しています。このように大量に存在しても、地域資源としては、何らかの媒体（化合物：炭化水素）と技術・装置を介して製造・貯蔵しなければならないものです。

1) 水素の特性[2]

①性状

自然界では原子が2つ結びついた水素分子（H_2）の形をとります。無色、無味、無臭の気体で、－252.6℃ で液化し、－259.14℃ で固体になります。地球上で最も軽い気体（空気に対する比重0.0695）であり、水などのように他の元素との化合物（水、化石燃料、有機化合物など）として大量に存在します。

②透過性

拡散係数が大きく、透過性も高いので、金属壁も透過し、水素による脆化（水素浸食、水素脆化、水素環境脆化）を引き起こします。

③燃焼性

水素の自然発火温度は527℃（ガソリンは300℃）で、自然には発火しにくい物質ですが、一旦発火すると燃焼速度が大きく、爆発的燃焼となります。燃えても火炎が見えにくく、炎の温度は通常約2,500℃、条件によっては3,000℃ に達します。

④環境性

燃焼すると酸素と反応して水になります。水素ガスは空気と混合して爆発する可能性はあるものの、身近な天然ガス（メタン）と同様危険性は高くありません。しかし水素経済への移行は、経済性、インフラ、そして最終使用機器を適合させる必要性があり、より制限される度合いが大きい技術です。

2）化石燃料利用の歴史経過

水素に関しては、化石燃料との関係で興味深い知見があります。化石燃料の代表は、石炭、石油、天然ガスですが、これらを炭化水素CnHmとして見ると次のようなことが分かります[3)]。

石炭は、炭化水素の分子記号上では事実上n→∞、m→0となり、固体であって、流動性はありませんが、350～400℃ で軟化して、流動性を持つ状態になります。

石油は、燃料としては、重油、軽油、灯油、ガソリンの4種類が日常的に使われますが、分子記号で見ると、重油は$n>36$、$m>17$、炭素数の多い様々な炭化水素の混合物で、沸点は常温～1,000℃ 以上にわたっていますが、通常300℃ 以上と見て良いものです。

軽油は、$C_{15}H_{32}$から$C_{17}H_{36}$、炭素数14～20、沸点範囲240～370℃、灯油は、

$C_{11}H_{24}$ から $C_{14}H_{30}$ 炭素数 9〜18、沸点 170℃〜250℃、ガソリンは、C_6H_{10} から $C_{10}H_{22}$、炭素数 5〜10、沸点 30〜120℃、そして、天然ガス（CH_4）は、炭素数 1、沸点 −164℃ です。

これを整理すると、石炭→重油→軽油→灯油→ガソリン→メタン（天然ガス）と移って行くに従い（n が小さくなるにつれ、流動性が高まり）、究極の彼方に、n＝0 の水素が位置づく、という興味深い事実です[3)]。

水素の含有比率が多くなるにつれ、流動性が高くなり、液体状態から気体状態になります。また m/n 比が大きくなるにつれ、きれいで、単位重量当りの発熱量が高く、資源的にも豊富になります。

1）「自然界における元素の分布」（「農産物貿易の持続性に関する総合人間学的考察」）より
2）「安全に関わる水素の性質」（「安全工学」佐藤保和、2005 年）など参照
3）『水素エネルギー』（太田時雄、講談社、1974 年）

(2) 水素の生産

1）水素の発生・利用のメカニズム

図 6−1 に示すように、水素の発生は、例えば水を電気分解して得られます。同時に発生する酸素は大気中に放出します。電気分解に必要な電気は、風力発電や太陽光発電等の再エネ電力によって得るようにすれば、水素を発生させる過程ではまずクリーンです。そして、得られた水素をエネルギーに変えるには酸素と結合させてやればよく、これは化学反応ですが、水素と酸素の結合ではただ水をつくるだけです。こうして、水素エネルギーの利用は、水から水に戻すという過程で、正しく究極のクリーンエネルギー利用となります。

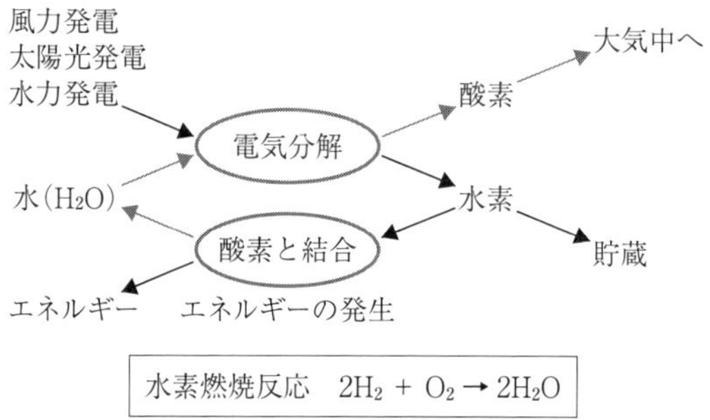

水素燃焼反応　$2H_2 + O_2 \rightarrow 2H_2O$

図6－1　水素の発生とエネルギー利用の原理

2）水素の生産量[4)]

再エネ、原子力、天然ガス、石炭、石油など、さまざまな燃料で水素を製造することができます。現在、年間全世界で、約1億2,000万トンの水素が製造されており、そのうち3分の2は純水素、残りの3分の1は他のガスとの混合です。これは、国際エネルギー機関（IEA）の統計によると14.4エクサジュール（EJ）つまり世界のエネルギーおよび非エネルギー最終消費の約4%に相当します。

全水素の約95%は天然ガスと石炭から製造されており、約5%は電気分解による塩素製造の副産物として生成されています。いわばガソリンや軽油などと同じ石油化学製品。化石燃料は主に水素（H）、炭素（C）、酸素（O）の組み合わせでできており、高温を加えることで（蒸気メタン改質法や自動熱分解法）水素（H_2）と二酸化炭素（CO_2）に分解、鉄鋼業では、コークス炉ガスも水素の含有量が高く、一部が回収されています。こうして水素ガスを生成するが、製造過程で出る副産物のCO_2はそのまま大気中に排出されているのが実情です。

現在、再エネ源からの大規模な水素製造は行われていません。しかし、この状況はまもなく変化する可能性が出てきました。

天然ガスの水蒸気メタン改質　$CH_4 + 2H_2O \rightarrow 4H_2 + CO_2$
アンモニア合成（ハーバー・ボッシュ法）　$2NH_3 \rightleftarrows 3H_2 + N_2$

図6－2　水素、アンモニアの生成方式

3)「水素」の生産と“色”

化石燃料由来でCO_2を排出する方法で生成された水素ガスのことを、“汚れた”意味を込めて「グレー水素」と呼んでいます。つまり、今のところ全世界で作られる水素の95％は「グレー水素」です。

これを含め色付きの水素は主なもので7種類もあります（表6－1）。

表6－1　水素の種類と“色”

色	原料	生成の仕組	注記
グリーン水素	太陽光発電・太陽熱発電や風力・水力など再生可能エネルギー	で作られた電力で水を電気分解し水素ガスを得る	生成過程では理論上全くCO_2を出さず、「脱炭素」アイテムとして最も望ましい
ブルー水素	化石燃料、特に天然ガス由来	CCUS技術を使って副産物のCO_2を大気中に排出せずに製造	“清浄化”の意味を込めてブルーが冠されている
イエロー水素	原子力発電の電力	原発の電力で水を電気分解して生成	原発の燃料の原料となるイエローケーキ（ウラン精鉱）の黄色に由来
パープル水素	バイオマスで発生したメタンガス		
ブラウン水素	石炭、とりわけ褐炭		褐炭が茶色いことに由来
ホワイト水素		製鉄所の溶鉱炉の工程の副産物	
ターコイズ水素	天然ガス（厳密にはメタン）	プラズマなどを使った直接熱分解方式	「ターコイズ」とは「トルコ石」のことで緑がかった青色を意味

＊CCUS：CO_2回収・有効利用・貯留

現在から将来にかけての供給オプションとして、「脱炭素」の旗手として有望株なのは「グリーン」と「ブルー」、将来的には「ターコイズ」も期待されています。「イエロー」に関してはCO_2を排出しない反面、核廃棄物という環境負荷物質を排出するため意見が分かれるところです。

再エネ電力由来の水素製造（グリーン水素）は、長期的な水素供給について、現時点で唯一の持続可能なオプションです[4)]。

4）「再生可能エネルギーの視点からみた水素」（IRENA、自然エネルギー財団訳、2019年9月）

(3) 水素の用途

水素は汎用性が高く、現在すでに利用可能な技術によって、水素はさまざまな方法でエネルギーを生産、貯蔵、移動、利用することができます。水素は、ガスとしてパイプラインで輸送したり、液化天然ガス（LNG）のように液体にして船で輸送することができます。電気やメタンに変換して、家庭の電力や産業に供給したり、自動車、トラック、船舶、航空機の燃料にすることができます[5)]。

図6－3に、水素の広大な利用を体系的に整理しています。

大量の水素を必要とする工程には、アンモニア製造、鉄鉱石の直接還元、メタノール製造などがあります。水素は、製油所やバイオ燃料の精製所でも、ディーゼルおよびバイオディーゼルの製造に焦点を置き、水素化分解用途で使用されます。最終的に水素とCO_2は、e-fuel*の原料として利用でき、その品質は精製された石油製品と同等以上になります。

*e-fuel：エレクトロフューエル

5）「The Future of Hydrogen」Report prepared by the IEA for the G20, Japan Seizing today's opportunities「水素の未来　今日のチャンスをつかむ　IEAがG20のために作成した報告書」（日本）

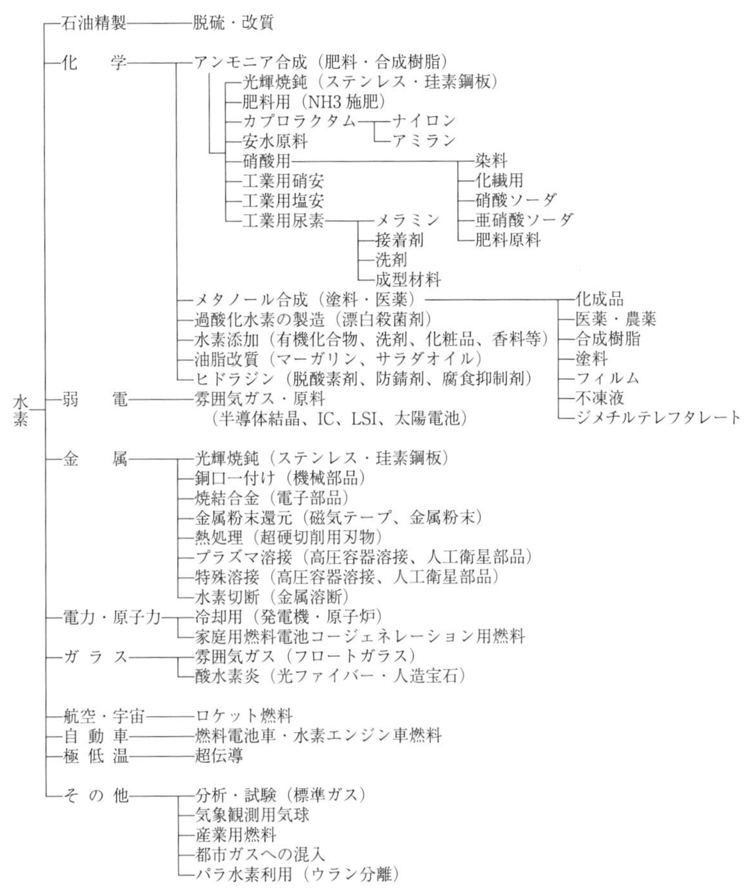

図 6－3　水素の主な用途

「水素エネルギー白書」（NEDO、2015 年 2 月）

(4) 水素の用途の優先度

水素は成熟度が高く、より中央集約型の用途に優先的に利用すべきと言われています。ここで最も優先度が高いとされた用途は、現在はグレー水素が使われている化学製品の製造や石油精製であり、次いで鉄鋼生産や国際海運などです。最も優先度が低いのは住宅の暖房であり、都市部の自動車、中温の熱供給、短距離航空なども電化の優先度が高くなっています[6)]。

1）水素の「後悔しない」用途

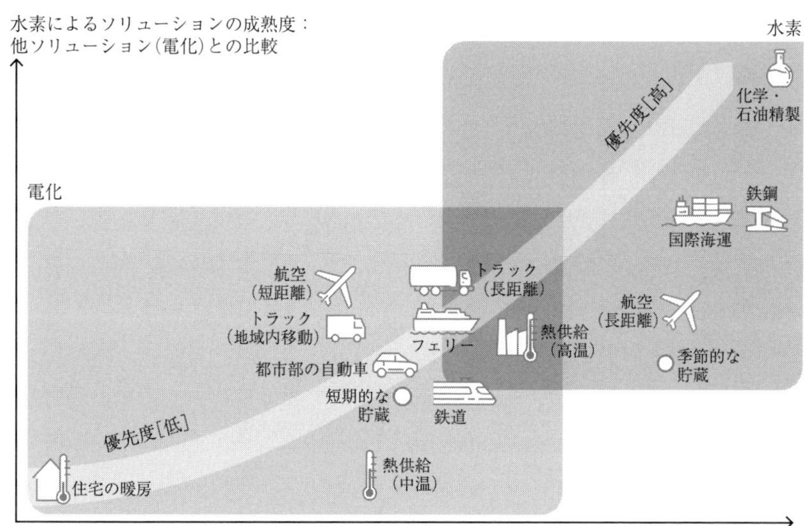

図6－4　水素の「後悔しない」用途

表6－2　水素の後悔しない用途

部門	後悔しない用途	意見が分かれる用途	好ましくない用途
産業部門	・還元剤（直接還元製鉄） ・原材料（アンモニア、化学市品）	・高温熱	・低温熱
運輸部門	・航空（長距離） ・海運	・トラック、バス ・航空、海運（短距離） ・鉄道	・乗用車 ・軽量車両
発電部門	・自然エネルギー電源のバックアップ（風力・太陽光発電のシェアと季節的な需要構造による）	・必要となる需要量－水素以外の柔軟性・貯蔵オプションによって決まる	
建物部門	・熱供給網（残余の需要への対応）		・個々の建物の熱需要への対応

2) 燃料電池

燃料電池については、課題が山積みであることが指摘されています[7)]。

「水素利活用技術には、技術面、コスト面、制度面、インフラ面で未だ多くの課題が存在しており、社会に広く受容されるか否かは、まさにこれからの取組にかかっている。具体的には、燃料電池の耐久性や信頼性等の技術面の課題、現状では一般の許容額を超過するコスト面の課題、水素を日常生活や産業活動でエネルギー源として使用することを前提とした制度整備等の制度面の課題、水素ステーション整備といった水素供給体制等のインフラ面の課題であり、これらの課題を一体的に解決できるかが鍵となる。

これらを一体的に解決するためには、社会構造の変化を伴うような大規模な体制整備と長期の継続的な取組が求められる。また、様々な局面で、水素の需要側と供給側の双方の事業者の立場の違いを乗り越えつつ、水素の活用に向けて産学官で協力して積極的に取り組んでいくことが必要である。」

「都市ガスパイプラインに水素を数% 混合することは現在でも可能ではあるが、ガスを使用する機器は他にも存在すること、長年継続的に高熱量化の取組を進めてきている都市ガスに水素を混合することは体積当たりの熱量を減らす結果になること等を踏まえると、燃料電池の活用の幅が限られている当面の間は現実的ではないと考えられる。また、水素ガスパイプラインの新設についても、都市ガスパイプラインの敷設には100年以上の歳月と莫大な投資がかかっていること等を踏まえると、同様に現実的ではないと考えられる。」とした上で、以下の課題が列挙されています。

課題1：家庭用燃料電池の経済性の向上が必要：①イニシャルコストの低減、②ランニングメリットの向上

課題2：家庭用燃料電池の対象ユーザーの拡大が必要

課題3：家庭用燃料電池の海外展開が必要

課題4：業務・産業用燃料電池の経済性や耐久性等の向上が必要

課題5：純水素型の定置用燃料電池の利活用に関する継続的な取組が必要

「水素は、燃料電池技術の活用により省エネルギーに資することに加え、未利用エネルギー由来の水素を活用することでエネルギーセキュリティの向上にも資すると考えれる。しかしながら、化石燃料由来の水素を用いる場合には、水素の製造段階で二酸化炭素が発生することから、地球規模の問題である地球温暖化への対応を考えた場合には、必ずしも十分ではない。」[7]

3）課　　題

水素をクリーンかつ広範囲に利用するためには、いくつかの課題があります[8]：

①合成メタンを生成する設備の大規模化。

現在は、海外事例で1時間あたり数十～数百 Nm^3 の合成メタン生成を実現していますが、商用化にあたっては、1時間あたり1万～6万 Nm^3 の合成メタンを生成できるよう、設備をスケールアップする必要があります。

②コストの低減。

現時点ではコストが高い。クリーンな水素技術は利用可能であるが、コストは依然として厳しい。

現在のLNG価格と同水準にするためには、水素と CO_2 を安価に調達することが欠かせません。CO_2 濃度は大気中でppmオーダー、燃焼ガスで数%、バイオガスで40%であり、バイオガス利用が注目されています。

③遅れている水素インフラの整備。

水素を安全に貯蔵する技術：水素は常温常圧では気体（H_2 分子）のために、ガソリンなどと比べると、かさばる燃料です。自動車でいうと、一般的に必要とされる航続距離500kmを達成するには5kg、常温常圧で6万ℓの水素が必要になり、自動車に搭載するには1,000倍程度まで圧縮する必要があります。現在の燃料電池車は、700気圧の高圧水素ガスタンクを用いています。しかし、水素ガスの圧縮係数が1よりも大きいため、圧力をさらに上げてタンク内の水素を増やすことは効率的ではありません。また、液化水素は、低温に維持するためのエネルギーが必要です。そこで高密度に水素を貯蔵する技術として、金属内に水素を吸蔵・放出する貯蔵合金が開発されています。ランタンやジルコニウムなどある種の金属に対しては、水素は水素分子 H_2 として存在しているよりも、水素原子 H に分かれて金属の中に入ったほうがエネルギー的に安定という性質を持っています。それを利用して水素の出し入れをコントロールするのが貯蔵合金です。しかし、一般に金属であるために自動車に搭載するには重量が増えてしまうのが難点であり、「貯める」技術に関しては、ガスタンク、貯蔵合金、軽量な非金属貯蔵材料などの開発が求められています。

④制度面での整備。

国際間での CO_2 削減量のカウントに関するルール整備などを進める必要もあります[9]。

水素はあらゆる元素の中で一番小さいがゆえに、どこにでも入り込みやすい物質です。例えばガスボンベのシール材として使われているポリマーでは、分子の隙間に入り込み、高圧力の状態から常圧に戻った時、入り込んでいた水素が膨張し、結果シール材を破断させてしまうおそれがあります。また、ボンベなどに使用される金属にさえも水素は入り込みます。入った水素が、金属中を移動し、局所的に高濃度に集まることで金属を脆くし、場合によっては破断させてしまう事もあります（水素脆性）。物質中に入り込んだ水素が、どこでどんな振る舞いをしているのか、実際には良くわかっていないのが現実です。それは水素があまりにも小さくて単純な構造だからです。電子の広がりも含めた水素の姿を捉えるには、放射光や中性子、ミュオンといった量子ビームを駆使しても難しく、観測する技術の開発も必要です。

6）「日本の水素戦略の再検討『水素社会』の幻想を超えて」（自然エネルギー財団、2022 年 9 月）
7）「水素・燃料電池戦略ロードマップ～水素社会の実現に向けた取組の加速～」（水素・燃料電池戦略協議会、2014 年 6 月）
8）「The Future of Hydrogen」より
9）「国家間の CO_2 カウントルール整備の方向性について」（日本ガス協会、2022 年）

(5) グリーン合成燃料の生産

水素利用の先に、「メタネーション」技術を更に発展させた「グリーン合成燃料」の製造の可能性が見えてきています。

バイオガスは比較的容易にバイオメタンに改質され、これらの生成物の主な利点は、密度がはるかに高く、輸送が容易なことです。

本節では、現在注目を集めているバイオガスをベースとした「合成燃料」製造について紹介します。この全体像は図4－58に示してあります[10)]。

1) メタン発酵をベースとしたグリーン合成燃料

欧州における再生可能ガス・低炭素ガス市場の現状と動向に関するレポート[11)]の内容を紹介します。

現在、バイオガスを改良して生産されるバイオメタン（CH_4）に高い注目が集待っています。

図6－5は、バイオメタンプラント数の推移を示したものです。

欧州のバイオメタンプラント（アップグレーを含む）数は、2020年、880に増加し、2021年8月現在、992のプラントが稼働しています。

2018年、世界で生産されたバイオメタンの90％は嫌気性消化によるものです。

このプロセスでは、有機原料が微生物によって分解され、バイオガスと消化物が生産されます。バイオガスは、熱電併給設備で直接使用されるか、またはバイオメタンにアップグレードされます。またバイオマス由来の高濃度のCO_2を得ることができます。分離されたバイオマス由来のCO_2は大気中に放出されず、液化されて、食品・飲料業界やドライアイス製造のために使われ、乳牛のふん尿を原料とするメタン発酵によって排出される消化物は、乾燥肥料と液体肥料の原料として使用されます。消化物は、一般に高品質の肥

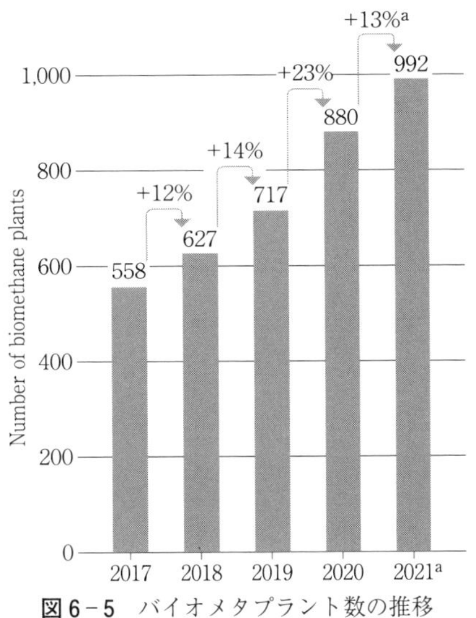

図6－5 バイオメタプラント数の推移

料として利用されます。嫌気性消化は成熟した技術ですが、嫌気性消化のための原料前処理の開発はまだ十分に行われていません（本書第4章（3－4）2）参照）。

2）多様性をもつメタン発酵による生成物と利用形態

メタン発酵生成物は、多種多様であり、その利用形態も多種多様です。気体燃料（常温）として見た場合、都市ガスと同等のメタンガスと一般に使われているプロパンガスが身近なものです。

都市ガスとプロパンガスの違い

LPG（プロパン）と都市ガスは、異なる用途や歴史的背景で使用される異なるガスまたは混合ガスです。表6－3はその違いを整理しています。

表6－3　都市ガスとプロパンガスの違い

	都市ガス	LP ガス（プロパンガス）
主成分・原料	・メタンを主とする天然ガス ・他に水素、一酸化炭素、その他のガスを含む	・プロパン（C_3H_8） ・ブタン（C_4H_{10}）を主とする液化石油ガス
重さ	・空気より軽い	・空気より重い
発熱量	・小さい：11,000Kcal/m^3	・大きい：24,000Kcal/m^3
供給方法	・地下のガス導管を通じて供給	・液体状態を保つために加圧して貯蔵することができる ・ガスボンベを契約者宅まで配送して供給
供給エリア	・ガス導管が敷設されている地域のみ（人口密度の高い都市部が中心）	・全国どこでも
利用方法	・都市で照明、調理、暖房、燃料に使用	・調理、暖房、自動車の燃料として一般的に使用されている ・他の多くの燃料よりもきれいに燃焼する
料金	・2017年まで規制料金だった ・販売店同士の価格差は小さい ・プロパンガスより安い	・昔から自由料金制 ・販売店同士の価格差が大きい ・都市ガスより高い
	注）一酸化炭素は有毒で、不適切な方法で燃焼させたり、ガス漏れを起こしたりすると危険である	注）厳密には、プロパンとLPGは同一ではない

3）バイオガスを天然ガス品質のCH_4に変換するためのアップグレード手順

表6－4に、バイオガスを天然ガス品質に変換するためのアップグレード手順の概要を示してあります。

これらの精製ステップの後、精製されたバイオガスは、現在バイオメタンと呼ばれ、天然ガス供給網に注入することができます。このバイオガスは、天

表6－4 バイオガスを純度の高いCH_4に変換する手順

項目	内容
水蒸気の除去（脱水）	・腐食やメタンハイドレートの形成を防ぐため、バイオガスから水分を除去することが重要である。 ・これは、冷凍式乾燥機または乾燥剤で達成できる。
脱硫	・硫化水素は腐食性があり、バイオガスから除去されなければならない。 ・バイオガスの脱硫は、生物学的（H_2Sを元素状硫黄に変換する特別なバクテリアによる）または化学的（活性炭への吸着または酸化鉄の添加による）に行うことができる。
シロキサンの除去	・シロキサン類は、下水処理場からのバイオガス中にしばしば存在する。燃焼させるとシリカになり、エンジンやその他の機器を損傷する可能性がある。 ・活性炭への吸着は、シロキサンを除去する一般的な方法である。
メタンと二酸化炭素の分離	・バイオガス中のメタン含有量を増加させるための重要なステップである。CH_4とCO_2の分離にはさまざまな技術がある ・圧力スイング吸着（PSA）：ここでは、高圧でCO_2と結合する吸着剤が使用される。圧力が下がるとCO_2は再び放出され、メタンは残る。 ・膜分離：特殊な膜によりCH_4を通過させ、CO_2を保持する。 ・水溶液による洗浄：アミンまたは他の化学薬品を使用して、ガス流からCO_2を洗浄することができる。
さらなる精製	・天然ガスネットワークと元のバイオガス源の特定の要件に応じて、他の不純物を除去するためにさらなる精製ステップが必要になる場合がある。

然ガスに近い品質と発熱量を持ち、既存のガスインフラを改造することなく使用できます。

余剰電力があって、安価な水素が潤沢に手に入れば、新たな可能性も見えています。

アウディのe-ガス

図6－6は、アウディが実用規模で行っている、水素とCO_2を結合させてメタン（天然ガス）を製造する仕組みです。

水素とCO_2とから「メタン」を合成する「メタネーション」技術です。

都市ガス導管やガス消費機器などの既存のインフラ・設備は引き続き活用できることになります。

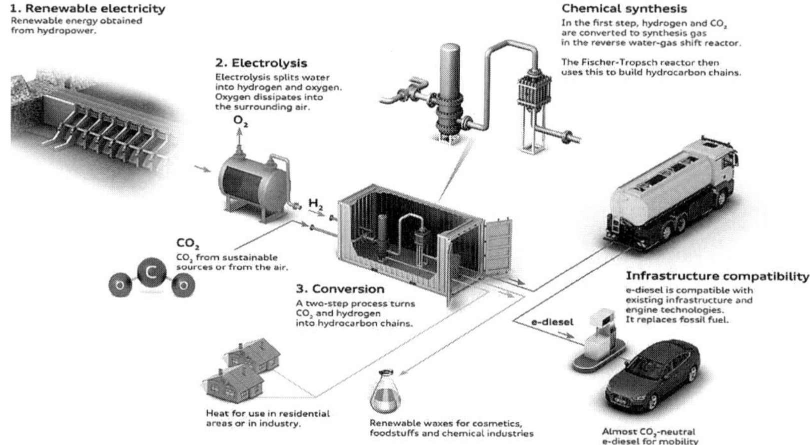

図6－6　アウディの「メタネーション」技術の仕組

4）バイオガスの液化天然ガス（LNG）への転換

バイオガスの液化天然ガス（LNG）への転換は、基本的に、バイオガスと天然ガスの主成分であるメタンを精製し、液化するプロセスです。バイオガスは主にメタン（CH_4）と二酸化炭素（CO_2）で構成されていますが、水蒸気、硫化水素（H_2S）、シロキサンなどの不純物が少量含まれている場合もあります。表6－5にプロセスの主な段階を示します：

- バイオガスのLNG化は、主にバイオガスを長距離輸送しなければならない場合や、貯蔵の必要量が気体メタンの量を上回る場合に有効です。そうでない場合は、バイオガスをガス状で使用または貯蔵する方が効率的です。
- バイオガスを圧縮天然ガス（CNG）に転換するには、基本的にバイオガスを不純物から精製し、バイオガスの主成分であるメタンを高圧に圧縮します。CNGは通常、約200～250barの圧力で貯蔵・輸送されます。

表6-5 バイオガスの液体メタン(LNG)化の過程

項目	内容
バイオガスの精製	・最初に生成されるバイオガスには、メタン、二酸化炭素、水蒸気のほか、硫化水素、アンモニア、シロキサンなどの不純物が含まれている可能性がある。 ・これらの不純物は、液化装置を損傷したり、得られるLNGの品質に影響を及ぼす可能性があるため、除去しなければならない。 ・精製は、吸収、吸着、膜ろ過、および、または化学反応によって行うことができる。
脱水	・液化中の氷やメタンハイドレートの形成を防ぐため、バイオガスから水蒸気を除去する必要がある。 ・これは、乾燥剤または冷蔵乾燥機を使用することで達成できる。
圧縮	・精製されたメタンは、コンプレッサーを使って高圧に圧縮される。 ・最新のコンプレッサーは、ガスを250バール以上の圧力まで圧縮することができる。
液化	・メタンは超低温(約－162℃)に冷却することで液化される。 ・この段階には特殊な冷却装置が必要で、かなりのエネルギーを要する。 ・このステップには、冷媒のブレンドや膨張サイクルの使用など、いくつかの技術がある。
貯蔵と輸送	・出来上がったLNGは、極低温での貯蔵用に設計された特殊な断熱タンクに貯蔵される。 ・これらのタンクは、CNGを燃料として使用するために車両に搭載されたり、CNG配給ステーションで車両や他のエンドユーザーに配給されたりする。 ・遠隔地への輸送には、特殊なLNGタンカーや断熱トラックが使用される。 ・圧縮された天然ガスは、特別に設計された高圧タンクに貯蔵される。
再ガス化(必要な場合)	・LNGが目的地に到着し、ガスとして必要となった場合、再ガス化する必要がある。 ・これは通常、LNGを加熱することで行われる。

- バイオガスをCNGに変換することは、特にバイオガスを環境に優しい自動車用燃料として使用する場合、実行可能な選択肢となります。バイオガスをCNGに変換して燃料として使用すれば、大気中に放出されるはずだった温室効果ガスであるメタンの排出量を削減することができます。

- バイオガスを天然ガスに変換することは、天然ガス供給網に供給できるように改良することを意味します。主な目的は、メタン含有量を高め、不純物を除去することです。

5）バイオガスから液化石油ガス（LPG）を製造

バイオガスから液化石油ガス（LPG）を製造するには、基本的にバイオガスの主成分であるメタンをプロパンやブタンなどの長鎖炭化水素に変換する必要があります。これは様々なプロセスで達成することができ、メタノール合成の後にオレフィンへの脱水素を行い、その後高級炭化水素へのオリゴマー化を行うという方法が考えられます。表6－6は、このプロセスの簡略化された概要です：

表6－6

項目	内容
バイオガスの精製	・生物学的廃棄物や発酵性物質から生成されるバイオガスには、メタン、二酸化炭素のほか、硫化水素などの不純物が含まれていることが多い。 ・これらの不純物を除去し、ほぼ純粋なメタンガスを得るためには精製が必要である。
メタンの水蒸気改質	・この工程では、メタンを触媒の存在下、高温で水素と反応させ、合成ガス（水素と一酸化炭素の混合物）を生成する。
メタノール合成	・合成ガスを触媒に通してメタノールを生成する。
メタノール→ オレフィン（MTO プロセス）	・生産されたメタノールは、さらなる反応段階でエチレンやプロピレンなどの軽質オレフィンに変換される。
オリゴマー化	・この工程では、軽質オレフィンを重合またはオリゴマー化し、プロパンやブタンなどの長鎖炭化水素を製造する。
分離と精製	・製品混合物を蒸留するか、他の分離工程で処理して、プロパン、ブタン、その他の製品を分離する。
液化	・最後に、プロパン・ブタン混合物を加圧して液化石油ガス（LPG）に転換する。

バイオガスのLPGへの転換は、いくつかの転換段階とそれに伴うエネルギーコストを伴うため、必ずしも経済的に実行可能ではありません。

しかし、バイオガスを輸送可能な液体燃料に転換する必要があるシナリオや、LPGの市場アクセスがメタンよりも良好であるシナリオでは、このアプローチは有益です。

6) 商用化を実現するための課題

①合成メタンを生成する設備の大規模化

現在は、海外事例で1時間あたり数十～数百 Nm^3 の合成メタン生成を実現していますが、商用化にあたっては、1時間あたり1万～6万 Nm^3 の合成メタンを生成できるよう、設備をスケールアップする必要があります。

②コストの低減[12)]

商用化の実現にはコスト低減が前提条件であり、このためには、先述の通り、バイオガスの高濃度 CO_2 が最適です。

原料推計の先行事例（表6－7）[12)] 及びコスト試算例を示します（表6－8）[13)]。

表6－7 原料推計の先行事例

原料	製造方法	原料から得られるSAFの量
廃棄油脂	HEFA	0.51（原油換算トンSAF／原油換算トン原料）
油糧作物	HEFA	0.43（原油換算トンSAF／原油換算トン原料）
農業残渣・森林残渣・製材残渣・建設発生木材	Gasification-FT/ Alcohol to jet 50%ずつ	0.11（原油換算トンSAF／乾燥トン原料）
サトウキビ	ATJ	0.035（原油換算トンSAF／乾燥トン原料）
都市ごみ	Gasification-FT	0.12（原油換算トンSAF／乾燥トン原料）
CO_2・水素	逆シフト反応-FT	1.37（トンSAF／トン水素）

表6－8　合成燃料の製造とコスト試算値

	合成燃料製造場所	水素製造	H_2	CO_2	製造コスト	合計
CASE-1	国内	国内	100円/Nm³×6.34Nm³/ℓ＝634円/ℓ	5.91円/kg×5.47kg/ℓ＝32円/ℓ	33円/ℓ	約700円/ℓ
CASE-2	国内	海外	(32.93＋14.65)円/Nm³×6.34Nm³/ℓ＝301円/ℓ	32円/ℓ	33円/ℓ	約350円/ℓ
CASE-3	海外		32.9円/Nm³×.34Nm³/ℓ＝209円/ℓ	32円/ℓ	33円/ℓ	約300円/ℓ
CASE-4		将来、20円Nm³/ℓになった場合	20円/Nm³×6.34Nm³/ℓ＝127円/ℓ	32円/ℓ	33円/ℓ	約200円/ℓ

表6－9　コスト目標

	既存燃料の価格	コスト目標（達成時期）
合成燃料	約135円/ℓ（ガソリン）	約100～150円/ℓ（2050年）
SAF	約100円/ℓ（ジェット燃料）	約100～199円/ℓ（2030年）
合成メタン	約40～50円/Nm³（LNG）	約40～50円/Nm³（2050年）
グリーンLPG	約800～1000円/Nm³（LPG）	約950～990円/Nm³（2030年）

③制度面での整備

国際間でのCO_2削減量のカウントに関するルール整備などを進める必要もあります。

10）「NEWS RELEASE」（ENEOS、2022年4月19日）
11）「Market state and trends in renewable and low-carbon gases in Europe」（Gas for Climate　2021年12月）
12）「我が国におけるSAFの普及促進に向けた課題・解決策」（日本財団、2022年3月）
13）「CO_2等を用いた燃料製造技術開発プロジェクトの研究開発・社会実装の方向性（案）」（資源エネルギー庁、2021年10月）より

第7章

エネルギー供給と貯蔵の技術

エネルギーは、必要なときに、必要な場所で、必要な量が確保できる場合にのみ有用なものになります。特に再エネの利用は、自然界に存在し続けるエネルギーの流れを変えることになるため、時間・空間領域における需要と供給の一致、すなわちエネルギーの利用の時間的・空間的一致が重要になります。

エネルギーを必要な場所に運ぶことを「分配」、「運送」、「搬送」、「輸送」などといい、必要なときまで利用できるようにしておくことを「貯蔵」といいます。

社会や技術の世界では、エネルギーの貯蔵、局所的な分配、長距離の運送は新しい概念ではありません。化石燃料はエネルギー密度が大きく、エネルギー貯蔵に有効であり、高圧ケーブルで電気を送ることができます。一方、再エネについては、その供給量が増えるにつれ、二次燃料を含む他の貯蔵方法の開発や、特に電力の流通・送電を維持・改善することが求められています。第1章で述べたように、再エネ供給は、化石エネルギーとは異なる貯蔵と分配の必要性があります。

本章では、こうしたエネルギーの「運送」と「貯蔵」とに関わる技術的内容を紹介します。

(1) エネルギー輸送（供給）

温水配管、ガス配管、車両輸送、電力のネットワークなど、供給と消費を何らかの物理的手段でつなぐことで、全体システムの制御ができるようになります。例えば、ガス輸送ではガス配管内のガス圧や電力輸送ではネットワークの入出力量の制御を行うことで、需要と供給の適合性の確保ができます。

再エネ供給については、供給源自体が通常広く分布し、比較的小さな容量ですので、長距離よりも短距離の配給や建物内の熱の移動が重要です。

電気によって分配するのが最適な水力、波力、風力などの機械的な再エネは、電気がエネルギーの運搬役であり、エネルギー輸送は必ずしも最終用途との関係で主要な要件とはなりません。

水素が一般的なエネルギー貯蔵源となった場合、おそらく今日の天然ガスパイプラインのような大規模なガスの移動が必要となります。しかし、「水素の輸送及び変換等の技術が開発途上であることや、水素価格の低下に向けた見通し、需要の見通しなどに不確実性があり、水素の早期サプライチェーン構築はリスクが大きい」[1)]と指摘されています。しかし、そもそも「水素社会*」となるかどうかの見定めが先決です。

＊水素社会：日常生活や産業活動の主要なエネルギー源として水素を利用する社会

再エネ源は、エネルギー源がより分散され、最終用途に近くなるため、エネルギー配給システムは、より有効な「格子状の」ネットワークとなります。これは社会的、経済的、環境的に好ましいことです。高圧送電線は安全性に優れていますが、視覚的な環境を損なうと考える人もいます。分散型電力システムでは、送電電圧が低くなるため、邪魔になる電柱や鉄塔は一般に少なくなります。

1）「水素基本戦略（案）」（再生可能エネルギー・水素等関係閣僚会議、2023 年）

(2) エネルギーの貯蔵

1) 電力貯蔵が提供できる様々なサービス[2)]

電力システムは、円滑で高い信頼性をもって運用をするために、様々なアンシラリーサービス*を必要とします（図7－1）。供給の質（一定の電圧と周波数）を確保し、電気機器への損傷を防ぎ、全ての利用者への供給を維持するには、需要と供給のバランスをリアルタイムで取る必要があります。

あらゆる電力システムは柔軟性のあるサービスを必要とし、それにより電力網運用者が予期せぬ需要変動や、大きな供給の損失（大型発電所の停止、接続の損失など）に対応し、電力システムの平衡を素早く回復するすることを可能にしています。

＊アンシラリーサービス：アンシラリー（ancillary）とは「補助的な」の意味。電気事業の主たるサービスである電気エネルギーの供給（プライマリサービス）に対して、それを確実に行うため、エネルギー供給には直接結びつかない諸々の補助的なサービスを、主として北米ではアンシラリーサービスと呼んでいます。しかし、日

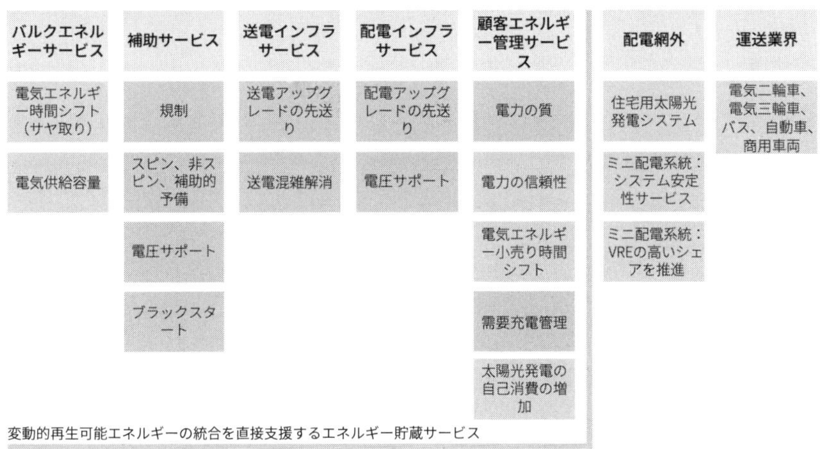

図7－1 電力貯蔵が提供できる様々なサービス[2)]

本におけるこの用語の定義は少し異なっています。

電力貯蔵はエネルギー転換の核を成すもので、電力システム全体にわたって、エンドユーザーの分野にまでサービスを提供します。電力貯蔵の容量は送電網の制約を低減させ、大型のインフラ投資の必要性を先送りできます。このことは、制約が再エネの増加によるものか、需要パターンの変化によるものかにかかわらず、配電網についてもあてはまります。

将来のエネルギーシステムは、効率的で経済的な電力貯蔵に基づいた多岐にわたるサービスに依存します。サービスに対するニーズはこのように幅広く、要求される性能も様々なので、多くの蓄電技術が重要な役割を担うことになります。

2）エネルギー貯蔵技術

太陽光や風力などの再エネ資源は、変動する資源であるため、需要とのミスマッチを無くすために、貯蔵技術が求められます。エネルギー貯蔵技術としては、多くの実用技術がありますので、一覧表（表７－1）として整理して紹介します。

①圧縮空気[3)]

圧縮空気はエネルギー貯蔵技術に使え、圧縮空気自動車を走らせることができます。圧縮空気自動車は、ガソリンの代わりに圧縮空気タンクを積んで走るエア・カーです。排気は空気のみで、効率が良く、「究極のエコカー」とも言われ、現在開発が進んでいます（図７－2）。

②エレベーターでの重力蓄電[4)]

オーストリアの国際応用システム分析研究所（IIASA）は2022年３月に、高層ビルのエレベーターを利用した蓄電システムを発表しました。「Lift Energy Storage Technology（LEST）」と呼ばれるこのシステムは、エレベーターの空き時間（利用されていない時間）を有効活用し、重力蓄電設備として利用します。

重いコンテナをエレベーターにのせ、高層階に引き上げます。下ろす時は

表7－1　エネルギー貯蔵技術

種別	貯蔵装置・媒体・物質	方法	
機械的貯蔵	水力発電システム	重力による位置エネルギーを利用	第4章(2)
	超電導	磁気エネルギー	
	電気二重層キャパシタ	電気エネルギー	
	フライホイール	回転する物体の運動エネルギー	
	圧縮空気	圧縮した空気やガス	①
	ウオーターハンマー		
	エレベーター利用の重力蓄電	高層ビルの位置エネルギー	②
	回生ブレーキ	ブレーキ時にモーターを回転	③
化学的貯蔵	蓄電池	電気を物質の形（イオン）に変換	
	余剰電力による水素製造	水の電気分解	
	アンモニア		
	金属水素化物		
生物学的貯蔵	バイオマス	光合成による植物の生長	
	木炭	災害時対応の燃料・ガス発電	④
	グリーン合成燃料	加熱による水素の放出	
熱エネルギー貯蔵	岩石蓄電	電力を岩石・耐火レンガ・溶融塩の高温の熱エネルギーに変換	⑤
	外断熱建物（重量物）		⑥

すでにエレベーターに備わっている回生ブレーキ*を利用して発電します。

③回生ブレーキ

自動車やエレベーターなどで、減速時（ブレーキをかける時）にモーターを回して発電する仕組み。モーターを回転させるにはエネルギーが必要なので、自動車やエレベーターのスピードを落とす作用がある。しかし回生ブレーキの減速力はそれほど大きくないので、通常は別のタイプのブレーキ（摩擦式ブレーキなど）と併用します。

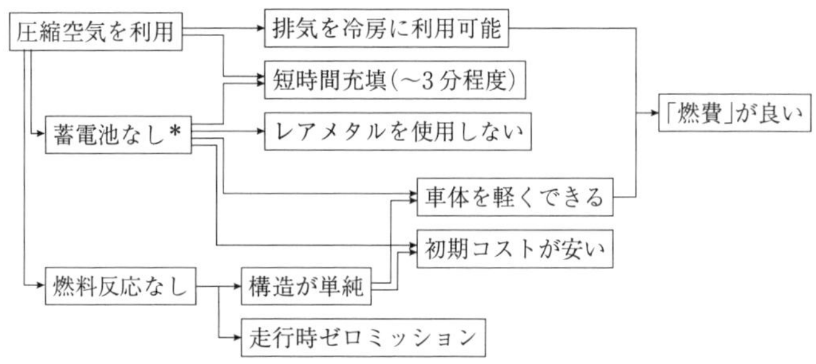

図7－2　10kWhのエネルギーで何km走れるか

④木炭

燃えた木炭の中に水蒸気を通すと、水蒸気は水素と酸素とに分かれ水素はそのまま、酸素は木炭の炭素と化合して一酸化炭素になります。両方とも可燃性ガスなのでエンジンを動かすことができ、エンジンさえ動けばそのまま発電ができます。この場合、木炭自体がエネルギー貯蔵体になっています。この意味でのエネルギー貯蔵は、バイオマス燃料全体に当てはまります。

⑤岩石蓄電設備

「岩石蓄電」[5)]とは、電力を高温の熱エネルギーに変換し、岩石・耐火レンガ・溶融塩*などの物質に貯蔵し、必要に応じて、直接熱エネルギー、水素製造の際の化学反応、発電用の熱機関の熱源などに利用する蓄電方法です。

＊砂を集光型太陽熱発電の熱エネルギー貯蔵用に溶融塩を利用する方法。

土壌への蓄熱[6,7]

800℃～1000℃ に加熱：この方法の蓄電は、高温であれば蓄電池と同じほどのエネルギー貯蔵密度が得られる上、重力蓄電と同様に設備建設のために希少で高価な材料を必要としません。また、発電と熱利用を合わせると、90％*という非常に高効率なエネルギー利用が可能です。

*エネルギー効率：投入したエネルギーに対して利用（回収）できるエネルギーの比率。エネルギーを他の形に変換する場合は変換効率と呼ばれる。石炭火力発電の変換効率は 40％～43％、水力発電は 80％～90％ ほど。

⑥外断熱建物（重量物）[8]

適切な外断熱を施した「重い構造」は、昼から夜まで、そして昼から夜まで本質的に貯蔵することを可能にします。また、夜間に熱を奪われた建物の「涼しさ」を、日中を通して「蓄える」こともできます。

3) 蓄電池

蓄電池の種類は、リチウムイオン電池、ニッケル水素電池、全樹脂電池、ナトリウムイオン電池、ナトリウム硫黄（NAS）電池、固体酸化物形燃料電池(SOFC)、レドックスフロー電池、リン酸鉄リチウム電池、リチウムイオン空気電池、リチウムポリマー電池、リチウム硫黄電池、アメリシウム電池、空気亜鉛電池、アルミニウム空気電池、マグネシウム電池、全固体電池、着脱式の車載電池、水素燃料電池、等々実に多くの電池が登場しています。

蓄電の仕組みには、比較的小さな環境負荷が存在するのも事実です。特に、電池には有害な化学物質が含まれているため、その廃棄が問題となります。しかし、鉛蓄電池は自動車用として普及しているため、ほとんどの国でリサイクルビジネスが盛んに行われています。鉛は毒ですが、高価で融点が低いので、電池から鉛を回収し、新しい電池に再生することは比較的容易で経済的な価値があります[9]。

2）「電力貯蔵技術と再生可能エネルギー：2030 年に向けたコストと市場」(IRENA、2017 年)

３）「圧縮空気貯蔵発電システムの利点と経済性」（電力中央研究所、1990年５月）、「クリーンエネルギー変換技術としての圧縮空気技術の課題と展望調査」（機械振興協会、2010年３月）
４）「Lift Energy Storage Technology: A solution for decentralized urban energy storage」（Julian David Hunt、2022年４月）
５）「NEW STONE AGE」Siemens
６）「The First Commercial Sand-based Thermal Energy Storage in the World Is in Operation」BBC News Visited Polar Night Energy
７）「Desert sand from UAE efficiently stores thermal energy」SCIENCE NEWS JAN. 7, 2016
８）NPO法人日本外断熱協会資料
９）「蓄電池システム（Vol.10）―定置用蓄電池の供給可能量と鉛蓄電池のコスト評価―」（2023年）

(3) エネルギーの貯蔵に関するイノベーション

1）全　体　像

国際再生可能エネルギー機関（IRENA）は、変動性再エネ（VRE）の大規模導入を促進するために系統柔軟性を高めることを喫緊の目標とし、最終目標はエネルギー部門の脱炭素化であるとして、世界各地で開発および実施されているイノベーションの事例を広範囲で詳細にまとめています[10)]。

「イノベーションの全体像」は、実現技術、ビジネスモデル、市場設計、系統運用の４部門に分け、それぞれ具体的に説明しています。

実現技術については、「インフラ開発の実現技術は、再生可能エネルギーの導入を促進するために重要な役割を果たす」ものを取り上げ、「これら技術により生み出される新たな価値を収益化し市場投入を実現するには、ビジネスモデルが不可欠である」とし、イノベーションを必要とする市場設計、電力系統へのVRE導入にあたっての系統運用について、多くの項目を取り上げています。

図7－3 実現技術におけるイノベーション

ここでは、図7－3に「実現技術におけるイノベーション」を示し、その中の「電力貯蔵」における「大容量蓄電池」と「ビハインド・ザ・メーター（需要家側）蓄電池」について紹介します。

2) 電力貯蔵のイノベーション

大容量蓄電池

大容量蓄電池は主に電力系統を補助するために利用されますが、再エネ電源と直接組み合わせることで、より制御可能で安定した電源を提供することもできます。

ビハインド・ザ・メーター（需要家側）蓄電池

エネルギーが利用される場所、もしくはそれに近接して置かれ、電力会社と需要家の間にある接続点の下流に位置し、通常、家庭や職場で利用されます。

大容量蓄電池ソリューションは、再エネの日内変動に対処することができ、次のような柔軟性をもたらします。

・供給側：蓄電池は、VRE 発電所*と組み合わせることで、出力変動に対してバランスを取ることができます。
・電力系統：蓄電池システムは、再生可能エネルギー電力の出力を安定させ、連系を促進させるという便益が見込まれます。
・系統混雑緩和蓄電池を用いて系統混雑を緩和し、電力網への投資の抑制を実現するものです。等々。

＊変動制再エネ（Variable Renewable Energy）発電所

かつて（2012年)、著者は「今“自然エネルギー社会”実現に向けた準備が、全国的（全世界的）に始まっている。この10年間は、自然エネルギーの“カンブリア大爆発*”になる。全ての自然エネルギー資源を使う各種動力技術の全面開花が始まる。」と書いたことがあります[11]。技術進歩（イノベーション）にかける努力は、ここでは「電力貯蔵」に関する一部の事例を紹介しただけですが、こうした壮大な努力が今現在全世界で展開されており、その成果は枚挙にいとまがない程です。

＊「カンブリア大爆発」とは、カンブリア初期に一斉に生物の体制が出そろった現象（諸説がある)。

3）長期蓄電・蓄熱

①長期蓄電

風力発電及び太陽光発電のシェアの増加（場合により70～80%）に伴い、日、週、月の単位で供給の変動を平準化する、長期電力貯蔵が極めて重要になります。長期電力貯蔵は、システムの高い柔軟性に加えて、揚水システムのように、エネルギーコストが低く放電速度が遅いものや長期にわたって電力を経済的に貯蔵する革新的な技術を必要とします

より長期にわたって太陽光発電や風力発電の変動を平滑化するには、電力貯蔵のみならず様々な解決策があります。例えば、バイオエネルギー発電所（固体またはバイオガス）を、「ピーク需要用」に使う方が経済的に現実的であ

ることもあります。大容量の発電所を、年間の比較的短い時間運転するのです。

また別の方法としては、VRE の余剰分で再生可能なメタンガスや水素を製造し、これを貯蔵して後の使用に備える方法もあります（電力を燃料にするアプローチ）。同様に、電力は高効率のヒートポンプで温熱または冷熱を提供することができ、エンドユーザーへの配電前にこれを短期間または長期間貯蔵（季節的熱エネルギー貯蔵）することもできます。熱エネルギーの貯蔵は電力貯蔵よりもはるかに安価なため、これは理にかなっています。

②長期蓄熱[12)]

季節間熱エネルギー貯蔵（STES：Seasonal thermal energy storage）は、最大数カ月の期間、熱または冷気を貯蔵するものです。熱エネルギーは、利用可能なときにいつでも集積でき、反対の季節の必要なときにいつでも使用できます。例えば、太陽熱集熱器の熱や空調設備の廃熱を暑い時期に集めて、冬季などの必要なときに暖房に利用することができます。

地下熱エネルギー貯蔵 UTES（underground thermal energy storage）

・ATES（aquifer thermal energy storage 帯水層熱エネルギー貯蔵）

ATES は、上下の不浸透性地層の間に含まれる深い帯水層に 2 つ以上の井戸を合計するダブレットで構成されています。ダブレットの半分は水の抽出用で、残りの半分は再注入用であるため、帯水層は水文学的なバランスに保たれ、正味の抽出はありません。蓄熱（または冷）媒体は、水とそれが占める基板です。

・BTES（borehole thermal energy storage ボアホール熱エネルギー貯蔵）

BTES は、掘削できる場所ならどこでも建設でき、直径 155mm（6.1 インチ）の 1～数百の垂直ボアホールで構成されています。あらゆる規模のシステムが構築されており、その中には非常に大規模なものも多数含まれています。地層は砂から結晶質の硬岩まで何でもあり、工学的要因に応じて深さは 50～300 メートル（164～984 フィート）になります。

・STES（cavern or mine thermal energy storage 洞窟または鉱山の熱エネルギー貯蔵）。

STES は、浸水した鉱山、専用のチャンバー、または放棄された地下石油貯蔵庫（ノルウェーの結晶質硬岩に採掘されたものなど）で、熱源と市場に十分に近い場合可能です。

・エネルギーパイリング Energy Pilings

大型ビルの建設では、BTES の店舗に使用されているものとよく似た BHE 熱交換器が、杭打ち用の鉄筋のケージ内にらせん状にされ、コンクリートが流し込まれています。その後、杭と周囲の地層が貯蔵媒体になります。

・GIITS（geo interseasonal insulated thermal storage）

一次スラブ床を備えた建物の建設中、暖房する建物のフットプリントとほぼ同じ領域、深さ＞1m は、通常、HDPE 独立気泡断熱材で６面すべてに断熱されます。パイプは、太陽エネルギーを断熱エリアに伝達し、必要に応じて熱を抽出するために使用されます。

地上および地上技術 Surface and above ground technologies

・ピットストレージ Pit Storage

貯蔵媒体として砂利と水で満たされた裏打ちされた浅い掘られたピットは、デンマークの多くの地域暖房システムで STES に使用されています。貯蔵ピットは断熱材の層と土で覆われ、農業または他の目的に使用されます。

・水による大規模な蓄熱 Large-scale thermal storage with water

大規模な STES 貯水タンクは、地上に建設し、断熱してから土壌で覆うことができます。

・水平熱交換器 Horizontal heat exchangers

小規模な設備では、波形プラスチックパイプの熱交換器をトレンチに浅く埋めて STES を作成できます。

・土塁敷きの建物 Earth-bermed buildings

周囲の土壌に受動的に熱を蓄えます。

・塩水和物技術 Salt hydrate technology

この技術は、水ベースの蓄熱よりも大幅に高い貯蔵密度を実現します。

10)「将来の再生可能エネルギー社会を実現するイノベーションの全体像：変動性再生可能エネルギー導入のためのソリューション」(IRENA、2019年)
11)「原子力技術の根本問題と自然エネルギーの可能性（下）第Ⅱ部　自然エネルギーの可能性」(『経済』2012年8月号)
12)「New Steps in Seasonal Thermal Energy Storage in Germany」(T. Schmidt and D. Mangold)「Solar District Heating with Seasonal Thermal Energy Storage in Germany」

(4) 第4世代地域熱供給[13)]

地域暖房システムの第一世代は、熱搬送媒体として蒸気を用いた「スチーム暖房」です。これらのシステムは1880年代にアメリカで初めて導入され、1930年までに確立された技術として、殆ど全ての地域暖房システムに使われました。

システムの第二世代は、熱搬送媒体として100℃を超える供給温度の加圧温水（pressurized hot water）を用いました。これらのシステムは1930年代に出現し、1970年代まであらゆる新しいシステムを支配しました。

システムの第三世代は、加圧水はまだ熱搬送媒体ですが、1970年代に導入されて、1980年代及びそれ以降に、拡張の大部分の全てを受け持ちました。供給温度はしばしば100℃以下です。代表的な構成要素は、組み立て式で、地中に直接埋設される前に断熱された配管、ステンレス鋼板の熱交換器を使用する簡易なサブステーション及び無駄のない原材料です。

これらの三世代にわたる傾向は、より低い温度、少ない物質構成要素、そして、建設現場での労働力削減の要求に導くプレハブ工法に向かいました。これらの方向に従って、地域暖房技術の将来の第四世代は、低い温度、組み立て指向の構成要素と柔軟なパイプの物質から成るはずです。

第4世代地域暖房（4GDH）システムは、従って、スマート熱グリッドによって、持続可能なエネルギーシステムの適切な発展を支援する理路整然とした技術的且つ制度的概念として定義されます。4GDH システムは、低いグリッド損失をもつ低エネルギー建物の熱供給を提供します。そこでは、低温熱源の利用が、スマート・エネルギーシステムの運用に統合されます。概念は適切なコストと動機付け構造を容易にするために、制度的且つ組織的枠組みの発展が必要です。

地域暖房技術の4つの世代の比較（図7－4）

夫々の世代の典型的な応用技術と最良の利用可能な技術の年代を例示しています。例えば、第4世代からの技術は、実現される先導プロジェクトによって、第3世代の間に見られることに注意して下さい。

同様の技術世代は、地域冷房システムについても定義されます。

第一世代は、19世紀後半に導入されたパイプライン冷房システムでした。それらは、分布流体（distribution fluid）として、冷却剤（冷媒）による中央集中型の凝縮器及び分散型蒸発器で構成されます。それらは、北アメリカとヨーロッパの両方の都市に出現しました。

第二世代は大型の機械式冷却装置及び分布流体として冷水を基に1960年代に導入された地域冷房システムとなりました。この第二世代のいくつかの最初のシステムは、ハートフォード、パリ外縁のラ・デファンス地区及びハンブルクに導入されました。

第三の技術世代は、吸収式冷凍機、熱回収を持つ（または持たない）機械式冷凍機、湖の自然冷気、余剰冷却流及び保冷を基にしたより分散型の冷熱供給（cold supply）を構成します。分布流体（distribution fluid）はまだ冷水です。これらの第三世代の設備の多くは、モントリオール議定書に従ってCFC＊系の冷媒が禁じられた1990年代に確立されました。

地域冷房システムの未来の第四世代は、電気、地域暖房及びガスグリッドによる相互作用する新しいスマート地域冷房システムと定義づけられます。

＊CFC：クロロフルオロカーボン

13）「4th Generation District Heating (4GDH): Integrating smart thermal grids into

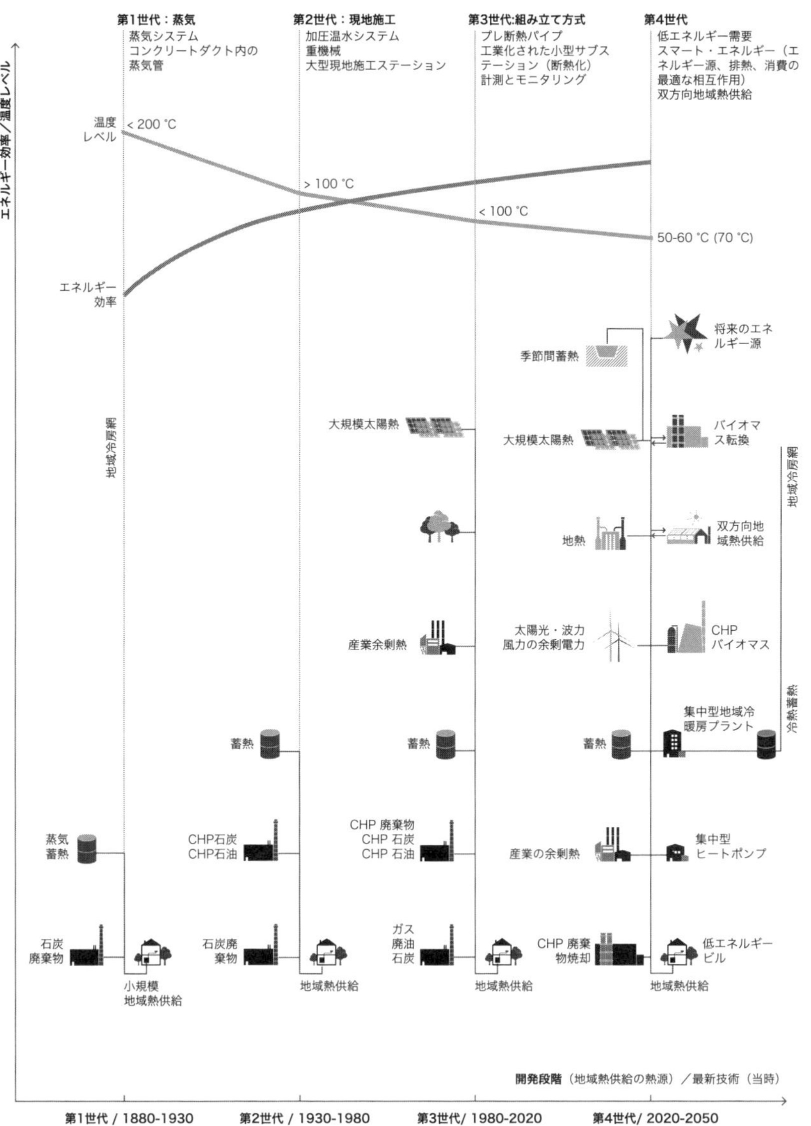

図 7－4　地域暖房技術の 4 つの世代の間の比較[13)]

future sustainable energy systems」(Energy、2014)

(5) 貯蔵エネルギー量

貯蔵量と貯蔵時間を図７－５に示します。

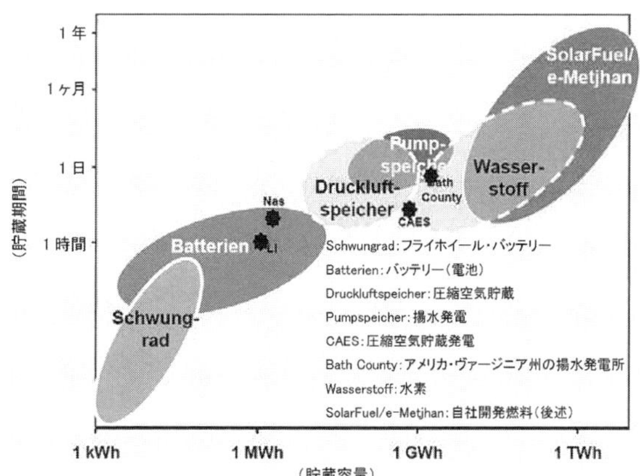

図７－５　電力貯蔵技術の貯蔵容量と貯蔵可能時間の比較

(6) コ　ス　ト

1) 新規電力貯蔵技術のコスト

新規電力貯蔵技術にはコスト削減の大きな可能性があります。固定式リチウムイオン電池の総実装コストは2030年までにさらに54～61％下がる可能性があります。

新規電力貯蔵技術にはコスト削減の大きな可能性があります。固定式リチウムイオン電池の総実装コストは2030年までにさらに54～61％下がる可能性があります。現在最大の電力貯蔵容量を持つのは揚水貯蔵ですが、これは設置場所に特有のコストがかかりますが成熟技術です。技術的な観点から言って、総実装コストを減らす可能性はほとんどなく、プロジェクト開発時間

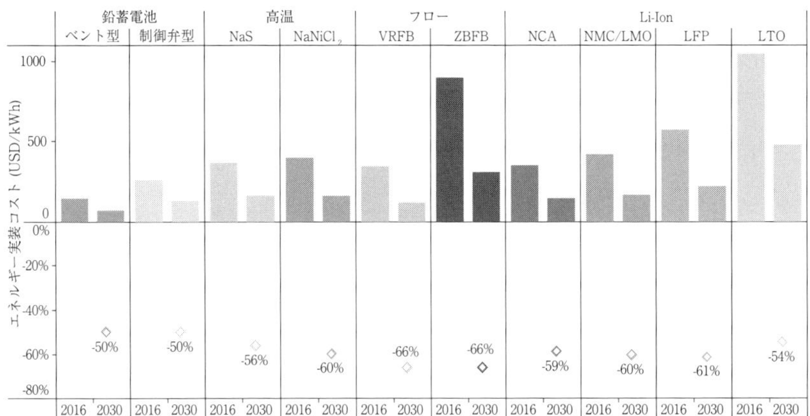

図7−6　2016年から2030年の電池式電力貯蔵システムの実装エネルギーコストの動向予測[14)]

は長くなりがちで、新規電力貯蔵技術のようにモジュール式ではないので小規模にすることもできません。

運輸用リチウムイオン電池のコストは2010年から2016年までに73％も下がりました。固定式リチウムイオン電池の実装コストは、EVで使われるものに比べて高くつきますが、これは充電・放電サイクルに課題が多く、電池管理システムとハードウェアにより費用がかさむからです。

ドイツでは、小規模のリチウムイオン電池システムの総実装コストは2014年第4四半期から2017年第2四半期にかけて60％下降しています。EV用リチウムイオン電池製造規模の拡大に乗じて、固定式コストは2030年までにさらに54～61％下がる可能性があります。このため固定式リチウムイオン電池の総実装コストも、電池の化学物質の構成によって、145米ドル/kWh～480米ドル/kWhに下がります（図7−6）。

規模の経済と技術の改善で資材の必要量が減少してコスト削減を押し進める一方、リン酸鉄リチウムイオン電池の例でも見られるように、コスト削減は製造バリューチェーンを通しても起こります（図7−7）。現在の開発規模は小さく、成長は早いので、こうした数字には不確定要素が大きく、それぞれの電池式蓄電技術類に係る数値は高くも低くもなる可能性があります。実装コストが下がるとともに、技術の継続的改良が性能の向上をもたらします。リチウムイオン電池の寿命は2030年までに約50%も伸びる可能性があります。同時に、電池の化学物質の構成によって充放電効率は数パーセント向上して、88%から98%になります。

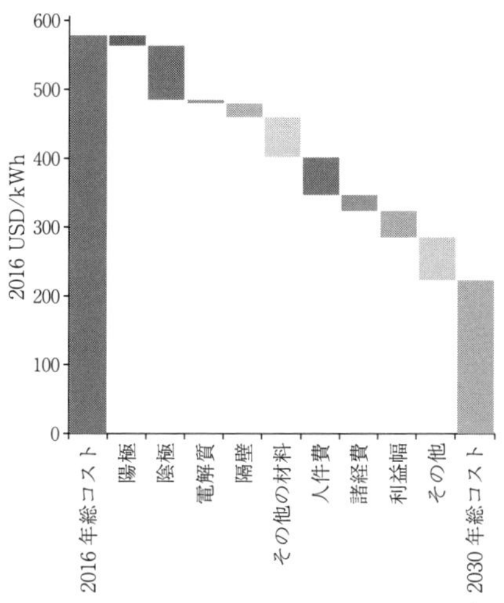

図7－7　リチウムイオン電池使用エネルギー貯蔵システムの要素毎のコスト削減可能性[14)]

2）貯蔵技術のエネルギー貯蔵への貢献比率

熱的電力貯蔵、電池、非揚水機械電力貯蔵技術は、世界で合計6.8GWのエネルギーを貯蔵しています（図7－8）。現在熱的エネルギー貯蔵アプリケーションはCSP（集光型太陽熱発電）に集中しており、貯蔵したエネルギーは夜間、場合によっては丸一日電力を供給しています。溶融塩技術は今日世界で実装されている電力用熱エネルギー貯蔵の4分の3を占めます、主要な商用ソリューションです。その他の機械的貯蔵は、これまでのところ比較的少数のプロジェクトでのみ実現されており、フライホイールの総実装電力容量が0.9GW、CAES*は0.6GWです。この両方で、2～3の大型プロジェクトが総実装容量の大半を占めています。

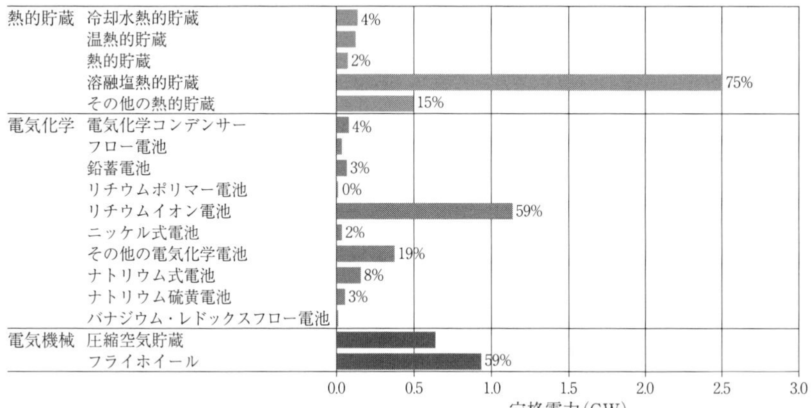

図7－8　熱的電力貯蔵、電池、非揚水機械電力貯蔵技術：世界のエネルギー貯蔵への貢献比率[14)]

＊CAES（Compressed Air Energy Storage）：圧縮空気エネルギー貯蔵

14)「電力貯蔵技術と再生可能エネルギー：2030年に向けたコストと市場」（IRENA、2017年）

第８章

地　　　熱

地球の持つ熱エネルギーは膨大なものであること、そして人類はそのほんの一部しか利用することはできていないことは意外と知られておりません。地熱は、太陽エネルギー由来の再エネ（太陽光や風力、水力、バイオマス）とともに、温室効果ガスを排出しない再エネとして、近い将来技術革新によって新たな展望が開かれることが想定されます。

本章では、地熱の源、地球内部の温度、地表への熱の伝わり方、利用等について紹介します。

(1) 地熱の源と地球内部の温度

1）地　熱　の　源

地熱は、大別して、一つは地球内部に保有される熱の意味、もう一つは、火山や温泉などに由来する地球表面に現れる熱の意味、として用いられています。

広く地球内部に保有される熱としての地熱の究極的源としては次の３つが考えられています。

①始源熱：始源地球の大きな凝集体が重力で自らつぶれることによって生じた熱。

②重力エネルギー：宇宙空間に薄く広がっていた物質が重力場のなかで寄り集まって塊を作ります。遠方から中心天体に落ちてくる物質は、重力

に引かれて速度が増し、運動エネルギーに転換します（これを、“重力エネルギーの解放”と言います）。物質は衝突によって加熱されるので、解放された重力エネルギーは最終的には大部分が熱エネルギーとなります。星が生まれるときに中心部で核反応が起きるまでに高温にしたり、ブラックホールの周りの降着円盤*を高温にしたりするのは、そこに落ち込む物質が解放する重力エネルギーであるとされています[1)]。

*ブラックホールなどの天体に周囲からガスが落ち込む場合、角運動量をもっているガスは主星にはまっすぐに落ちず、主星の周りにリングを形成し、それが広がって円盤になる。これを降差円盤という[1)]。

③放射性物質の自然崩壊による熱：最新の地球の熱モデルは、地球内部に存在する半減期の長い放射性同位元素であるウラン、トリウム、カリウムの崩壊により持続的に熱が発生しているとしています。

このような地球内部の原子崩壊と地球から宇宙空間に放射されている熱は平衡状態にはなく、地球はゆっくりと冷えているとされていますが、このプロセスの時定数は何百万年と非常に長く、42×10^{12}W の熱流量であると推定されています[2)]。

一方、火山活動、温泉、硫気孔など地球表面に局所的に現れる熱は、いずれもその源はマグマ活動にあると考えられています。地表の特定の地域において見られる熱は、マントル上部で発生し、マグマの地殻への上昇によりもたらされたものです。

地熱発電や温泉水の利用などはこのような熱を利用するものです。より深部にたくわえられた地下水はマグマで熱せられ、十分利用価値のある温度を持つ深層地熱水と呼ばれ、その利用も行われるようになっています。

2）地球内部の温度

地球内部の温度は、図8−1、表8−1に示すように、中心になるほど高温、高圧になっています。

地球内部において、深さが増すに従って温度が増加する割合（地温勾配）

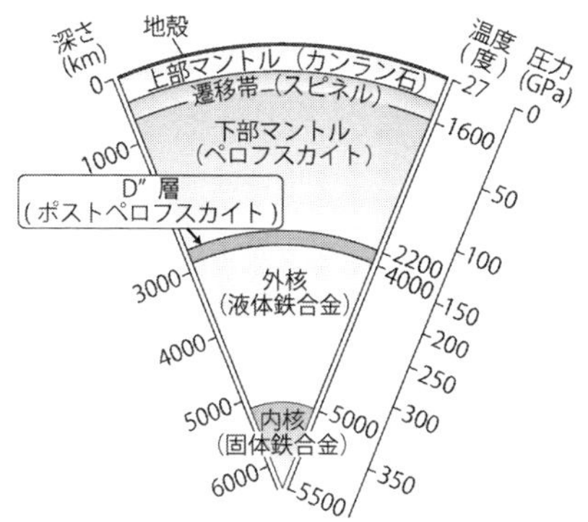

図 8－1 地球内部の構造と温度[3)]

は、10,000m を少し超える程度の深さまでは平均約 2.5〜3℃/100m です。例えば、地下 2〜3m の深さまでの温度は、ほぼ大気の年平均気温に等しく、15℃ 位ですが、2,000m の深さでは 65〜75℃、3,000m 深では 90〜105℃、そしてさらに 2,000〜3,000m 深くまでは同程度の勾配で温度が増加します。

地球は、大陸地域では 20〜65km の厚さ、海洋地域では 5〜6km の厚さの地殻、約 2,900km の厚さのマントル、そして半径約 3,470km の核(コア)から構成されています(図 8－1)。

地殻と上部マントルで構成される地球の一番外側の“殻”のことをリソスフェアと呼ばれ、剛体のように振舞い、その厚さは大陸地域で 200km 以上、海洋地域で 80km 以下になります(場所によって大きく異なります)。

リソスフェアの下厚さ 200〜300km に、剛体的でないアセノスフェアと呼ばれる部分があり、何百万年という地質学的時間スケールでは、流体に極めて近い振舞いをします。

地温勾配が平均値から大きく外れる地域があります。たとえば、地温勾配が 1℃/100m より小さくなる地域や、地温勾配が平均値の 10 倍以上になる地熱地域と言われる地域があります。

地下深部で高温、浅部で低温という温度差があると、温度の均質化作用が

表8－1　地球内部の層構造と圧力温度[4)]

層の名称	深さ	性状	圧力　温度
地殻	～6－60km	岩石	
上部マントル	－410km	岩石（カンラン石）	
遷移層	－660km	岩石（スピネル）	
下部マントル	－2,700km	岩石（ペロフスカイト）	
D“層”	－2,900km	（ポストペロフスカイト）	125万気圧　2,200℃
外核	－5,150km	液体（鉄合金）	
内核	－6,371km	固体（鉄合金）	
地球中心	－6,371km		364万気圧　5,500℃

＊ペロブスカイト perovskite, perofskite

＊D層：Bullenが地震波速度分布をもとに、地殻をA層、上部マントルをB層、マントル遷移層をC層、下部マントルをD層、外核をE層、核の遷移層をF層、内核をG層と名付けたことに由来する。

生れ、地下深部から浅部に向かう伝導的な熱の流れ（“地殻熱流量”）が生じます。大陸および海洋の平均地殻熱流量はおのおの65mW/m^{2}および101mW/m^{2}程度であり、それぞれの面積を考慮して平均値を求めると、地球全体の平均値は87mW/m^{2}となると計算されています。

1）「天文学辞典」

2）『地熱エネルギー入門【第2版】』（Mary H.Dickson, Mario Fanelli、日本地熱学会IGA専門部会訳・編、日本地熱学会IGA専門部会、2008年）

3）「人類未踏の地球内部へ高圧発生装置でマントルの流動特性を解き明かす」（山崎大輔、岡山大学惑星物質研究所惑星物質基礎科学部門）

4）「地球の内側はどうなっているか」（RIKEN SPring-8）の情報を追加

(2) 地表への熱の伝わり方

地球の内部構造を分けるのには、もう一つの方法があります。先述の分け方は「岩質（組成）」による分け方（化学的区分）でしたが、もう一つは、剛体であるかないかという力学的な違い（流動しやすさ）による分け方（力学的

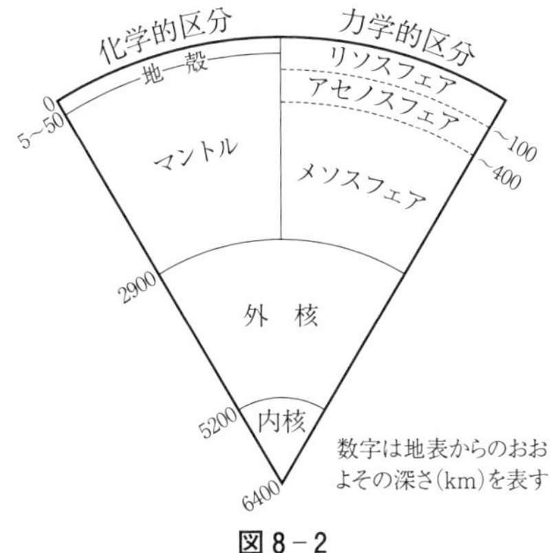

図8－2

区分）です。２つの分け方を対比した図８－２を示します[5)]。

1）地殻熱流量

地球の内核は最高温度約5,000℃に達するので、熱は、地表に向う地殻熱流量を発生しています。一方、溶けたマグマや熱せられた水の移動による対流が「局所的に」発生したり、放射性物質や発熱性化学物質の熱源が局所的に発生したりすると、局所的に異常な熱としても地表に伝わります。

この継続的な熱流は、地表環境における他の再エネ供給量に比べれば些細なものですが、ある特定の場所では、温度勾配が大きくなり、数平方キロメートル、深さ約5kmの範囲で利用することができる地熱資源となります。

地熱資源は、少なくとも20年間は、商業的に熱生産することができます。このような熱の取り出しは、時間と共に下のマントルから補充されます。

2）プレートテクトニクス

地球内部の熱は、地球が巨大な“熱機関”にたとえられる大きな現象も引き起こします。“プレートテクトニクス”と呼ばれる現象です。

アセノスフェアでは場所によって温度が異なるために対流が起こり、いくつかの対流するセルが数億年前に形成されました。対流は、地球の深部からもたらされる熱によって維持され、年間2～3cmという極めて遅い速度で動いています。これらの動きに伴い、周囲に比べ、より熱く低密度で軽い深部の岩石は地表に向かって運ばれます。一方、より冷たく高密度で重い岩石は地表近くから沈み込んで行き（沈み込み帯）、再加熱され、再び地表に上昇して来て、海嶺を形成します。沈み込んでいくリソスフェア物質の一部は溶融し、地殻の断裂を通して再び地表に上昇してきます。その結果、海溝と平行にたくさんの火山を持つ火山弧が、海嶺とは反対側に形成されます。

こうした巨大な地殻変動は、地球上に6個の巨大なリソスフェア（プレート）と数個の小さなリソスフェア（プレート）から構成される巨大なネットワークを形成しています。地球の熱機関により生じた巨大な張力と、リソスフェア物質を生産、消費する相反する営みにより、これらのプレートはお互いにぶつかり合うようにゆっくり移動し、絶えず位置を変えていきます。プレートの端は、弱くたくさんの断裂を持った地殻で構成されており、地震活動度が高く、また、多くの火山が分布しています。そして、非常に高温な物質の上昇により、高い地殻熱流量を持つという特徴もあります。

3）地熱の分布

大きなプレートで構成されている地殻においては、プレート境界で、マントルとの活発な対流熱接触があり、地震活動、火山、間欠泉、噴気孔、温泉などの減少が起こります。これらの地域では、水蒸気や過熱した液体として水が活発に放出されるため、地熱エネルギーの潜在力が非常に大きく、掘削によって利用される場合はかなりの圧力となります。

プレート境界から離れた局所的な領域では、地殻の組成や構造の異常により、温度勾配が約50℃/kmにまで緩やかに上昇することがあります。このような地域では、帯水層の深部への水の浸透とそれに続く対流によって、自然に熱が放出されます。その結果、溶存化学物質の濃度が高くなった温泉は、健康ランドとして利用できます。また、熱伝導率の小さい物質が存在する場合は、掘削によって深い帯水層を掘削し、50℃から200℃の熱源とすることができます。

5)「変化する地球を表す」(Webテキスト「測地学」、日本測地学会)

(3) 地熱資源の利用

高温地熱資源(＞150℃)の活用方法は発電です。中低温の地熱資源(＜150℃)は、多種多様に利用されます。地熱流体の利用方法を、温度別に分類して示しています。リンダル線図(図8－3)と呼ばれており、この分類は現在でも有効なものです。

20℃以下の流体は利用の機会が少なく、特殊な条件またはヒートポンプでしか利用されません。リンダル線図から、地熱資源の利用に関し、

①各温度域での段階的な使用や複合的使用によって、地熱プロジェクトの実現性を高めることができる、

②地熱資源の温度によって利用方法が制限されるが、地熱流体利用上の熱サイクル設計が既存のものより改良されれば、地熱資源の適応範囲が広がる可能性がある、

という2つの重要な点が読み取れます[2]。

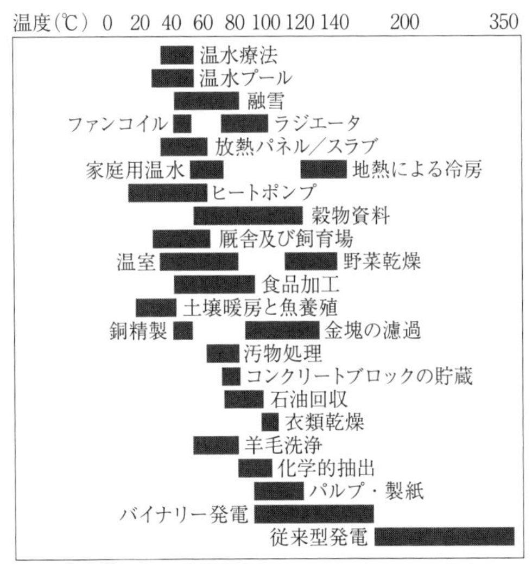

図8－3 地熱流体の利用方法を示すリンダル線図

1）地 熱 発 電

150℃ 以上の地熱はタービンによる発電が可能です。日本では、2020年3月現在で、70カ所以上の地点で地熱発電が行われており、その設備容量の総計は53万キロワットを超えています。一方、世界では、20カ国以上で地熱発電が行われており、その総計は約850万キロワットとなっており、現在も各国で建設が進められています。

世界第4位の活火山数をもち、世界第3位の地熱資源量（ポテンシャル）をもつ日本の地熱発電は、現在、世界第10位という低い導入量となっています。また、2030年に導入される予定の電源構成の目標のうち地熱発電の比率は1% 程度と低い目標値になっています。このような状況を打開して2050年カーボンニュートラル目指して、日本の次世代型地熱発電の開発が本格的に動き始めています。

地熱発電の特徴と発電の仕組みを整理すると次のようになります。

- 地熱発電は、火山帯の地熱を利用するため、昼間も夜間も、また季節変動もない安定電源であること。
- 日本は世界第3位の地熱資源量をもっており、国産エネルギーのため燃料コストが不要であること。
- 発電設備の寿命が長く、また2030年時点の設備利用率[5)]は83% と高い再生エネ電源であること（洋上風力は33.2%、事業用太陽光は17.2%）。
- 温室効果ガス排出量が少ないクリーンなエネルギーであること。
- 九州や東北など山間地をもつ地方自治体を活性化する、分散型ローカルエネルギーであること。

2）バイナリー発電

バイナリー発電所は今後大きく成長する見込みと言われています。米国で稼働している地熱発電所の容量2,558MW のうち、1,826MW が蒸気動力型、731MW がバイナリーサイクル動力型の発電所です。

バイナリー発電は、地中の水や蒸気が直接タービンに接触することはなく、地熱貯留層から送られてきた水がタービンを回す仕組みです。この水は、熱交換器を通して、より低い温度で沸騰する第二の液体を加熱し、蒸気にし、その蒸気でタービンを回して発電機を駆動します。地上の温水は圧入井から地中に戻され、第二の液体はタービンを経て再び熱交換器に戻され、再び使用されます。

蒸気発電からバイナリーサイクル発電に移行した理由は、バイナリープラントはより低温の貯水池で運転できるため、適地の選択肢は多くなることです。

熱水地域からの地熱発電は、安全で非常に信頼性の高い電力を、十分に競争力のあるコストで提供できることが証明されています。

電力会社にとって地熱発電の最大の長所は、ほぼ連続的にフル稼働で電力を供給でき、断続的なエネルギー源や有価なエネルギー源に依存しないこと、メンテナンスの必要性も低く、費用もかからないことです。

地熱発電所では、高温の岩石を破砕して積極的に冷却したり、高温の帯水層に穴を開けたりして、人工的に熱の流れを増大させているため、長期間の採掘率では再生可能とはいえないものです。

3) 低温の地熱利用

50～70℃ の低温の地熱は、建物やプロセスの熱に直接利用するか、従来の高温エネルギー供給源の予熱に利用するのが最適です。このような供給は、世界のいくつかの地域で確立されており、さらに多くのプロジェクトが計画されています。

【ヒートポンプ】

地表近くの地中や湖などの熱をヒートポンプの入力として利用するのが一般的です。

ヒートポンプというのは低温から高温へと自然の熱の流れに逆らって熱を動かす機械で冷蔵庫と同じです。これは“地熱”と解釈されるよりもこのような供給源は、太陽光による蓄熱と考える方が、より適切です。なぜなら、補給は下よりも上の環境から行われるからです。

【農業利用】

地熱流体の農業利用には、路地栽培と温室栽培とがあります。地熱水は、路地栽培では灌漑用または土の温度上昇に使われています。温水を利用して畑を灌漑する場合、大きな難点があります。地中埋設配管による地温調整と灌漑を組み合わせる方法で、パイプで土を暖めながら、灌漑を行う方法です。その場合、潅漑に用いられる地熱流体の化学成分が植物に悪い影響を与えないよう、慎重に監視する必要があります。

路地栽培での温度制御の利点は、①環境温度が低いことから生じる冷害の予防、②生育期間の延長、生育の促進、収穫量の増加、③土の殺菌効果、があげられます

地熱エネルギーの最も一般的な農業利用は、やはり温室利用です。多くの国で大規模に実施されています。野菜や花卉の季節外の栽培、または、栽培地の気候とは異なる気候条件での栽培ができるのは、これまでに実験を重ねた技術の成果です。植物の成長に最適な温度、光量、二酸化炭素濃度、土と空気の湿度、風量などから、最適生育条件を見つけることが可能になります。暖房費が生産コストの35％にもなることがありますが、温室暖房に地熱を利用することによって、かなりのコスト削減ができます。

【畜産業利用】

家畜飼育や魚類養殖も、環境温度条件の最適化によって量、質ともに生産を向上させることができます。多くの場合、地熱水は畜産と温室の組み合わせで有効に利用されています。動物飼育施設の暖房に要するエネルギーは、同面積の温室に必要とされるエネルギーの約半分であるため、熱エネルギーのカスケード利用（段階利用）ができます。温度制御された環境での飼育は、動物の健康管理にも良く、高温の熱水は、動物小屋や排泄物の掃除、消毒、乾燥にも利用できます。

【魚介類養殖】

陸上の生き物より水中の生き物は温度管理が重要です。人工的に最適温度を維持することで、外来種を養殖したり、生産を増やしたり、時には倍増さ

せることも可能です。

例えば、ワニも観光や皮革を目的にして養殖が行われています。米国では、自然界では3年間で1.2mにしか成長しないワニを、30℃の環境で飼育すれば2mの大きさまで成長することがわかりました。

【水槽飼育】

水槽飼育の環境温度は普通20～30℃の範囲です。設備の規模は、地熱流体の温度、水槽の飼育温度や熱損失により変わります。

螺旋藻の飼育も養殖の一種とされています。これは単細胞で、螺旋形をした青緑色の微小藻であり、スーパーフードとも呼ばれることもあります。既に温帯の国々では、通年に渡って螺旋藻の生育に必要とする熱を地熱エネルギーによって供給することに成功していいます。

【工業利用】

地熱流体は、蒸気状態や熱水状態と、その温度幅が大きいため、その利用形態はさまざまで、工業用製品加熱（Industrial process heating）、蒸発、乾燥、蒸留、殺菌、洗浄、除氷、塩抽出などがあります。

コンクリートの養生、水や炭酸水の瓶詰、製紙、自動車部品製造、石油の回収、牛乳の殺菌、皮革産業、化学的利用、二酸化炭素抽出、洗浄、珪藻土の乾燥、パルプ・紙の処理、ホウ酸・ホウ素生産、低温の地熱流体による滑走路の除雪、除氷や霧防止など多用途に利用できます。

(4) 経済性と環境影響の評価

1) 経　済　性

コスト試算する際に考えなければならない要素は、バイオマスのエネルギー利用と同様に、数も多く複雑です。

地熱資源を利用したプラント（地熱動力を利用した施設）は、生産井、地熱流体輸送パイプライン、利用プラントによって構成され、それにしばしば還元井も加わります。これらすべての要素の相互関係は、投資コストに強く影響しますので、注意深く分析しなければなりません。

通常、地熱プラントの初期建設コストは、同容量の一般火力プラントに比べて高く、遥かに高いこともしばしばです。逆に、運転コストは、一般火力プラントより遥かに安く、このコストは、プラントの地熱特有の部分（パイプライン、弁、ポンプや熱交換器等）の保守コストに相当しています。高い初期建設コストは、運転コストの節減分により回収が可能です。従って、プラントを設計する際は、初期投資額を償却するのに充分な耐久性があり、そして可能であれば、更に長く利用できるように設計すべきです。

2）環　境　影　響

地熱利用にともなう環境影響はその利用規模に比例して大きくなります。

地熱開発において環境影響が最初に顕在化するのは坑井の掘削時です。坑井は、地熱徴候や地温勾配を調査するための小坑径で浅いものから、深部の地熱貯留層の評価や地熱流体の生産のための大坑径で深いものまであります。坑井の掘削設備や関連機器を設置するために、取り付け道路の整備や敷地の造成が必要になります。通常、掘削深度が最大300～700m級のトラックマウント型の掘削設備では300～500m^2の敷地が、2,000m級の中規模の掘削設備では1,200～1,500m^2の敷地が必要になります。これらの道路の整備や敷地の造成は地形の変更や野生生物への影響を伴うことになります。

地熱井の掘削では地下が高温高圧であるため、坑井が暴噴し地表面の汚染を起こすことがあります。そのようなことが予想される場合には、あらかじめ掘削設備に暴噴防止装置を取り付けておく必要があります。また、坑井の掘削あるいは試験中に好ましくないガスが大気に放出されることもあります。これら掘削に伴う環境影響は掘削が終了すれば終息します。

地熱利用プラントの運転中もいろいろな環境影響が生じ得ます。熱水や蒸気などの地熱流体は一般に、二酸化炭素（CO_2）、硫化水素（H_2S）、アンモニア（NH_3）、メタン（CH_4）等のガス成分を含み、また、温度によって溶解度が増すような溶存化学成分を含んでいます。例えば、塩化ナトリウム（NaCl）、ホウ素（B）、砒素（As）、水銀（Hg）等は、それが環境に放出された場合、公害の原因となります。

第9章

海洋資源

(1) 概　　要

海（海洋）は、地球の表層部の約71.1％を占め、面積は約3億6,282万 km^2 で、陸地の約2.46倍の広さを占め、平均水深が3,729m、総量約13億4,993万 km^3 の海水に満たされています。そこには、微生物、魚類、クジラや海獣などの哺乳類まで膨大な種類・数の生物が棲息し、「すべての生命の母」、「母なる海*」と呼ばれてきました。膨大な生物資源量（バイオマス）の存在は、海中での食物連鎖に加えて、人類を含めた陸上の生き物を支える役割も果たしています。

*「母なる海」：胎児を包む羊水は、海水とほとんど同じであることから、「生命が海で生まれた」と考えられることが根底にあるとされている（「海」という漢字に「母」が入っているからは俗説）。対語として「父なる大地」「父なる天（空）」と言ったシンボリックな表現もある。

海中の植物プランクトンや海藻は、光合成により生物の呼吸に必要な酸素を供給し、その量は大気中の酸素の50～85％とも考えられています。地上の植物には肥料として窒素・燐酸・カリウムを施すことが必要ですが、海水中では窒素・燐酸とカリウムの代わりに珪素が必要となります。（陸地では珪素は地中に大量に存在するので肥料として施す必要は無い逆に海洋ではカリウムは水中に大量にあるが珪素は少ない）。

暖流・寒流と呼ばれる海流の他、表層の水が冷やされて深いところに沈みこんだり、それがゆっくりと湧き上がったり、グリーンランドや南極周辺で作られる冷たく塩分の濃い（比重が大きい）海水は深く沈み込み、深層流となって地球全体を巡っている塩分による密度差も関係した3次元的な、約1,000年かけて行われる地球規模の大循環もあります。

赤道近くの海の表面は太陽の光を受けて温められ、大量の水蒸気を発生します。1年間に海から蒸発する水量は50.5万km^3と見積もられており、台風の発生など地球の気象に大きな影響を及ぼしています。海は大気の1,000倍もの熱容量を持っていて、海水温の変化が及ぼす大気への影響は絶大です。

蒸発した水量の91％は直接海上に降水しますが、残りの9％が陸地に雨や雪として降水し、河川や氷河、地下水を経由して最終的には海に戻ります。

このように、海（海洋）は、地質学的、化学的、物理学的、生物学的な多様な物質的基盤と現象に根差す壮大な内容を有し、資源的・エネルギー的にも豊潤さに満ちています。

“海洋立国”の実現を目指そうと、2007年に「海洋基本法[1)]」が制定され、同基本法にもとづいて、翌2008年に「海洋基本計画」が策定されました。これは、海洋に関する施策の方向性を示しているもので、5年ごとに見直しがおこなわれています。計画の中では、日本の近海にある海洋エネルギー・鉱物資源の開発についての目標がさだめられており、その目標を達成するための計画として「海洋エネルギー・鉱物資源開発計画」が作成されています。

2018年5月には、「第3期海洋基本計画[2)]」が策定されました。そこで「海洋エネルギー・鉱物資源開発計画」についても、改定案を作成することになりました。

「海洋エネルギー発電は、まだ世界的に研究開発および実証研究段階であるものの、欧州を中心にデバイスの複数機配列や大型化などの検討が進められており、事業化前の段階にあると位置付けられる[3)]」

「海洋環境における他の大規模な開発と同様に、潜在的な環境への影響については不確実性が伴い、そのほとんどは、デバイスの多くがまだ配備およびテストされていないこともあり、適切に評価されていません。[4)]」

本章では、「海洋資源」を「海洋エネルギー」の観点から整理し、「地域資源」にどう位置づくか考えてみます。しかしながら、「地域資源」という枠組みでは収まりきらないことも踏まえておくべきです。

1）「海洋基本法」
2）「第３期海洋基本計画」
3）「再生可能エネルギー技術白書　第６章　海洋エネルギー」（NEDO）
4）Environmental and Ecological Effects of Ocean Renewable Energy Development: A Current Synthesis「海洋再生可能エネルギー開発の環境的および生態学的影響：現在の統合」（著者訳）（Oceanography、2015）

⑵ 海洋資源の分類

海洋資源は、鉱物資源、溶存資源、エネルギー資源、それに生物資源に分類されます。再生可能と考えられる海洋資源は図９－１及び図９－２に示すように大きくは物質資源とエネルギー資源に分けることができます。

エネルギー資源は波浪、潮汐、海流、海洋深層水の冷熱エネルギーのほか海洋空間に照る太陽エネルギーがあげられます。

バイオマスとして、魚類、海藻など、食糧資源として古来利用されているものもあります。

さらに、物理的なエネルギー資源に対し、化学物質の形で貯えているエネルギーを利用する物質群（海水溶存資源など）があります。

こうして、太陽光＋風力＋バイオマス（ブルーカーボン）など、陸上における資源と同様な対象（全ての自然エネルギー）が対象になります。

経済的価値のある在来型資源に対して、現状では経済性が認められない非在来型資源（あるいは未来資源）という分類法もあります。たとえば、海底熱水鉱床、マンガン団塊、メタンハイドレート、それに海水や海流を利用する

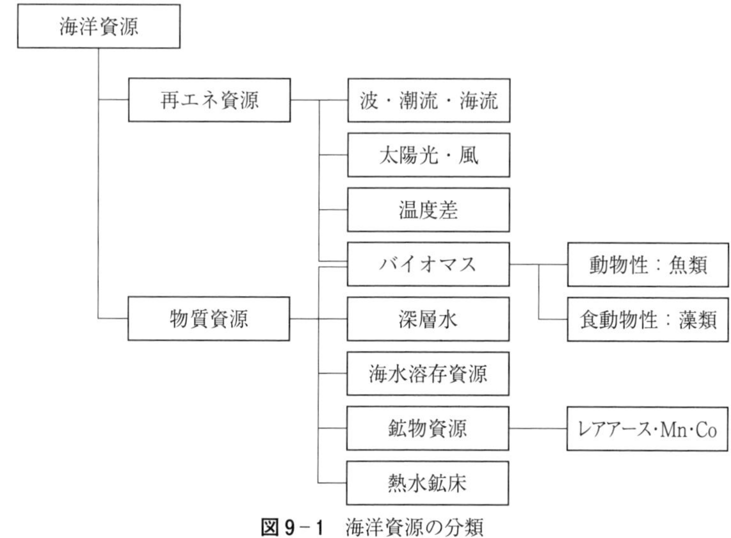

図9－1　海洋資源の分類

エネルギー資源などが、非在来型あるいは未来資源に相当するものです。

(3) 海 洋 資 源

「海洋資源」とは、海洋に存在して技術的に回収･採掘可能であり、かつ経済性が成り立つことによって、人間が有効利用できる資源・エネルギーのこととされています[5)]。

しかし資源量把握や回収･採掘の技術開発等に困難が伴い、「資源」と定義づけられないものが多くあります。

「海洋エネルギー資源」とは、海の力を有効活用することで得られる、化石燃料に代わる環境にやさしいエネルギーを指します。海洋エネルギーは再エネの宝庫です。

5）「海洋資源の活用をめざして、『海洋エネルギー・鉱物資源開発計画』を改定」（資源エネルギー庁、2019年）

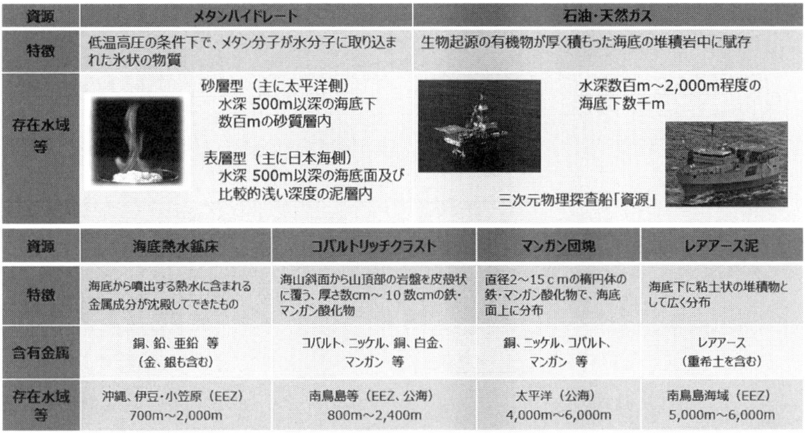

資源	メタンハイドレート	石油・天然ガス
特徴	低温高圧の条件下で、メタン分子が水分子に取り込まれた氷状の物質	生物起源の有機物が厚く積もった海底の堆積岩中に賦存
存在水域等	砂層型（主に太平洋側） 水深 500m以深の海底下 数百mの砂質層内 表層型（主に日本海側） 水深 500m以深の海底面及び 比較的浅い深度の泥層内	水深数百m～2,000m程度の 海底下数千m 三次元物理探査船「資源」

資源	海底熱水鉱床	コバルトリッチクラスト	マンガン団塊	レアアース泥
特徴	海底から噴出する熱水に含まれる金属成分が沈殿してできたもの	海山斜面から山頂部の岩盤を皮殻状に覆う、厚さ数cm～10数cmの鉄・マンガン酸化物	直径2～15ｃｍの楕円体の鉄・マンガン酸化物で、海底面上に分布	海底下に粘土状の堆積物として広く分布
含有金属	銅、鉛、亜鉛 等 （金、銀も含む）	コバルト、ニッケル、銅、白金、 マンガン 等	銅、ニッケル、コバルト、 マンガン 等	レアアース （重希土を含む）
存在水域等	沖縄、伊豆・小笠原（EEZ） 700m～2,000m	南鳥島等（EEZ、公海） 800m～2,400m	太平洋（公海） 4,000m～6,000m	南鳥島海域（EEZ） 5,000m～6,000m

海洋エネルギー	メタンハイドレート	「メタンガス」が水分子と結びつき、氷状の物質となったもの 温度が低く圧力が高い環境で存在するため、水深の深い海底や極地の凍土地帯に分布していて、日本の周辺海域にも存在	分布と海底の状況を把握の調査、海域の環境の調査、海洋の環境を保全
	石油・天然ガス		詳細な地質情報取得
海洋鉱物資源	海底熱水鉱床	銅、鉛、亜鉛、金、銀など、さまざまな金属成分が含まれており、日本周辺では、沖縄や伊豆・小笠原の海域に発見	資源量については不明なことも多い 質・量ともに経済価値の高い鉱床を確保するための調査
	コバルトリッチクラスト	南鳥島周辺の海域には、日本の排他的経済水域内や、国際海底機構（ISA）との契約により、日本が排他的探査権を得ている公海域に有望なコバルトリッチクラストの存在が確認	資源量調査や環境調査 国際的なルールづくり
	マンガン団塊	太平洋の深海に広く分布	
	レアアース泥	南鳥島周辺の海域に存在	

図 9－2 「海洋エネルギー・鉱物資源」の内容

(4) 海洋再エネ開発がもたらす環境的・生態学的影響[6)]

海洋再エネ開発（ORED）*については、深海や海洋まで手を伸ばさなければエネルギー確保ができないか、十分検討すべきです。

＊ORED：ocean renewable energy development

このことを踏まえた上で、風力、波浪、潮汐、海流、温度勾配など、多様な海洋再エネの開発がもたらす環境的、より具体的には生態学的影響の性質及びこれらの影響がどのように現れるかについての知識の現状や不確実性について考察が必要です。

予想される影響の多くは、海洋環境の開発と共通していますが、海洋エネルギー変換に比較的固有であり、利用されるエネルギーの種類、個々のデバイスの種類、または海洋システムにおけるエネルギーの削減に固有な影響もあります。多くの潜在的な影響は避けられませんが、測定可能であり、慎重なデバイス開発とサイトの選択を通じて、他の影響を最小限に抑えることが必要です。しかし、開発の規模は累積的な影響につながります。再エネの開発者、規制当局、科学者、エンジニア、海洋関係者は、クリーンな再エネと健全な海洋環境という共通の２つの目標を達成するために協力しなければなりません。

それぞれのOREDには、異なる受容体に影響を与える関連するストレス要因があります。影響は、スケールや受容体によって異なります。影響を及ぼすのに十分な影響がある場合、それらの影響は、個体群から生物学的・物理的プロセスまで、様々なレベルにわたって適用される可能性があります。累積的影響は、影響に対する付加的な次元として考慮されなければならず、他の人為的影響によるストレッサーを考慮しなければなりません。

異なるスケールを含む海洋再生可能エネルギーの環境影響を考慮するための枠組みを図９−３に示します。

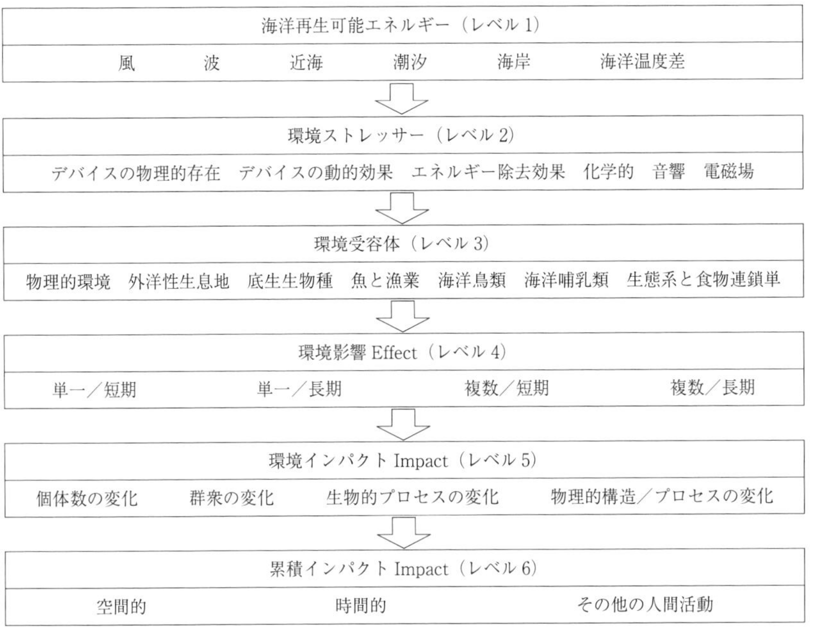

図9－3　異なるスケールを含む海洋再生可能エネルギーの環境影響を考慮するための枠組み[6)]

＊Effect と Impact は、2つの用語はしばしば「影響」と訳され、同じ意味と使われるが、「影響 Effect」は影響の大きさや重要性を示さないのに対し、「影響 Impact」は暗黙のうちに影響の重大性、強度、持続時間を扱う。ORED を検討する場合、効果と影響の区別は極めて重要である。

6）Environmental and Ecological Effects of Ocean Renewable Energy Development Oceanography Vol 23. 2010

(5) ブルーカーボン

ブルーカーボンというのは比較的、新しい言葉で耳慣れない用語です。これは2009年に出版された国連環境計画（UNEP）の通称「UNEP 報告書[7)]」で初めて用いられた造語で、アマモに代表される海草が作る藻場や塩性湿地、マングローブ林の様な沈水沿岸生態系（「ブルーカーボン生態系」と呼ばれる）が貯留、隔離する炭素を意味します。海洋が吸収する炭素を陸上の森林や植生が吸収、固定する炭素を意味するグリーンカーボンと区別するため、ブルーカーボンと名付けられました。

1）ブルーカーボン生態系の特徴

ブルーカーボン生態系は、表9-1に示すような、太陽光が届く浅瀬に生育する植物が作り出す「藻場」です[8)]。

表9-1　ブルーカーボン生態系の内容

海草（うみくさ）藻場	アマモ、スガモ等、主に温帯～熱帯の静穏な砂浜、干潟の沖合の潮下帯に分布
海藻（うみも）藻場	コンブ、ワカメ、主に寒帯～沿岸域の潮間帯から水深数十ｍの岩礁海岸に分布
湿地・干潟	海岸部に砂や泥が堆積し勾配がゆるやかな潮間帯の地形、水没～干出を繰り返す
マングローブ林	熱帯、亜熱帯の河川水と海水が混じりあう汽水域で砂～泥質の環境に分布、国内では鹿児島県以南の海岸に分布

2）ブルーカーボンのメカニズム

ブルーカーボン生態系による隔離・貯留のメカニズムは、大気中のCO_2が光合成によって浅海域に生息するブルーカーボン生態系に取り込まれ、CO_2を有機物として隔離・貯留します。また、枯死したブルーカーボン生態系が海底に堆積するとともに、底泥へ埋没し続けることにより、ブルーカーボンとしての炭素が蓄積されます。岩礁に生育するコンブやワカメなどの海藻においては、葉状部が潮流の影響により外洋に流され、その後、水深が深い中深層に移送され、海藻が分解されながらも長期間、中深層などに留まることによって、ブルーカーボンとしての炭素は隔離・貯留されます[8)]。

3）ポテンシャル

陸域での炭素の吸収は19億ｔ－c。（森林など植物による「吸収」から、森林伐採など開発による「排出」などを差し引いた数値）。人間の活動で、年間96億

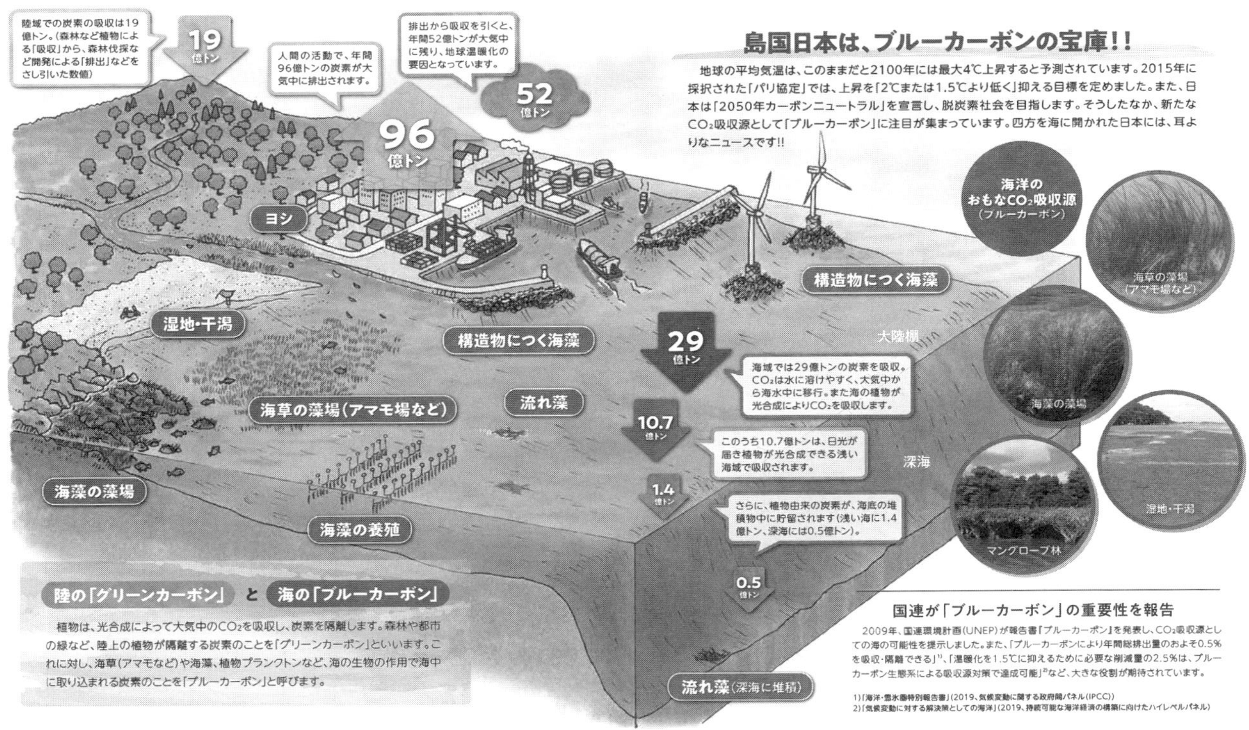
島国日本は、ブルーカーボンの宝庫!!
地球の平均気温は、このままだと2100年には最大4℃上昇すると予測されています。2015年に採択された「パリ協定」では、上昇を「2℃または1.5℃より低く」抑える目標を定めました。また、日本は「2050年カーボンニュートラル」を宣言し、脱炭素社会を目指します。そうしたなか、新たなCO₂吸収源として「ブルーカーボン」に注目が集まっています。四方を海に開かれた日本には、耳よりなニュースです!!
陸域での炭素の吸収は19億トン。(森林など植物による「吸収」から、森林伐採など開発による「排出」などをさし引いた数値)
19 億トン
人間の活動で、年間96億トンの炭素が大気中に排出されます。
96 億トン
排出から吸収を引くと、年間52億トンが大気中に残り、地球温暖化の要因となっています。
52 億トン
ヨシ
湿地・干潟
構造物につく海藻
構造物につく海藻
海草の藻場（アマモ場など）
流れ藻
海藻の藻場
海藻の養殖
29 億トン
海域では29億トンの炭素を吸収。CO₂は水に溶けやすく、大気中から海水中に移行。また海の植物が光合成によりCO₂を吸収します。
10.7 億トン
このうち10.7億トンは、日光が届き植物が光合成できる浅い海域で吸収されます。
1.4 億トン
さらに、植物由来の炭素が、海底の堆積物中に貯留されます（浅い海に1.4億トン、深海には0.5億トン）。
0.5 億トン
大陸棚
深海
流れ藻（深海に堆積）
海洋のおもなCO₂吸収源（ブルーカーボン）
海草の藻場（アマモ場など）
海藻の藻場
湿地・干潟
マングローブ林
陸の「グリーンカーボン」と海の「ブルーカーボン」
植物は、光合成によって大気中のCO₂を吸収し、炭素を隔離します。森林や都市の緑など、陸上の植物が隔離する炭素のことを「グリーンカーボン」といいます。これに対し、海草（アマモなど）や海藻、植物プランクトンなど、海の生物の作用で海中に取り込まれる炭素のことを「ブルーカーボン」と呼びます。
国連が「ブルーカーボン」の重要性を報告
2009年、国連環境計画（UNEP）が報告書「ブルーカーボン」を発表し、CO₂吸収源としての海の可能性を提示しました。また、「ブルーカーボンにより年間総排出量のおよそ0.5%を吸収・隔離できる」1)、「温暖化を1.5℃に抑えるために必要な削減量の2.5%は、ブルーカーボン生態系による吸収源対策で達成可能」2)など、大きな役割が期待されています。
1)「海洋・雪氷圏特別報告書」（2019、気候変動に関する政府間パネル（IPCC））
2)「気候変動に対する解決策としての海洋」（2019、持続可能な海洋経済の構築に向けたハイレベルパネル）

図9－4　炭素循環図[9)]

t−cの炭素が大気中に排出されます。排出から吸収を引くと、年間52億t−cが大気中に残り、地球温暖化の要因になっています。海域では29億t−cの炭素を吸収。CO_2は水に溶けやすく、大気中から海水中に移行。また海の植物が光合成によりCO_2を吸収します。このうち10.7億t−cは、日光が届き植物が光合成できる浅い海域で吸収されます。さらに、植物由来の炭素が、海底の堆積中に貯留されます（浅い海に1.4億t−c、深海には0.5億t−c）。

（これらの数値には数億t−c/年程度の誤差を含みます）

表9−2 海を利用した気候変動緩和策としてのブルーカーボンの持つポテンシャル[10)]

海洋基盤の気候行動	2050年での緩和ポテンシャル（$GtCO_2$/年）
海洋基盤再エネ	0.76〜5.40
海運業	0.9〜1.80
沿岸及び海洋生態系	0.50〜1.38
漁業・養殖及び食生活の変化	0.48〜1.24
海底での炭素貯留	0.52〜2.0
総計	3.14〜11.82
1.5℃ 目標への貢献	6〜21%
2℃ 目標への貢献	7〜25%

7）国連環境計画（UNEP）の報告書（2009年）

8）「海洋による二酸化炭素吸収量（全球）」（気象庁）

9）「ブルーカーボンが地球を救う⁉」（パンフレット「海の森　ブルーカーボン」、国土交通省、2023年更新より）

10）「国際的な海洋世論の中でのブルーカーボン」より

第10章
食　料

国連食糧農業機関（FAO）の報告書[1]によると、新型コロナウイルス流行や度重なる気候危機、ウクライナでの戦争を含む各地での紛争の影響で、世界で飢餓に直面している人口は、2021年の時点で約8億2,800万人になっていると報告しています。

今や全世界の課題となっている食料危機の主な原因は、パンデミック（伝染病等が世界的に感染拡大すること）、自然災害（地震や台風、津波、豪雨や酷暑等の異常気象）、紛争（ウクライナの戦争）、貧困などです。

日本は食料自給率が低く、食料を海外からの輸入に頼っている国であることに加えて、地震や台風、豪雨による洪水や土砂災害等、自然災害が多い国であり、他人ごとではありません。

(1) 世界と日本の動向

1) 世界の動向：国際連合レポートが指摘するもの

国際連合持続可能な開発に関するグローバル・レポート[2]には、次の記述があります。

「2050年まで、そしてそれ以降も増加する世界人口を養うために、現在のような食料システムを拡大することは、全体に関わる大きな懸念事項である。旧態依然のやり方（business-as-usual＝以下、BAU）シナリオの下では、推定で6億3,700万人が栄養不足になり、生産の増加に伴う環境への影響は、SDGs達成の機会を排除すると予想される。さらに、害虫や作物の病気は、世界の食料供給をリスクにさらす。しかし、化学物質の投入量を増やしてそれらを管理しようとすると、多くの環境関連のSDGs目標の達成を危うくすることになる。

したがって、グローバル食料システムが将来的に世界の人口のニーズを持続的かつ公平に満たすためには、BAUの経路に沿って現在の農法を拡大することは選択肢とならない。ただし幸いなことに、食料システムを持続可能な軌道に移行するという課題は克服できないものではない。最近の研究では、環境への影響を大幅に削減しながら、90〜100億人の世界人口に栄養価の高い食料を供給できる食料システムが紹介されている。持続可能な食料システムへの移行には、技術革新、経済的インセンティブの戦略的活用、新しい形態のガバナンス、そして価値と行動の変化が必要である。

世界の植物生産システムによって生産される農産物の量、品質、価格は、化学肥料と害虫や雑草の制御に大きく依存している。そのため、食料生産方法の技術革新は、環境に優しく健康的な生産システムに移行するための前提条件である。ただし、技術だけでは移行を実現できない。栄養のある食料へのより公平なアクセスを世界的に可能にし、生態学的農法*を促進するためには、政策的、制度的、文化的変革が必要である。」

＊生態学的農法：地元や先住民族の文化と知識に深く根ざし、中小規模の農場に基礎を置く農業のこと。それらの農場は、時間的・空間的な多様性を持ち、環境ストレスに強く抵抗することができる地元に適応した品種や系統を有している。また、生態学的農業は、多くの開発途上国で、劣化した土壌や悪天候の影響を克服するのに役立つことが証明されている。「生態系農業」、「生態学から見た有機農業」などとも呼ばれ、「有機農業（オーガニック農業）」や「不耕起農業*」が該当する[3)]。

＊不耕起農業：「農業とは土を耕すこと」と教えられてきた私たちの多くは、未来の農業の在り方の一つに「耕さない農業」があることを知って驚くかと思う。「地下30cmまでの深さの土の中にいる微生物と動物を合わせた生物量は、同じ面積の地上にいる微生物と動物の量の100倍」で、「最も多様な生物が密集して生息している場所」と言われている。人類が最初に、細長い棒を使って自ら土を耕し始めたと言われる紀元前6000年頃から、1万年近い年月の後にたどり着いた農法である。

2) 日本の動向：農業基本法の改正

農政の基本理念となる「食料・農業・農村基本法」の改正案が2024年通常国会に提出されると報道されています。1999年の施行以来、初の改正となります。

先立って出された「食料・農業・農村政策審議会　答申」[3]から、再エネに係る内容を見てみます。

「答申」第2部の「4　環境分野」

現行の「基本法」の基本理念の一つとして位置づけられている「農業の多面的機能*」の重要性を踏まえて、「農業による温室効果ガスの排出削減、生物多様性の喪失の防止等、環境への負荷を低減するための取組についても基本的施策に位置付け、環境に配慮した持続可能な農業を主流化する必要がある。なお、食料供給の観点から重要な水産資源についても持続性や環境負荷軽減に着目した取組が重要である。

また、このような農業における環境負荷低減の取組の多くは、食料生産に関わるものであるが、バイオマスエネルギー作物の生産、農村における再生可能エネルギー発電等、食料生産以外の取組もあることに留意する必要がある。」「①持続可能な農業の主流化　農業の持続的な発展に関する施策において、有機農業の大幅な拡大、水田農業や畜産業におけるメタンや一酸化二窒素、二酸化炭素等の温室効果ガスの排出削減、生物多様性の保全に配慮した農業の推進」「②食料供給以外での持続可能性　地球的な環境課題に対応するため、食料供給との調和に配慮しつつ、農作物残渣や資源作物等の国産バイオマス原料に関する需要サイドとの連携や研究開発といった取組等を推進する。また、これらの資源を活用した活動を支えるため、農村での再生可能エネルギーによる発電・熱利用を推進する。」

＊農業の多面的機能とは、「農業活動が食料や繊維の供給という基本的機能を超えて、景観を形成し、国土保全や再生可能な天然資源の持続的管理、生物多様性の保全といった環境便益を提供し、多くの農村地域の社会経済的な存続に貢献し得ること」

1）「2023年世界の食料安全保障と栄養の現状（SOFI）」: 飢餓人口は依然としてコロナ前よりはるかに上回っている
2）「国際連合　持続可能な開発に関するグローバル・レポート2019　未来は今：持続可能な開発を達成するための科学〈抄訳版〉」（日本語翻訳：公益財団法人地球環境戦略研究機関（IGES）、監修：国際連合広報センター）
3）「食料・農業・農村政策審議会　答申」（2023年9月）

(2) 農業におけるエネルギー

1）農業の一次生産での直接エネルギー消費量

植物は、太陽エネルギーを唯一のエネルギー源とする光合成によって、土壌の水と栄養素、空中のCO_2を取り込み、自らの体内に物質として蓄え（独立栄養)、他の全ての動物の食物となって、生き物の命を支えてきました（食物連鎖）（本書第4章 (3) (3－1) 1) 及び4) 参照)。

農業は、人の食料となる植物（作物）を生育させる役割と担っています。

更には、酸素と二酸化炭素を放出し、燃焼などのエネルギー源ともなってきました。燃料資源である石油や石炭、天然ガス（化石燃料）も、古代の植物などが地中に積もって生成されたものです。つまり、植物が何億年とかけて蓄えてきたエネルギーの「貯金」みたいなものです。

これまでの農業は、こうしたエネルギー資源を消費することで、成り立ってきました。即ち、食料生産には多量のエネルギーの投入が必要であったのです。しかしこれが、今日の多くの問題を引き起こしています。

OECDは、農業の一次生産での直接エネルギー消費量（動力、空調、発電、乾燥、灌漑、家畜飼養などに要した石油、電力、天然ガスなどのエネルギー）の加盟国別総量を指標にしている[4)]。農場における直接エネルギー消費量は、1990年代の増加トレンドに比べて、2000年から2010年の期間には減少した。しかし、この10年間では、直接エネルギー消費量が、日本、韓国、ポーランドでは大いに減少する一方ドイツの減少が顕著で、1990～92年の平均値を100とすると、1998～2000年の平均値は46、2008～10年の平均値は28に減少した。

また、「日本農業は直接エネルギーをたくさん投入しているのに、農業生産額が非常に少なくエネルギー効率の悪い農業を行なっている。この内容を詳しく分析し問題点とその改善方策を検討することが大切であろう。」と指摘しています[5)]。

2) 必要なこれまでの発想の転換

最近のわが国の経済事情は先行き不安感が強く、そのような中から農業見直し論がさかんです。たしかにわが国の食糧供給事情をめぐって、多くの悪環境がとりまいており、こういった事情を反映しての見直し論であるように思われます。技術者、研究者の立場からの別な見方が必要です。これまでの議論の結果をふまえて問題とすべきことを整理すると次のようになると指摘されています[6)]。

①農業生産は本来太陽エネルギーの利用にあるのであって、その効率的な利用を目ざす研究でなければならない。

②農業は食糧供給の重要な担い手であって、国民の食糧確保、あるいは地域にあってはその地域住民の食糧を保障することを目ざすべきである。

③わが国の技術は資源の海外依存を脱し、国内資源を活用するものを目ざすべきである。

④国内資源を活用すると同時に、わが国の国土に合った技術を開発する研究を目ざすものでなければならない。

⑤このような技術はわが国の歴史の中ではそれぞれの時代にそれなりに打ち立てられてきた。その歴史に学ぶべきである。

4)「OECDが2010年までの農業環境状態を公表」(西尾道徳の環境保全型農業レポートNo.232、2013年)

5)「日本農業のエネルギー効率は先進国で最低クラス」(西尾道徳の環境保全型農業レポートNo.119、2009年))

6）「農業生産とエネルギー」（「農業気象」、宇田川武俊、1978年）

(3) 都市農業の重要性

日本学術会議報告[7]を参考に問題意識を整理します。

人口は、あらゆる場所で遍く爆発的に増加しているものではなく、先進国の大都市において一極集中型で進行しているものです。54%の消費者が都市部に住んでいる現状（国連の予測では、2050年までに80%に上昇）とりわけ日本の場合、この人口増に対応するために、もはや過疎・少子高齢化している地方に頼ることは不可能であり、外国からの輸入に頼ることも難しくなっています。従って、人口増による労働力が確保し易い都市部及び都市近郊における農業を創出すべきです。

＊途上国の人口爆発は、貧しい家庭の労働力確保が理由の一つで、貧困と人口増加の悪循環が発生している。さらに先進国が途上国の資源や労働力を奪い、自給自足体制を崩壊させていることがあり、先進国の一極集中型人口増とは異なるものである。

1）都市農業の意義

「都市農業振興基本法[8]」では、「都市農業」とは、都市の中で都市と調和しつつ存在する農業を意味し，都市の周辺の「近郊農業」と区別した呼称です。

都市農業を「市街地及びその周辺の地域において行われる農業」と定義し、「都市農業の安定的な継続を図るとともに、都市農業の有する機能の適切かつ十分な発揮を通じて良好な都市環境の形成に資することを目的とする」とされています。

「都市農業」については、「日本学術会議報告[7]」において、「農業体験農園や観光農園、市民農園、学童農園、福祉農園、健康・医療農園等、必ずしも農産物の生産・販売だけが目的ではない多様な農業のための学術的な検討と、維持・管理を経営的、技術的にサポートする仕組みの構築、さらに、人材育成等のための産学官の連携が不可欠」と指摘されています。

2）都市農業の必要性[7)]

• 消費拠点と生産拠点の近接化

「都市農業の重要な機能…消費拠点と生産拠点の近接化…流通における時間的・空間的ロスを抑える…地産地消や旬菜旬消を実践、災害等の非常時の食料確保、近年の高齢化社会の進行に伴い、交通弱者が生鮮食料品を入手…」

• 都市農業の多様な機能

豊かな都市、都市生活を実現する都市農業：「都市農業は緑の供給源」「レクリエーション農園、企業等の福利厚生施設としての農園、さらには高齢者を対象にした福祉農園」

• 資源・エネルギー政策としての都市農業の振興：「都市農業は、都市における資源の有効活用を促し、資源循環・エネルギー利用最適化を促進」「廃工場や廃施設等の未利用空間・施設を農業生産の場として再生」「都市における施設農業の振興は、再生可能エネルギー利用促進に繋がる可能性」

• 教育機能：市民の農業への理解の促進、食育や環境教育、理科教育という観点から非常に有効、収穫体験や都市域内エコツーリズム、コミュニティガーデン活動・のコミュニティ・エンパワーメント

• 防災機能：災害時のオープンスペースの一時避難場所等としての利用、延焼防止空間としての機能、雨水の涵養による都市型水害の抑制機能、災害時の食料供給機能

• 軽量な部材で構成されるパイプハウスは地震に強く、震災時、屋根のある避難施設となります。また、施設園芸で使用されるコージェネレーションシステムや大型ヒートポンプ、また、将来的には再エネ施設等が、災害時の緊急電源や熱源として役立つ可能性もあります。

3）物質循環とエネルギー利用最適化の推進

都市では、多くの廃棄資源が排出されています。これらを農業生産に取り入れ、都市で排出される資源の循環を可能にする技術の開発は、都市で農業

を行う利点の増強に繋がり、循環型社会を目指した都市農業振興に資するものです。

• 排 CO_2 を栽培時の CO_2 施肥に利用する、廃棄食品や有機物ごみを肥料や熱源として利用、中水を栽培用水として使用。

• 人工排熱を冬季の施設栽培の暖房熱源として利用。

• 太陽光パネル等の再エネ資材を、施設部材やソーラーシェアリングに利用するための技術開発：今後、都市で排出されるこれらの資源や再エネを、農業において有効に活用するための要素技術開発、環境影響評価手法の開発やシステム設計に関する研究の進展

• 工場跡地や廃工場・廃施設等の未利用空間・施設を農地や植物工場に変える技術や空き地を防災機能の高い農地に変換する技術等、農村において進められてきた農業基盤整備技術を拡張し、都市での劣化空間の利用を前提とした基盤整備技術の開発、等々[8)]。

7）「報告持続可能な都市農業の実現に向けて」（日本学術会議、2017年7月）
8）「都市農業振興基本法」（農林水産省、2015年7月）

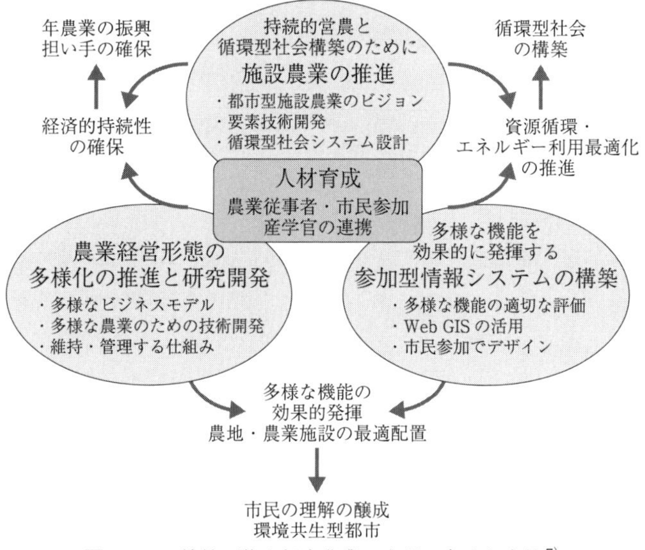

図10－1　持続可能な都市農業の実現に向けた方策[7)]

(4) 垂 直 農 業

未来の都市農業のアイデアを紹介します。

「ハーベストタワー」[9]と呼ぶ斬新かつ壮大な構想をベースに農業の条件を検討します。図10－2、図10－3は、筆者による検討結果です。

高さのある建築物の階層や、傾斜面をつかって農業をすることを「垂直農業（または垂直農法：Vertical Farming)」と呼びます。平たい畑や温室などで野菜を栽培する代わりに、都会の超高層ビルや、輸送用コンテナ、使われなくなった倉庫などで、高さを利用して垂直的に農作物を生産するものです。従来の農業のように広い土地がいらず、都市でも食物を生産できることが特徴的です。

垂直農業では、自然光と人工光を組み合わせて野菜を栽培することを考えます。光を均一に当てるため、農作物を育てる棚を回転させることもあります。水の使用も、従来の農業の10分の1で済むようにします。農業にテクノロジーを組合わせた、あるいは建築に農業の要素を組み合わせたアグリテックの領域となります。

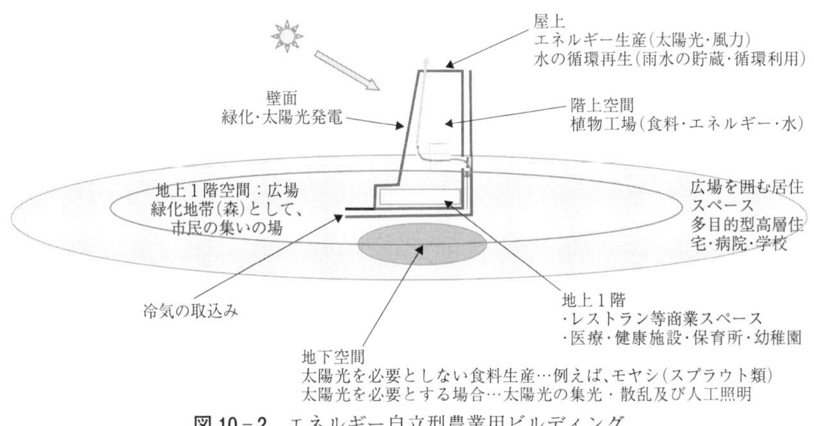

図10－2　エネルギー自立型農業用ビルディング

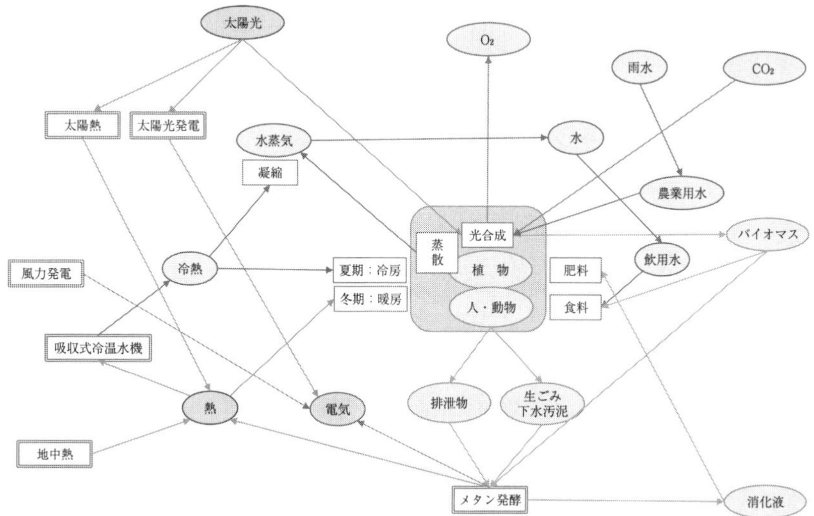

図 10－3　エネルギー自立型農業用ビルディングの循環フロー図

多くの事例が出されています。

・スカイファーム[10)]

カナダ、オンタリオ州にあるウォータールー大学のゴードン・グラフ氏が考案した59階建ての“スカイファーム”。高層ビル型農場（垂直農場）では、太陽の恵みを人工光で再現する必要があり、その莫大な電力コストが弱点でしたが、スカイファームであればこの壁を乗り越えることができると考えられています。

カナダのトロント・スター紙の報道によると、水耕栽培のスカイファームの推定消費電力量は年間8,200万キロワット時ですが、農場にはバイオガスの設備があり、廃棄物から発生するメタンを燃やせば約50％の電力を賄うことができ、足りない分の燃料は、都市で出る廃棄物を利用すればよいというものです[11)]。

・垂直農業　世界の事例

https://ideasforgood.jp/glossary/vertical-farming/

・太陽光利用型の垂直農場事例について

https://www.kankyo-business.jp/column/008961.php

・ドイツ・ベルリン発、都市型農場野菜のプラットフォームである Infarm（インファーム）

https://ideasforgood.jp/2021/02/05/infarm-tokyo/

・スウェーデンに建設中の、農業とオフィスが共存した高層ビル「World Food Building」

https://ideasforgood.jp/2017/12/07/world-food-building/

・欧州最大規模の「垂直農場」、デンマークに誕生

https://www.afpbb.com/articles/-/3320075

・地産地消の都へ。パリで世界最大の屋上農園が 2020 年にオープン

https://ideasforgood.jp/2019/09/02/agripolis/

・NY に出現。食料まで自給自足する家「Ecological Living Module」2018.10.29

1）垂直農業のメリット、デメリット（表 10－1）

表 10－1　垂直農業のメリット、デメリット

メリット	デメリット
・天候に関係なく 1 年中作物を生み出せる ・フードマイル削減（生産地と消費地を近づけることによる CO_2 削減） ・水や光などのエネルギーを最小限に抑える ・虫が発生しない環境下で育てられるため、農薬使用を減らせる ・農業従事者のリスクを取り除く（虫や野生動物、大型農業機械の事故など）	・建設コストがかかる ・経済的な実現可能性がまだ調査されていない ・虫がいないため受粉が困難で、コストがかかる ・テクノロジー依存 電力に関する事故があれば壊滅的な被害

9）『垂直農場　明日の都市・環境・食料』（ディクソン・デポミエ、NTT 出版、2011 年）

10)「未来の高層ビル農場、電力は廃棄物から」(National Geographic News July 1, 2009)

11) Image courtesy Gordon Graff, Vertical Farm Project

(5) 3 A 農 業

1)「IFOAM* Organic 3.0」の見解[12)]

＊IFOAM：International Federation of Organic Agriculture Movements（国際有機農業運動連盟）

「IFOAM Organic 3.0」では、世界の食料について、次のような指摘をしています：

- 地球と人類が直面する難題の解決に不可欠な手段の一つとして有機体系を打ち出す。
- 有機農業的発想とその実践が、その暮らし方が、人類と運命共同体の全ての生物の危機を救ってくれる。
- 現在の食体系は、一時的もしくは慢性の栄養失調の症状のある15億人を上回る人々に食料を供給できていない。
- 世界中の家庭の大部分が食料を十分確保できるのは、経済的に後発開発途上の国の小規模農家や貧しい農民（その多くは女性）のおかげなのだ。
- 彼らの農法はすでにほぼ有機であるため、農場内の生態系を考慮に入れた農業計画が大いに役立つと考えられる。

更に、有機農業について、次のような指摘をしています：

- 認証有機農業が未だに世界中の農地または食の消費量の1%にも満たない。
- 第一に、有機認証なしで有機生産する数多くの生産者を除外してきてしまった。彼らは小規模農家や貧しい農民であり、その多くは経済的に後発開発途上の国の女性で、世界人口の大部分を養う重要な役割を果たしている人々である。

- 第二に、アグロエコロジー、フェアトレード、食関連の運動、小規模農家や家族経営農家の運動、CSA（地域支援型農業）、都市農業など、数多くの持続可能な他の取り組みとの関係づくりの機会を、自ら制限してきてしまった。

これらの見解が、NERC の 3A 農業の発想に結び付いています。

2）3A 農業の考え方[13)]

① 3A 農業とは、「いつでも Anytime」、「どこでも Anyone」、「だれでも Anyone」できる農業のことで、この３つの単語の頭文字がネーミングになっています。

- 「いつでも」…時節を問わず、冬期（寒冷期）でも栽培でき、「冬の農業」が可能になる。
- 「どこでも」…農地は元より、農地に限定せず、いかなる場所（砂漠でも、極地でも）栽培を可能にする。
- 「だれでも」…食料生産に関係して見たい気持ちを持つ全ての人が栽培することが可能になる。

②自然エネルギー利用をベースに、農薬・化学肥料を低減するもしくは使わない農業を可能にします。

③高性能植物工場の機能を、“通常の農業ハウス”に実現する「次世代型農業技術」を具現化します。

3）技術的要素

①エネルギーは、再エネ・省エネの導入によって、温度を制御します。

- 再エネ…バイオマス（木質）ボイラー、温泉、太陽熱、ソーラー＋蓄電池、メタン発酵等々。将来は、メタン発酵が主力になると考えられます。

②温度制御は、気温と地温の制御が重要です。

- 気温については、植物の生長点付近の制御を行います。

・地温については、地表近くの微生物の繁殖領域から更に深い地中の温度を制御し、地中微生物やミミズやもぐら等の小動物の生存を保証するとともに、表土の乾燥を防ぎます。

③光は、太陽光線の使用とします。

・太陽光を逆フレネルレンズを使って散乱光として使用します。

④土壌は、露地栽培と同じ土壌条件を保持します。不耕起が理想です。

・水耕栽培は行わず、栽培床は土壌とします。

⑤水と肥料は、養液栽培技術を取り入れて、注水と施肥を行います。

・水は、スポット注水にして、節水に配慮します。

・肥料はメタン発酵消化液の利用が理想です。

⑥病害虫の防除・駆除は、農薬の使用は避けます。侵入防止が大前提です。

・害虫の侵入防止には、「冬の農業」が理想です。

・不可能な場合は、物理的消毒（土壌の高温水による消毒など）を行います。

⑦職場環境の整備として、これまでと違った対応が求められます。

・女性（トイレ、託児所）や障がい者（車椅子）が関われること。

・災害時（台風・地震・噴火）への対策。

⑧生産管理技術は、人材育成から始めなければなりません。将来はICT化（管理者の水準の高度化）を実現します。これは、既に農家など誰もがDIYで組み上げられるソフトウェアやキットを提供する「UECS*プロジェクト」として進んでいます。UECSプロジェクトの考え方は以下の通りです：

・低コストで環境計測と環境制御が行えるシステムを提供する事

・少数の企業等に囲い込まれる事なく、ユーザーが安心して継続的に使えるシステムを提供する事

・ユーザーが自分の手でカスタマイズできるシステムおよび開発プラットフォームを提供する事

・上記のようなシステムを使う事にユーザーが取り掛かりやすくするためのサービスを提供する事

＊UECS（ウエックス）：Ubiquitous Environment Control System（ユビキタス環境制御システム）本システムの仕様はUECS研究会が公開している。https://www.uecs.

jp/UECS

以上の技術的要素を実現するものが「3A 農業」です。

4) 実 証 結 果

北海道 K 町（−26℃、凍結深度>1m）と A 町、及び長野県 K 町で実証的に取り組まれました。野菜栽培に成功しました。多くの知見と課題が明らかになっています[13)]。

冬の農業におけるハウス内全体の空気暖房に比べて、燃料代の削減が可能。薪ボイラーを使用すると大幅に削減されます。

コスト低減のあらたなビジネスモデルの構築…コンサルティングビジネスの必要性。

小規模ハウスでも成り立つ設備装置として実現することが分かっています。

5) 発 展 型

3A 農業の在り方としては、多品種少量生産が相応しく、各地域毎に、特徴ある生産を分業する形で行い、地域内及び地域間のネットワークを構成し、重層的な相互連携体制の構築を目指すべきです。

12)「IFOAM Organic 3.0」（「オーガニック農業」の原点）

13)「3A 農業を提案―植物工場機能、ハウスに―」（北海道建設新聞、2020 年 1 月）
「いつでも・どこでも・だれにでもできる 3A 農業　自然エネルギーで食料生産を」（IZM、2021 年 5 月）

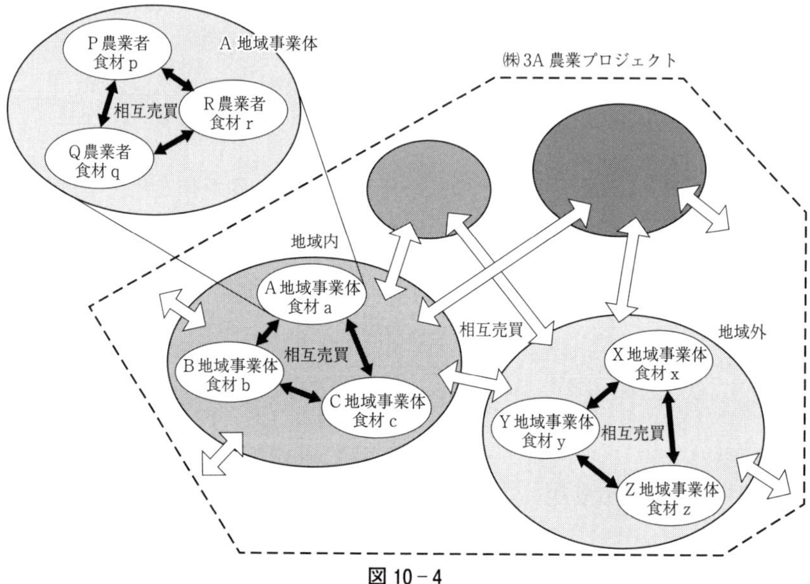
A 地域事業体
P 農業者
食材 p
R 農業者
食材 r
Q 農業者
食材 q
相互売買
㈱ 3A 農業プロジェクト
地域内
A 地域事業体
食材 a
B 地域事業体
食材 b
C 地域事業体
食材 c
相互売買
相互売買
地域外
X 地域事業体
食材 x
Y 地域事業体
食材 y
Z 地域事業体
食材 z
相互売買

図 10－4

第11章

交　　通

本書第1章で、“要はインフラ”と指摘したリフキンが、移動インフラの進歩が社会的・経済的発展に不可欠であるとしていることを紹介しました。また本書第2章では“インフラ”を“地域資源”として位置づけ直しました。「交通」はこうした“インフラ”の重要な要素です。

現在化石燃料資源から再エネ資源への一大転換の進展を反映して、「交通」は“100年に一度の大変革期”、“モビリティ革命”と言われる時代になっています。

本章では、この大転換の中で、交通の再エネ化、水素社会への展望、交通サービスの変革（Maas、自動運転、自転車）等、これらの取組がどうなるのかを検討します。

「パリ協定」及びSDGsの推進・実施の観点からの内容を見ると、

①脱化石燃料：再エネによる電気自動車（EV）や水素自動車（燃料電池自動車を含む）の技術的進歩とインフラ整備

②自動運転等の技術的進歩の評価とその根底にある考え方：高齢者・障がい者（車椅子移動）への配慮、歩行者・自転車利用の位置づけ

が挙げられ、特に②は、2050年段階の「都市交通」の在り方にも大きく関わっています。

(1) 都市と交通とエネルギー使用量

1) 交通と都市形態

持続可能性のための都市デザインは、総走行距離、都市の大気汚染、エネルギー消費量を大幅に削減できるように、個々の自動車に代わってエネルギー効率の良い共同輸送を推奨しています。このようなシナリオでは、再エネを大幅に取り入れることが容易です。

図 11－1 は、世界のさまざまな都市について、都市密度に対する一人当たりの輸送エネルギー使用量をプロットしたものです[1)]。

コンパクトシティ（ヨーロッパの古い都市や発展途上国のいくつかの新しい都市を含む）は、拡大した都市部よりも一人当たりの輸送エネルギー使用量が少ないことが示されています。エネルギー使用量が少ないのは、移動距離が短いこともありますが、人々が自家用車を使わずに、徒歩や自転車、公共交通機関を利用しているためです。

歩行やサイクリングは常に再エネ（食品代謝）によって行われ、公共交通機関ではバイオ燃料やその他の再エネ指向の技術がますます使用されています。

コペンハーゲンとアムステルダムが低エネルギーであるのは、これらの都市で自転車が多用され、安全な自転車専用道路が整備されているためです。その他の低エネルギー都市は、公共交通機関の利用が多いためです。

ロサンゼルスのような 20 世紀の都市のスプロール化*は、自家用車を中心とした「計画」であったため、輸送における贅沢な燃料使用の主要因となっています。しかし、このような都市は、電気自動車にとって最高の機会であり、できればグリッドや家庭用マイクロ発電から得られる再エネによる電力で充電することです。

*都市の急速な発展により、市街地が無秩序、無計画に広がっていくこと。

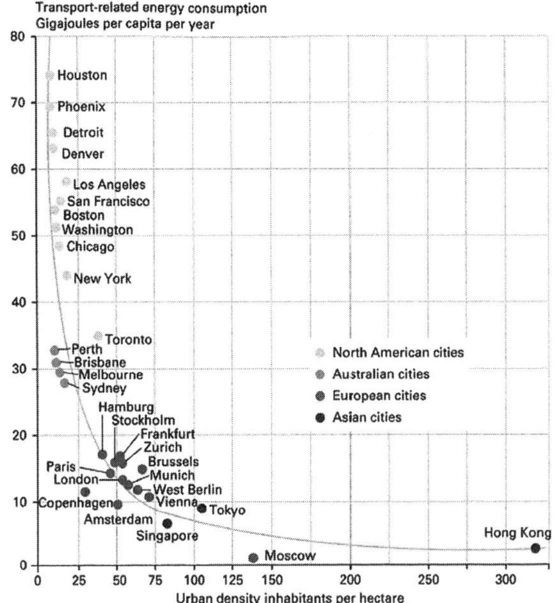

図 11－1 さまざまな都市における一人当たりの輸送エネルギー使用量

2010 年には、世界人口の約 50% が都市に住んでいましたが、2030 年には 60% になると予測されています。このような発展は、輸送と建物のための再エネ技術に機会を与えます。

2) 一般的な移動手段の動力機構とエネルギー

移動手段とエネルギーは、一般的に表 11－1 のとおりです[1)]：

現在では、⑤の方式が圧倒的に多く、化石石油が主な燃料となっています。再エネは、①から⑥までのすべての機構を駆動することができるため、かなりの選択肢があります。

様々なエンジンの効率は、駆動エネルギーとして、電気と熱のどちらかで分けられます：

表11－1　エネルギー種別と移動手段

①代謝	歩行、走行、自転車、動物の力
②風	帆船
③送電網に接続された電気モーター	電気鉄道、路面電車
④車載充電池または燃料電池による電気モーター	電気自動車、軽量バン／ローリー、サイクル、ハイブリッド車
⑤液体または液化燃料を使用する内燃機関	火花点火、圧縮点火、ディーゼル、ジェットエンジン
⑥気体燃料による内燃機関	メタン、バイオガスまたは水素を圧縮したタンクを有する道路運送車両の火花点火式エンジン

- 系統連系電気モーター（電車や路面電車など）は、電力の約90％を動力に変換します。
- バッテリー駆動の電気モーターの多くも約90％の効率ですが、バッテリーの充電と放電のプロセスは、特にバッテリーの年齢と使用状況によって、実際には50％から80％の効率にとどまります。
- 電気機械の全体的なシステム効率は、電源の発電効率と、使用する場合は送電網の効率に依存します。
- 実用的な火花点火エンジンは、燃料からシャフトパワーまでの効率が通常約35％で、残りのエネルギーは自動車では快適な暖房以外には価値のない熱となり、ディーゼルエンジンの方がわずかに効率が高くなります。
- 熱機関の全体的なシステム効率は、燃料の供給システム（例えば、石油の精製や貯蔵システムへの輸送など）が使用するエネルギーに依存します。実際の自動車では、ギアボックス（変速機）、空気や路面の摩擦による損失がさらなるエネルギー損失につながるため、このようなエンジンを搭載した自動車の「よく走る」効率は、通常10％未満となります。

3）持続不可能な交通システム

現在の陸上輸送システムには、環境、エコノミー、社会的な観点で問題点がいくつかあります：

①化石資源の埋蔵量が減少していること（現在のほとんどのシステムは、石油・天然ガスなどの化石燃料を使用）。

②地球規模の大気への影響（化石燃料からのCO_2排出による気候変動を引き起こしている）。

③局所的な大気質による健康被害（NOx排出、主に自動車の排気ガスによる都市スモッグ、有鉛ガソリンの鉛、ブレーキライニングの「粉塵」）。

④騒音、特に自動車道や高速道路、都市部での騒音。

⑤交通事故による死亡者数（重大な死因であり、例えばアメリカは人口10万人あたり14人／年、ナミビアは人口10万人あたり53人／年、日本は人口10万人あたり3.8人／年など）。

⑥開発途上国における不十分な移動手段（インフラの不備により、多くの人々が生産物を市場に持ち込むことができず、医療や教育のための施設にアクセスすることができない）。

再エネ（特にバイオ燃料と再エネ電気自動車）は、①～④のような問題の軽減に貢献します。

1）Renewable Energy Resources 4th edition

(2) 再エネの導入推進

1）総最終エネルギー消費量に占める交通の割合

世界の最終エネルギー消費量のうち、交通・輸送分野が占める割合は約3割。そのうち再エネの割合は約3%、再エネの電力は0.3%と、熱分野や電力分野と比べても大きく遅れを取っています。交通・輸送分野での再エネの取り組みは喫緊の課題となっています（図11－2）[2)]。

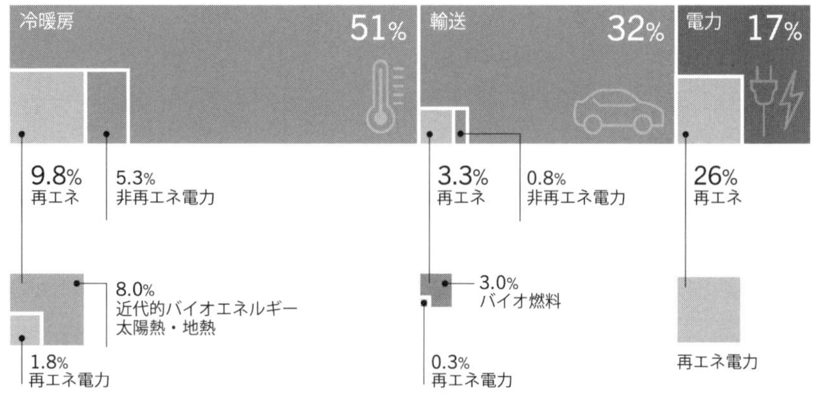

図 11－2　総最終エネルギー消費量に占める再エネの割合（部門別）（2016 年）[2)]

2）目 標 と 現 状

表 11－2　2℃ 未満（B2DS）達成に 2060 年までに必要な CO_2 排出削減率（2015 年比）

	2、3 輪車	乗用車等	トラック	バス	鉄道	航空	船舶
削減率	＞100%	92%	91%	93%	＞100%	85%	71%

＊B2DS：Beyond 2℃ Scenario（排出量に対する回収比率）

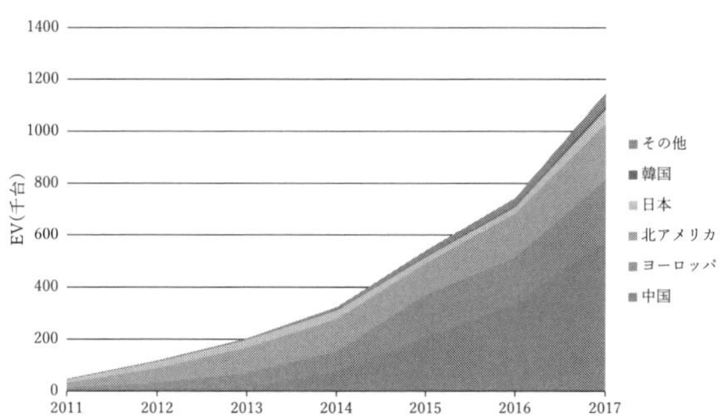

図 11－3　2011 年から 2017 年の世界の EV 販売台数の推移[3)]

2）RENEWABLES 2019：GLOBAL STATUS REPORT（REN21）より
3）EV 普及の動向と展望（自然エネルギー財団、2018 年）

(3) 水素社会の自動車

脱化石燃料から再エネ燃料への転換　水素の製造、貯蔵・輸送、利用という観点から、水素エネルギー利活用社会の実現に向けた電気自動車（EV）や水素自動車（燃料電池自動車を含む）の技術的進歩とインフラ整備が進められています。

1) 電気自動車[4)]

電気自動車（EV）は、バッテリーからの電気のみで動くバッテリー車(BEV）と、外部から充電可能なバッテリーシステムと内燃エンジン*1の両方を持つハイブリッド*2車（HV）の二つを含みます。

*1 内燃自動車（ICE: Internal Combustion Engine）: 内燃機関のみを持つ自動車（例えば、ガソリン車とディーゼル車）

*2 ハイブリッド: "異なる種類を混ぜ合わせる" = "動力の複合" の意味。エンジンとモーターという2つの動力を利用して走行すること。

表11－3　電気自動車の種類

EV	Electric Vehicle	電動車両	電気を動力に変換して動く車
BEV	Battery Electric Vehicle	電気自動車	バッテリーの電気だけを使ってモーターで走る車
HV	Hybrid Vehicle	ハイブリッド車	電気・化石燃料のどちらでも動力に変換して動く車
PHV	Plug-in Hybrid Vehicle	プラグインハイブリッド車	外部から充電できるハイブリッド車
FCV	Fuel Cell Vehicle	燃料電池自動車*	水素と酸素の化学変化で発電して動力にする車

*水素燃料電池車を、燃料電池車（FCV: Fuel Cell Electric Vehicle）と呼ぶ。

自動車のEV化には、CO_2排出削減以外にも多くのメリットがあり、環境面（大気汚染ゼロ、静音、静振）や経済的（価格の低下、燃［電］費の良さ、維持費の安さ）に優れ、乗り心地のよい優れた交通手段として期待されています。

①大気汚染対策をはじめとする環境面での効果

②ビジネスチャンスの創出

③需要家にとってのメリット

④蓄電池としての活用

2）マンションにおけるEV充電設備

日本では4割近くの世帯がマンションなど集合住宅に住んでいますが、EV充電設備を使用することが出来るように以下の配慮が必要です。

- 既設のマンションは管理規約を改訂することが難しいことから、建設以前からディベロッパーがEVの充電設備に関する条項を入れておくこと
- 新築時に、後にEV充電器を設置しやすくなる工事（配管、200V電源など）を行っておくこと
- 充電器設備の公的補助金を継続して行うこと
- 規制により導入を義務付けること

水素自動車の可能性：

- 水素の利用を本当に脱炭素化に有効なものにする自然エネルギーを大量に安価に作り出せることが前提です。
- 脱炭素社会の燃料が“水素”に限定するとは考えられません。水素自動車が、燃料電池自動車であるかどうかは疑わしく、水素直接燃焼型自動車になる可能性もあります。

4）RENEWABLES 2019：GLOBAL STATUS REPORT（REN21）

(4) 交通サービスの変革

1) MaaS（マース）

①イメージ

“100年に一度の大変革期”、“モビリティ革命” と言われる時代のイメージ[4]が明らかになってきています：

- 自動車・道路交通対策、物流の効率化、公共交通機関の利用促進などの総合的な対策が推進されています。
- MaaS（Mobility as a Service）や自動運転といった新たなモビリティサービスの導入に向けた動きが活発化し、交通分野においては「モビリティ革命」とも言える変化が生じつつあります。
- 自動車の分野については、CASE（C＝コネクテッド、A＝自動運転、S＝シェアリング、E＝電動化）と呼ばれる4つの技術革新や、これらの開発を支えるAIの進化により、「100年に一度の大変革期を迎えている」と言われています。
- 自動運転システムは、従来の道路交通社会の抱える課題（交通事故の削減、交通渋滞の緩和等）を解決するとともに、移動に係る社会的課題（運転の快適性向上、高齢者の移動支援等）に対して新たな解決手段を提供する可能性があります。

MaaSの全体像（図11－4）[5]を参照して下さい。

②5段階のレベル

MaaSは、その進捗度合いに応じて、レベル0からレベル4までの5段階に区分することができます（表11－4）[5]。

③課題

MaaSは、「あらゆる地域、あらゆる人にとって移動しやすい社会」を実現

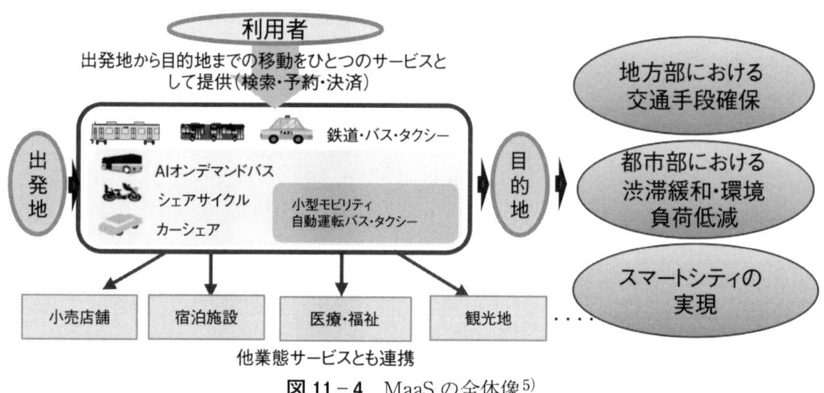

図 11－4　MaaS の全体像[5)]

表 11－4　MaaS の 5 段階の区分

レベル 0	統合なし（No integration）として単体のバラバラのサービス（Single, separate services）の段階	
レベル 1	情報の統合（Integration of information）として複数交通モードの検索や運賃情報（Multimodal travel planner, price info）の段階	
レベル 2	予約・支払いの統合（Integration of booking & payment）として単一トリップの検索、予約、決済（Single tripfind, book and pay）の段階	我が国における MaaS
レベル 3	提供するサービスの統合（Integration of the service offer）としてパッケージ化、定額制、事業者内の連携等（Bundling/subscription, contracts, etc.）の段階	ヘルシンキの Whim
レベル 4	社会全体目標の統合（Integration of policy）としてガバナンスと官民連携（Governance & PP-cooperation）の段階	

するために不可欠な要素ですが、導入の仕方を誤ると安全性の欠如、データ流出、混雑の激化など、問題の悪化や新たな問題の発生につながる可能性もあります。利便性・効率性の向上と安全性の確保・利用者の保護等とのバランスへの十分な配慮が必要です。

MaaS の前提として、IoT と AI の技術進歩が不可欠です。

課題として、①個人情報の管理＝情報セキュリティ、②ハッキング、③インフラ＝コスト問題等の解決などがあります。

2) 自 動 運 転[6,7]

自動運転により実現する社会像

自動運転技術によって、我が国で生じている道路交通に関する多くの課題を解決することが期待されます。

①交通事故の削減や渋滞緩和等による、より安全かつ円滑な道路交通社会の実現

②きめ細かな移動サービスを提供する、新たなモビリティサービス産業の創出

③自動運転車による日本の地方再生

新しい生活の足や新しい移動・物流手段を生み出す「移動革命」を起こし、多くの社会課題を解決して我々に「豊かな暮らし」をもたらすものとして、大きな期待が寄せられています（図 11－5）。

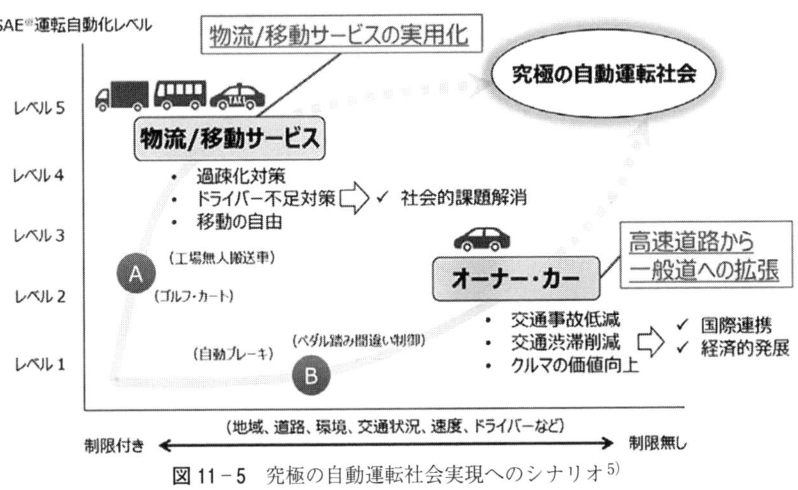

図 11－5 究極の自動運転社会実現へのシナリオ[5]

自動運転システムは、従来は運転者（人間）が実施していた運転タスクを自動運転システムが実施していくという点で、自動車の根本的な構造を変化させるとともに、より安全かつ円滑な運転を可能とするものであり、今後の

社会に対して大きなインパクトを与える可能性があります。具体的には、従来の道路交通社会の抱える課題（交通事故の削減、交通渋滞の緩和等）を解決するとともに、移動に係る社会的課題（運転の快適性向上、高齢者の移動支援等）に対して新たな解決手段を提供する可能性があります。

人の運転が介在しない完全自動運転を社会実装するには、長い普及過程において様々なリスクとベネフィットが伴うため、人の介在の在り方、異常時対応システム設計等の技術的課題と併せてELSI*について、時代の要請に応じて産学官民で継続的に検討すべきです[8)]。

＊ELSI：ELSI（Ethical, Legal and Social Issues）：倫理的、法的、社会的課題

5）「交通政策白書」（国土交通省、2019年）

6）Jana Sochor 他“A topological approach to Mobility as a Service”（2017）

7）「官民ITS構想・ロードマップ2019」（高度情報通信ネットワーク社会推進戦略本部、2019年）

8）「提言　自動運転の社会実装と次世代モビリティによる社会デザイン」（日本学術会議、2023年）

(5) 変革が求められる都市の在り方

1）自動運転を巡る諸説

自動運動のあり方については、内外で諸説が上っています。本節ではその幾つかを簡単に紹介します。

【リフト社（米国）John Zimmer氏のブログ[9)]】

- 電気自動車（EV）、自動運転、ライドシェア…いまひたひたと「交通革命」の波が押し寄せて来ています。「交通革命」は未来のクルマ社会に、安全で低コスト、渋滞しにくく、環境にやさしいシステムをもたらします。
- 新交通インフラができたら、多くのバスは要らなくなる…自動運転時代には、10人程度あるいは20人近くが乗れるライドシェア（バス的タクシ

ー）が台頭する
- 2025年までにアメリカの主要都市で、クルマ所有が終わりを告げる
- 都市の物理的な環境は、かつて経験したことがないほど大きく変わる

【ボストンコンサルティンググループの調査結果（2017年）[9)]】
- 2030年までに、アメリカの道路を走行する車の、全走行距離の4分の1が自動運転に置き換わる
- ライドシェアや自動運転車、EV自動車の普及により、移動コストは6割削減される
- 自動運転車はそれ自体が高額でも、現状タクシー料金の7割以上を占めている人件費が削減され、クルマをシェアすれば、とても経済的なサービスとして使えます。

【日本経済新聞の報道[10)]】
- 「コンパクトシティ化こそ未来のあるべき都市の姿だ」…これは正しいか？
- コンパクトシティ化は、「魔法の杖」ではなく、課題もいろいろとはらんでいる。
- 集約化を計画・検討中の市区の半数以上が、交通網の整備をあげている。
- 国が進めるコンパクトシティは、自動車社会から公共交通へのシフトを柱にしている。

2）日本学術会議の提言[11)]

「少子高齢化による人口減少が進む日本において、自動運転がどのように役立てられるのか、根源的な部分の議論が不十分なまま、自動運転達成のための技術開発が先行している。自動運転は、ヒューマンエラーによる交通事故の削減、運転手不足への対応等、社会課題の解決が主目的として語られているが、具体的にどのようにしていけば課題解決につながるのかについてもっと明確にしていくべきであるが、実際にはあまり十分に整理されていない。一方で、移動が困難な層の存在や高齢ドライバーの事故の問題等、喫緊の課題も数多くあり、本格的な自動運転の時代を待つのではなく、新しいモビリ

ティサービスを早急に整備すべきとも言える。このため、世の中の社会構造の変化、ICTを始めとする様々な技術の進歩等を踏まえて、国民の生活がどのように変わっていくのか、そこにおいて移動・モビリティはどのように位置付けられるのか、移動の価値は何なのか、都市の構造等のインフラはどのように変わっていくのか、あるいは変わっていくべきなのか、そのような検討が十分になされた上で、自動運転や新しいモビリティサービスというツールをどのように社会に展開していくのが望ましいかといった点等を明確にしていくことも求められよう。」

9）「世界の『交通革命』に逆行　日本の時代遅れな都市計画」（フォーブスジャパン、2018年2月28日、https://forbesjapan.com/articles/detail/19940）

10）「『まち』集約市区の5割　交通再編し居住誘導」（日本経済新聞、2017年12月26日）「まち機能一段と集約」（日本経済新聞、2018年1月12日）

11）「提言　自動運転の社会実装と次世代モビリティによる社会デザイン」（日本学術会議、2023年）

(6) 高齢者・障がい者への配慮

1）高齢者・障がい者の特質

高齢者の健康上の特徴の一つに「フレイル（虚弱）」*の顕在化や認知症の増加が挙げられます[12)]。高齢者の課題としては、足腰の衰えを防ぐことが大切です。歩道整備・歩行補助具、農作業：家庭農園・市民農など多方面からの対策が求められています。

障がい者の課題としては、社会参加の体制づくりの重要性[12)]があり、精神障がい者が地域で安心して自分らしい生活をするための支援提供体制のより一層の発展が求められています。

＊フレイル：加齢とともに心身の活力（運動機能や認知機能等）が低下し、複数の慢性疾患の併存などの影響もあり、生活機能が障害され、心身の脆弱性が出現した状態であるが、一方で適切な介入・支援により、生活機能の維持向上が可能な状態を意味する（厚生労働省研究班の報告書）[12)]。

2) 高齢者に対するインフラ整備

高齢者に対するインフラ整備としては、住まい・街づくりと移動手段について、次のような具体案が出されています[14)]。

- 住まい(まちづくり):①住まい・環境の整備、②高齢者福祉施設の整備、③高齢化が進む団地の再生、④中心市街地の活性化
- 移動手段:①自動車に依存しない・共存する日常生活、②マイカーに依存せず日常生活を送ることができる高齢化に対応した公共交通機関等の環境整備、③公共交通機関等における課題:高齢者が町中へ移動する際の「足」として重要な交通手段、④バリアフリー化の更なる推進:高齢者の歩行や(電動)車いす利用者等にとって必要なバリアフリー化のさらなる整備など。

オランダの“認知症患者だけが暮らす街”「デ・ホーヘワイク[15)]」

1992年「デ・ホーヘワイク」が設立され、2009年には街のようなつくりに改変されています。スーパーや映画館、レストランなど、生活に必要なものが全て揃った一つの村として作られており、重度の認知症の人たちが、敷地内を自由に行動できる環境です。

入居者約約150人に対して、約240人のスタッフ(認知症の人への接し方について熟知した認知症ケアのプロ)が、ナース服や介護服は着用せず、“住民のひとり”として入居者に接します。例えば買い物の時に財布を忘れても、お釣りが計算できなくなっても、きちんとフォローすることができます。

変革のきっかけは、住人たちから出た「“普通に生活している”という感覚が得られない」という不満であったと言います。「介護の世界では、“普通”ほど実現が難しいことはない」、このことをやってのけています。

更に環境づくりだけでは十分ではなく、失敗体験が症状を悪化させるケースがあるため、さまざまな場面でまわりがフォローする必要があります。例えば、スーパーマーケットでは、住人がクッキーをうっかり未払いで持ち帰ったら、スタッフは住人の棟の担当スタッフに連絡し、みんなでコーヒーの

時間に食べられそうであれば、その家の経費に回し、食べない場合は住人の身元保証人になっている家族に連絡して精算する、等の配慮がなされています。

12)「後期高齢者の保健事業のあり方に関する研究」(厚生労働科学研究費補助金　厚生労働科学特別研究事業、2016度)

13)「精神障害者の地域生活支援を推進する政策研究　総括研究報告書」(厚生労働行政推進調査事業　障害者政策総合研究事業　精神障害分野、2021年)

14)「高齢者を標準とするしくみづくり検討委員会意見書」(神奈川県、2014年)

15)「スーパーも映画館もある、認知症患者だけが暮らす『街』―『普通に暮らしている感覚』を提供するオランダの試み」(2020年、https://news.yahoo.co.jp/feature/1818/)

(7) 歩行者・自転車利用

1) 位　置　づ　け[16)]

歩行は人間にとって最も基本的な交通手段であり、徒歩・自転車交通のシェアは非常に大きいものです。歩道は、屋外における主要な歩行空間であり、歩行者のための安全な通行空間であるとともに、都市における貴重な緑の供給の場であり、地域住民のコミュニティの場でもあります。

道路、特に市街地における道路は本来地域住民のコミュニティの場でもあり、自動車や公共交通機関の機能は歩行という機能と結びついて初めてトータルとしての交通システムが形成されます。

クルマ中心とも言える現在の都市デザインの変革も必要となります。現在は、駐車場、道路などクルマのためのスペースは都市のなかでも膨大で、歩行者は肩身の狭い思いをしています。将来は、マイカーは減り、クルマの稼働率が上がり、駐車スペースは大幅に少なくてすむようになるとは言われています。

2) 歩　行　者

最も基本的な交通手段である歩行は、1978年パーソントリップ調査によると代表交通手段別トリップは、鉄道20.8%、バス5.9%、自動車24.9%、徒歩・二輪車48.3%であり、徒歩・自転車交通のシェアは非常に大きいことが分ります。

歩行は、人間の生活時間の中でかなりの部分を占めており、自動車や公共交通機関の機能は歩行という機能と結びついて初めてトータルとしての交通システムが形成されます。

人間優先の安全かつ快適な歩行者環境の形成、つまり歩車分離の原理による歩行者環境の形成が必要です。

最近は安全面からの歩道設置促進のみならず、"生きがい"や"うるおい"といった生活の質的充実を求める住民の意識の高まりのなかで、都市部においては"くつろぎ"のある歩行空間の形成が叫ばれており、…今後尚一層の整備促進が望まれます。

社会の多様化、高度化に伴い住民の価値観も多様化し、生活に"うるおい"や"ゆとり"を求める風潮が強まってきたこともあり、ようやく最近になって歩道設置の促進、歩行者天国や歩行者専用道の整備が行われるようになったのが現状です。

3) 自　転　車

自転車交通は、約4km程度までの近距離の交通市場を受けもち、一部でバス交通と競合しており、この傾向は、更に、続くものと想定されています。…サイクルアンドバスライドシステムの積極的な促進を図ることが求められます。

駅前等の放置自転車と歩道上を高スピードで走行する無謀運転により、最も規制を要請される交通機関となってきています。本来の省エネルギー、無公害の交通手段が一方的に悪者扱いされているといえます。

二輪車交通は、モータリゼーションの進行により危険率が高くなる一方、経済性、定時性、利便性、連続性が非常にすぐれているため、駅へのアクセス交通を主体に市街中心部への交通が多くなり、自転車の歩道利用、不法駐車等により、歩行者との共存ができず、モラル、マナーが問題となっているのが現実です。

今後の自転車交通の整備の基本理念として、次の２点が提案されています[16)]。

①自転者歩行者通行可の歩道を活用するとともに、買物や業務交通の円滑化のため、大規模店舗等の協力により市街周辺に駐輪場を設置し、市街中心部への乗り入れを抑制し、自転車交通の改善を図る。

②駅へのアクセス交通としては、最も利便性、連続性、定時性がすぐれた交通手段となっているため、価格メカニズムを導入した駐車方法を確立し、各交通機関が駅前を平等に使用する観点に立ち、他の交通機関との間での利用調整を行う、…総合的な駅周辺の施策と連携して、他の交通機関と有機性をもった自転車交通を確立する、などのことが提案されています。

16)「神奈川の交通体系の将来構想―交通需要管理による地域交通を求めて―」(神奈川県、1983年8月)

第12章

都　市

——大都市のリスクの本質的解決（過密の解消）と地方の農山漁村社会の再構築——

全ての地域で地域の持続性の確立の前提条件として、食料とエネルギーの確保及び資源循環の考え方が不可欠です。同時に、大都市のリスクの本質的解決（過密の解消）と地方の農山漁村社会の再構築が考慮されなければなりません。

本章では、地域の持続性の確立の前提条件を考察し、都市と地方とのあり方について、次のような課題意識をもって、私見をまとめたいと思います。

何よりも今日的課題として、大都市の最大の問題である“過密”の本質的解決が必要です。

これまでの経済最優先で構築された都市構造の延長の上にある考え方でないのかどうか、検討される必要があります。

現在の都市には、災害（自然災害や疫病など）の規模に基づく“物理的限界”があるのです。

都市災害の最も根源的要素は、都市の過密状態にあることから、都市災害を未然に防止する方策は、都市の過密を無くすことに力点を置かざるを得ません。都市災害の防止策は、過密を無くする（＝分散化に基づく）都市の設計・構築以外にあり得ません。

次の課題としては森の中の工場群を実現することです。

農村地域の拠点化を進める中で、森の中の工場を実現し、新たな緑の都市を構築することができます。

生産工場の在り方、これは新しい空間利用とともにフラクタル的な「森の中の工場群を実現する」ことになります。イメージ図としては「ネットワーク的連携」を取る「フラクタル都市構造」です。

ネットワークとしてのつながり、コロナ、疫病の蔓延、都市災害、都市の強靭化、台風・地震のエネルギーにも耐えられる一方、高齢者・障がい者にも配慮した都市です。

(1) 都市形成の理論

1)「都市」と自治体の役割[1,2]

そもそも「都市」とは何か。「都市」は極めて複雑かつ多面的なため、統一見解は存在せず、各分野がそれぞれの視点で分析・実践しているのが現状だと言われています。物理的・空間的な機能（建築・土木)、経済活動の場（経済学)、人の関係性（都市社会学)、運営や規制（行政・自治)、金融商品（不動産)、大地の一部（地理学）など、都市という存在を特定の学問や切り口を設けていくのが従来のアプローチですが、現代の複雑化した都市問題に対しては、多角的・総合的に対応しなければなりません。

一方、都市化に伴う村落の変貌による、及び都市に蓄積される、新たな「地域資源」の公平・平等な分配に重要な役割を担う地方自治体の首長、職員、議員、都市計画プランナー、金融機関・保険会社、不動産業者、デベロッパー、ソーシャル・ワーカーなどの職業の重要性が増しています。

都市づくりを担う重要なセクターの一つが行政であることは間違いないのですが、行政の専門家も、国・都道府県・市区町村の三層の難しさを指摘しています[1)]。例えば、現場から最も遠い「国」が最も大きな権限を有するため、あらゆる変化を起こせる立場にある一方、最も地域の実情に明るい「市区町村」には十分な権限が付与されていないため、できることに限界が生じます。

いかに地域の実情を理解している人たちを巻き込んでいくかがポイントであり、そのためにはローカルかつ共創型のアプローチが鍵となることが指摘されています。

「例えば、適正規模の「自治」の単位を設定して、住民の中から地域経営の担い手を育てると共に、多くの住民が気軽に自治に参加できるUX（ユーザーエクスペリエンス）を高める仕組みを作る。その地域にある企業も、住民の一人として技術や知恵を提供して自治の担い手となる。そして自治体は、住民や企業の地域経営を支えるための仕組みやルールづくりなどをサポートできるシステムが作れれば、高齢化・人口減少時代に適した住民―企業―行政共創型のローカルな都市づくりが可能になる」[1)] と指摘されています。

2) 都市形成の法則性

都市形成を支配すると考えられている本質的なメカニズムを組み込んだ確率モデル、自己組織化モデルを紹介します。

人間など、その構成要素間の相互作用は、個々人のダイナミクスとは大きく異なる協調的な進化をもたらします。この現象は、巨視的なレベルでは、人口動態の進化、文化・技術の発展、経済活動など、さまざまな形で現れており、巨視的な時空間構造の形成における非線形な個体間相互作用が果たす役割の結果です。

この挙動は、都市パターンにおけるフラクタル構造の発生と関連する深遠な内容を持っています[3,4)]。

一般に物理学的には、開放系では、絶えずエネルギー的補給がなされることで、閉鎖系の特徴である“平衡構造”や“緩和構造”（この2つは“自己集合”と呼ばれる）を作ることを超えて、“散逸構造”[3)] と呼ばれる特有の構造化が進みます。再帰性の感染症発生数の変動現象の中で、人口規模が大きくなると、こうした“散逸構造”が進むのは興味深いことです。

この場合の“散逸構造”は、開放系としての人口集団の時間関・空間的行動パターンにおいて形成されるものであり、集団の規模が大きくなるにつれ、外部からのエネルギー（人）の補給が大きくなり、ある条件では規則的変動やパターン形成などの“秩序（構造)”が作り出される（自己組織化)[3] ものの、その秩序も多様に変化しつつ次々に発生・消滅を繰り返す、といった複雑な構造（“複雑性”）を背景にしているものと推察されます（イメージ的には、水の流れに作り出される渦（乱流）を想起されたい)。

人口規模に依存した“人の行動パターンの自己組織化”が背景にあるとなれば、より根源的には、人々が系全体を俯瞰する能力を持たないのにも関わらず、人々の自律的な振る舞いの結果として、“自己組織化”を作り出す時間的・空間的な人々の行動をもたらす都市構造や社会の在り方までもが課題となります。

1）「複雑化した「都市」とどう向き合うのか？　生態系、精神性のインフラとしてのポストコロナ時代の都市」（田代周平、BIOTOPE、2020年）
2）「都市はだれのものか？――レイ・パールの都市社会理論の現代的再構成に向けて」（渡邊隼、10tl website、2019年）
3）「デンマークの自然エネルギーの到達点とコロナ発生数変動に関する一考察」（著者、札医大紀要）
4）Role of Intermittency in Urban Development: A Model of Large-Scale City Formation PHYSICAL REVIEW LETTERS 1997「都市開発における断続性の役割：大規模な都市形成の一モデル」（著者訳）

(2) 大都市が抱える重大問題

今、地球規模の温暖化などによる「自然災害」が頻発し、わが国でも、2つの巨大地震と原発災害に加えて、相次ぐ大地震、火山噴火、大雨・台風等による災害が相次いでいます。このような中で、高密度の大都市における巨大地震、感染症リスク拡大などの重大な危機に対する、持続可能で安全・安心なレジリエント（回復力のある）な都市構造への再構築が求められています[5]。

1) 都市の災害リスクの格付け

「世界と日本の主要都市の自然災害リスク評価」が行われています[6、7、8]。

世界の都市の自然災害総合リスク指数を円の大きさで示しています（図12－1）[9]。

世界的に見て際立つ日本の東京一極集中度[6]

日本では、東京・横浜・名古屋・大阪の巨大都市をはじめとして川崎・静岡・尼崎・神戸・高知・広島・鹿児島など、関東から九州に至るベルト地帯にリスク大の都市が並びます。この地帯では、陸地近くにまで海溝が迫っていて巨大地震の危険が大きく、大雨の頻度が高く、太平洋に南面していて台風・高潮の危険が大きく、そしてなによりも人口・資産が集中している、というためです。太平洋側では地震と津波・高潮の災害の危険が大きいが、日本海側および内陸では洪水・土砂のウエイトが相対的に大きくなっています。

過密の解消について

大都市の最大の問題である“過密”を解決するには、これまでの経済最優

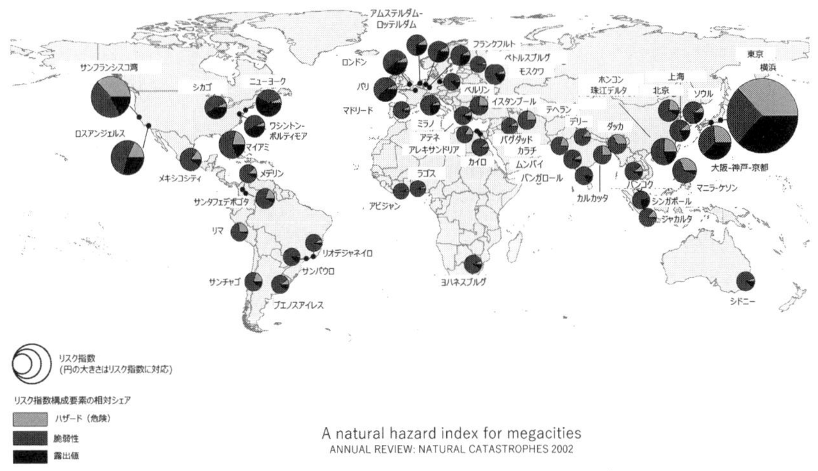

図12－1　世界大都市の自然災害リスク指数[6]

表12－1 都市ごとの災害リスクの格付け（第10位まで）[6]

大都市	人口（100万人）	総合リスク指標	リスク指標構成要素		
			危険	脆弱性	暴露値
東京―横浜	34.9	710	10.0	7.1	10.0
サンフランシスコ	7.3	167	6.7	8.3	3.0
ロス-アンジェルス	16.8	100	2.7	8.2	4.5
大阪―神戸―京都	18.0	92	3.6	5.0	5.0
マイアミ	4.1	45	2.7	7.7	2.2
ニューヨーク	21.6	42	0.9	5.5	8.3
香港	14.0	41	2.8	6.6	2.2
マニラ	14.2	31	4.8	9.5	0.7
ロンドン	12.1	30	0.9	7.1	4.8
パリ	11.0	26	0.8	6.6	4.6

先で構築された都市構造の延長の上にない考え方で、検討される必要があります。2050年段階の「都市構造」の在り方は、“拠点”とともに“分散化”であるべきです。

この努力は既に始まっています。東京圏の人口が日本全体の人口に占める割合は戦後大きく増え、1950年に15%以下であったものが2010年にはおよそ2倍になっています。他の先進国を見てみると、この割合は戦後、だいたい横ばい状態です。ロンドンは1950年に15%を超えていたものが2010年には15%以下に減っています。パリは若干増えていますが、15%ちょっと上でとどまっています。ニューヨークも5～10%の間で減少し続けています。

災害対策・防災対策の面では、地域資源である再エネによる自活を行うことで、非常時のエネルギーの確保が出来ます。また“都市農業”によって食料の確保も可能になります。このことによる経済的メリットも生まれます。

2) 都市災害の重大化

大都市の持続性を阻むものは、都市災害の重大化であり、その原因が大都市の過密構造にあることは明らかです。

最初に、大都市の災害を具体例に見てみます（表12－2)。

人が密になっていて、多くの技術的成果物（製品・システム）に溢れている都市では、何時何が起こっても不思議ではありません。災害は、技術の安全性を超えて起こる「技術がもつ本質的不確定性」に根差すものですから、これを未然に防止することは不可能です。

災害の発生を防止することが不可能だとすれば、後は被害を無くするあるいは軽減することを考える他ありません。しかし、現状の過密状態の都市では、被害を無くすることも困難です。

被害を少なくし、立ち直りがスムーズになるようにする災害発生後の対応が可能になるように、都市の設計・構築（インフラ整備）が求められるということになります。このことが前述した「グリーンインフラ[8)]」の整備の必要性を求めている理由であり、平時において十分検討されるべきものです。

都市災害の最も根源的要素は、都市の過密状態にあることから、都市災害を可能な限り小さな範囲に留める方策は、都市の過密を無くすこと、即ち過密を無くする都市の設計・構築以外にありません。

表12－2　大都市の災害の具体例

災害の要因	具体的事象
地震	家屋倒壊・住宅密集地の火災・ガラス落下・家具転倒・孤独死・帰宅困難者・造成地崩壊—液状化・高層階の孤立・ブロック塀倒壊・避難所—仮設住宅不足・大渋滞・脱線・断水・停電・食料—物資不足
水害	低い土地の水没・排水できず長期孤立・大量の避難者・地下鉄 - 地下街水没などの大都市型洪水
噴火	降灰による影響：鉄道・道路・建物・電力・通信・上下水道
共通	高層難民・帰宅難民・避難所難民

5）「「大工業都市の巨大災害」に関する一考察」（拙著、未公開、2021）
6）ANNUAL REVIEW: NATURAL CATASTROPHES 2002（Munich Re Group: topics, 2003）
7）「世界と日本の主要都市の自然災害リスク評価」http://takemizu.life.coocan.jp/bousaicolumn/column/risk/riskindex.html
8）「提言　気候変動に伴い激甚化する災害に対しグリーンインフラを活用した国土形成により“いのちまち”を創る」（日本学術会議、2020年8月）
9）「世界大都市の自然災害リスク指数」（内閣府防災情報のページ）

(3) 地方の農山漁村が抱える重大問題

1) 地方の深刻化する状況

地方における過疎・高齢化は如何なる問題を引き起こしているか[10)]。大都市への一極集中・地方の疲弊にともない、様々な社会問題が生じています（表12－3、表12－4）。

2) 地域が抱える課題を解決し、地域活性化の切り札となり得る「地域資源」

表12－5は「地域の抱える課題と地域活性化」を示したものです。

表12－3　財政力指数（都道府県別）［≒（収入額）÷（需要額）］

財政力指数（都道府県別）	≒（収入額）÷（需要額）	都道府県
1.0以上	≒需要に十分な収入	東京都
0.700～1.000未満	≒需要の7～9割の収入	神奈川県、千葉県、埼玉県、愛知県、大阪府、静岡県
0.500～0.700未満	≒需要の半分～7割未満の収入	栃木県、群馬県、茨城県、福岡県等15府県（＝東京圏以外）
0.500未満	≒需要の半分未満の収入	岩手県、鳥取県、高知県、大分県等25道県（＝東京圏以外）

表 12－4 生じている様々な社会問題

都市部の社会問題例	過疎地域の問題例	共通の問題例
○大都市の過密・混雑 ・待機児童問題 ・大規模イベント・発災時の混雑・事故 ○地方都市のスポンジ化 ○地域コミュニティの弱体化・機能不全	○人口流出、経済・社会の持続性の低下 ・移住・交流の停滞 ・魅力ある雇用先の減少 ・観光客・住民の移動困難 ・発災時における住民所在確認の困難	○人手不足 ・医療（特に過疎地域）・介護従事者 ・教員 ○公共施設の過不足、整備・更新コスト ○観光客の動態把握の困難（観光ルート等）

表 12－5 地域の抱える課題と地域活性化[11)]

中小企業・小規模事業者が認識している地域の抱える課題

中規模企業	小規模事業者
「人口減少」、「少子高齢化」、「商店街・繁華街の衰退」	「人口減少」、「少子高齢化」、「商店街・繁華街の衰退」「大規模工場等の製造業の不在」*1

自治体が認識している地域が抱える課題

都道府県	市区町村
「人口減少」、「少子高齢化」、「震災からの産業復興」、「内外経済環境の変化」、「製造品出荷額の減少」等	「人口減少」、「少子高齢化」「大規模工場等の製造業の不在」*1「商店街・繁華街の衰退」

自治体の地域が抱える課題への取組内容

都道府県	市区町村
「企業誘致」などによる外部の需要を獲得	「観光客の誘致」、「商店街活性化」、「地域ブランドの発掘・育成」などの内部からの需要創造型の施策*2

「地域活性化の切り札」として、元々その地域にある「地域資源」の活用に対する認識

都道府県	市区町村
「産業基盤」	「農水産品」、「観光資源」

*1 大規模製造業がその地域から移転してしまった影響で、下請である小規模事業者が仕事を失ったことが推察される。

*2 大企業の設備投資が海外に向かう傾向が強まる中で、企業誘致を行うのは難しい状況となりつつある中、今ある中小企業・小規模事業者の活力や地域資源・地域ブランドをどう活用していくか、地域活性化の「鍵」は外部ではなく、むしろ内部にこそあるのではないか、との指摘がある。

10)「地域・地方の現状と課題」(富士通総研、2019年6月)
11)「地域の抱える課題と地域活性化」(「中小企業白書」第2章、2014年)

(4) エネルギーと食料の自立を実現する都市

パリ協定を踏まえて、SDGsを実現する取組が、人類最大の課題として、全世界的規模で展開されています。SDGsが目指す持続可能な社会を作り上げるためには、食料とエネルギーの持続的、安定的確保が大前提になります。地域単位のエネルギーと食料の自立的確保をあらゆる手段を講じて進める必要があります。こうした観点から、エネルギーについては、再エネの利活用、食料については、どこでも出来る有機栽培を目指す取組みを開始すべきです。

1) 都市の自立：再エネの利用

①電気と熱

- 電気は、あらゆる人工構造物上に設置された太陽光発電によって確保します。
- 市域全体の"緑化"全市域に広げること。
- "都市農業"や緑化で、剪定枝や農業残渣物などのバイオマス資源の確保につながります。

②廃棄物（排泄物）の再エネとしての位置づけ

- 廃棄物については資源循環として見ること、及び重点は食品ロスと廃プラの問題を解決することです。
- 廃棄される食料は都市農業の土造り・肥料造りに活かすべきです。

③災害対策

- 防災対策の面では、地域資源である再エネによる自活を行うことで、非常時のエネルギーの確保が出来ます。また"都市農業"によって食料の確保も可能になります。このことによる経済的メリットも生まれます。

以上の考え方は、日本学術会議の提言の「グリーンインフラ」と一致するものです。

2) 都市の自立：食料の確保

都市農業の最先端の話題として、第10章（4）垂直農業と（5）3A農業を取り上げました。本節では、「寛大な都市（Generous City）」を引用の形で紹介します。

寛大な都市[12)]

作家であり生物学者でもあるジャニーン・ベニュスは、数百万年の進化から得た素晴らしいアイデアをデザインに生かすイノベーション・コンサルタント会社「バイオミミクリー3.8」の共同設立者です。彼女はここで、2050年の都市環境を、きれいな空気と浄化された水を排出する自然林のように“寛大なもの”として構想している。文献12）の一部を引用します。

「木のように呼吸する皮を作る：葉は、エネルギーを収穫し、霧を取り込み、酸素を放出し、熱を発散させ、寿命が尽きれば、新しい太陽電池を生み出す土壌を肥やす。建物の外壁に最適なモデル。

湿地帯のように水を浄化する都市：生物模倣都市は、地域の湿地帯と同じ量の水を収穫し、貯水し、浄化し、ゆっくりと放出する。水循環の一部になるには、村が必要なのだ。

エコロジーを正しく機能させる森林のように機能するためには、都市全体、つまり建設されたインフラと緑の生態系が一体となって、きれいな空気を作り出し、気候を調整し、土壌を作り、生物多様性を育む。

都市とは何のためにあるのか、そして熱望的な誓いが何をもたらすのかを再考させたのである。

都市は巣のように自然なものだと、私たちは気づいた。」

12)「The Generous City」（ジャニーン・ペニュス、2015年）

(5) 都市と地方を結ぶ工場生産のあり方

「都市の過密の解消」・「緑の都市」の実現には、生産工場の存在が不可欠です。本節では、「森の中の工場」としての未来の工場の在り方（“森の中の工場”実現の条件）を検討します。

1）生産工場の意義

先ず、用語「生産」「工場」「技術」について簡単に押さえます。

「生産」とは、人間生活に必要な物資・用役をつくりだす経済的行為のこと。用役（サービス）の提供をも生産とみるかどうかで、経済学の見方は二つに分かれる[13)]。

生産に本源的に必要とされる財あるいは用役は生産要素とよばれ、伝統的な古典派経済学の区分に従えば労働（労働力）・土地・資本（資本財）の三つに分類されます。労働力は労働が提供する用役であり、土地は大地の広がりとしての土地だけでなく、生産に必要なすべての自然資源・気候・風土などを含み、資本財は道具・機械・設備・原材料・燃料・動力などをさしています。また、労働と土地はその性格上、本源的生産要素とよばれ、資本財は生産された生産手段とよばれます。

「工場」とは、一定の機械・器具を設備し、継続的に物品の製造や加工などを行う所のことです。

工場での商品生産（工場制工業）は、機械設備を主要な労働手段として組織されるため、機械制工業とよばれます。

大小の工場は、その製品の性質によって、それぞれ、素材、部品、組立て部門のいずれかに属しています。しかし、単一の機械あるいは1人の人間で仕上げられるような商品は例外的で、大多数のものは、数段階にわたる工程を経て製作されます。工場生産を支配している原理は、マニュファクチュア（工場制手工業）を出発点とする分業に基づく協業であり、それぞれの作業は一定の工程に従います。

「技術」とは、生産活動を行うことを目的に、自然の物質（原料）に働きかけるために、人間によって創造される様々な生産の合目的仕方・方法です[14)]。

動力技術の歴史的発展についてみれば、人間が自らの手・足の筋肉を使うことから、役畜の使用や風車に至り、やがて動力機械の発明に至る過程があります。この過程は、動力の源泉となるエネルギー資源が、人や家畜の代謝、自然エネルギーの利用（木の燃焼や風力)、そして石炭・石油・天然ガスの利用（化石燃料）と進んできた事実に符合します[14)]。

制御方式の進歩が逆に装置の構造改変を促す場合もあります。新しい質のものは機能的に分化されて，従来のものより小型化します。複合・組合せによる構造転換により機能のさらなる増大がはかられます。そして究極の工場生産のあり方は「ネットワーク的連携構成」になります。

2) ネットワーク的連携構成

未来の工場の在り方は、イメージ図を示すと図 12－2のようなネットワーク的連携構成となります。

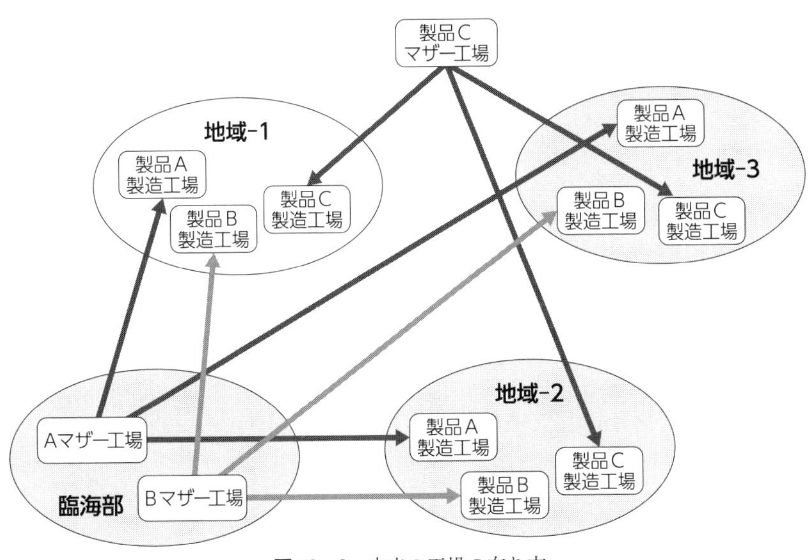

図 12－2　未来の工場の在り方

①マザー工場

- 国内外に巨大工場として存在している“マザー工場”は、情報受発信機能が中心になります。
- 技術の進歩は、筋骨系統→脈管系統→脳神経系統と発展し、最終的に脳神経系統を備え情報の伝達機能が中心になります。
- 最も特徴的な技術的ブレイクスルーは、PC（コンピュータ）の発展に応じて起こり、それは工場生産の在り方を変えることになります。

②地域工場

- 各地域に小規模・分散設置された“個別製品製造工場”では、その地域の必需品を、必要なだけ、必要とするときに生産する。多品種少量生産→変品種変量生産に行きつきます。
- IoT、AI、ロボットなどの技術進歩により、完全自動化工場～手作り工場の多種多様な生産工場を無数の地域（地方）に分散設置し、変品種変量生産が行われます。
- 原材料は地域資源の総動員になります。
- あらゆる必需品を、必要なだけ、必要とするときに生産するようになります。
- 誰でも生産に参加：住民参加による生産も実現されます。
“いつでも Anytime”、“どこでも Anywhere”、“だれでも Anyone”生産に関われる工場（3A 工場）の実現です。
- 地域の工場は、「容易に森の中の工場群」として作ることが出来ます。
- 長距離運送は不要になり、地域内の配達となります。
- エネルギーは、再生可能で自立型、仮に事故が起こっても小規模で済みます。

③工場

- 生産ラインは地産地消可能地域に移り、巨大工場に代わって小規模の「マザー工場」を残します。

- 巨大工場があった場所では、広い跡地ができるので、緑化（植林）＝森の造成、都市農業＝農業公園の立地条件を創出できます。
- 地産地消可能地域を対象とする生産を行う工場が残ることになります。
- 空間が生まれる→巨大工場跡地に広い空き地ができる→植林・農業（非農地の農業等）が可能になる、居住空間が生まれる→都心部の過密が緩和する。この結果、「森の中の工場群」が実現するということです。

リフキンも、「テクノロジー水準の高い経済が表に出てくるにつれて、工場をノードとし、投入産出のリンクを連結させた機械型の20世紀型経済は、有機的で相互関係のある21世紀の経済へと変化する。」と述べています。

以上は、筆者の描く未来社会ですが、こうしたイメージは既に複数の研究者が持っています。興味あるかたは、次の文献を参照下さい。

①「21世紀の生産工場」（長岡一三、奈良産業大学、「産業と経済」、第6巻第2号、1991年9月、p.35～41）

②「一つひとつの工場はモジュール化し、社会のあちらこちらに分散」（西岡靖之、「未来コトハジメ」、日経BP、2016年12月）

13）『日本大百科全書』（小学館）
14）『技術論入門』（中村静治、有斐閣ブックス、1977年）

第 13 章

雇　　用

雇用創出は、多くの要因によって影響されるのですが、再エネについて言えば、脱炭素の世界的潮流の中で、普及が促進され、導入コストが下がり、この結果、更に普及促進が進み、一層のコスト低下を促し、年々安定した投資が行われて、全体の投資が増え、労働生産性が高まることで、雇用が創出されるという顕著な動向が見られます。

「再エネは雇用を生み出す」と言われるのは、再エネの普及が進んでいるからに他なりませんが、脱化石燃料化による失われる雇用もあり、再エネの雇用増とは、失われる雇用との比較で、新規雇用がそれを上回っていることを見る必要があります。

(1) 再エネ産業における雇用の概要

1) 再エネ部門の雇用者数

再エネ部門の雇用者数は、2022 年には直接・間接を合わせて 1,370 万人に達すると報告されています（表 13－1）。

太陽光発電、バイオエネルギー、水力発電、風力発電産業が雇用の多くを占めています。

2) 再エネ雇用に影響を与える要因

再エネ雇用の動向は表 13－2 にまとめるような要因に影響されます。

表 13－1　世界の再エネ技術別雇用者数、2012～22年[1]

（単位：100万人）

種別	2012	2013	2014	2015	2016	2017	2018	2019	2020	2021	2022
太陽光発電	1.36	2.27	2.49	2.77	3.09	3.37	3.68	3.75	3.98	4.29	4.90
バイオマスエネルギー	2.40	2.50	2.99	2.88	2.74	3.05	3.18	3.58	3.52	3.44	3.58
水力発電	1.66	2.21	2.04	2.16	2.06	1.99	2.05	1.96	2.18	2.37	2.49
風力発電	0.75	0.83	1.03	1.08	1.16	1.15	1.16	1.17	1.25	1.37	1.40
太陽熱暖冷房	0.89	0.50	0.76	0.94	0.83	0.81	0.80	0.82	0.82	0.77	0.71
その他*	0.22	0.23	0.19	0.20	0.24	0.16	0.18	0.18	0.27	0.43	0.64
計	7.3	8.5	9.5	10.0	10.1	10.5	11.1	11.5	12.0	12.7	13.7

*地熱、廃棄物、CSP、波力・海洋エネルギー

表 13－2　再エネ雇用に影響を与える要因[1]

要因	具体的内容
技術の進歩とコスト低下／投資動向	・競争力の上昇 ・コストの低下による費用1ドル当たりの導入量増加
展開：新規および累積容量	・プロジェクト開発、製造、販売、建設、設置における雇用 ・運転・保守部門の雇用
労働集約度の変化	・自動化、ドローンの活用、人工知能 ・規模の経済 ・学習効果 ・多様な労働力の創出
サプライチェーン構造	・商品、技術、貿易の依存関係 ・地理的フットプリント* ・現地化への取り組み
政策的野心	・展開、統合、実現政策 ・産業政策、貿易政策、技能訓練、労働市場対策、ジェンダー政策
COVID-19対応と復興努力	・サプライチェーンに沿った影響 ・再エネ対化石燃料の力学 ・景気刺激策と雇用維持 ・リモートワーク

*地理的フットプリント：国や地域の設置市場のダイナミズム、技術的リーダーシップ、産業政策、国内コンテンツ要件、そして個々の国におけるサプライチェーンの深さと強さに依存する。

3) 再エネの技術別雇用

太陽光発電、液体バイオ燃料、風力発電、水力発電や固形バイオマス、バイオガス、太陽熱・冷房における雇用が大きいと推計されています（表13-3）。

集光型太陽熱発電（CSP）、地熱・地中熱ヒートポンプ、廃棄物エネルギー、海洋・波力エネルギーなど、その他の技術については雇用者数は少ないと推計されています。

表13-3 再エネの技術別雇用の推計 1.5℃ シナリオの場合[1]

（単位：万人）

<table>
<tr><th></th><th colspan="2">現在</th><th>2050年</th></tr>
<tr><td>太陽光発電</td><td>397.5</td><td>SWH（太陽熱・冷房） 82
CSP（集光型太陽熱発電） 3</td><td>2,000</td></tr>
<tr><td>液体バイオ燃料</td><td>241</td><td>固体バイオマス 77
バイオガス 34</td><td>1,400</td></tr>
<tr><td>水力発電</td><td>218</td><td></td><td>370</td></tr>
<tr><td>風力発電</td><td>125</td><td></td><td>450</td></tr>
<tr><td>地熱</td><td>96</td><td></td><td></td></tr>
<tr><td>廃棄物</td><td>39</td><td></td><td></td></tr>
<tr><td>その他</td><td>10.5</td><td></td><td></td></tr>
<tr><td></td><td></td><td></td><td>4,300</td></tr>
</table>

4) 多様な労働力の創出

再エネは新たな産業創出分野であり、プロジェクト・マネジャー、科学者、エンジニア、技術者、電気技師、溶接工、配管工、トラック運転手、クレーン運転手など、労働力としてより幅広く多様な候補者を集めることが必要です。

多様な労働力には、社会から疎外された人々や、社会から疎外されたグループの人々が含まれるようにすること、特に、女性、マイノリティ、障がい者、低所得者、若者、高齢労働者を含めることが重要です。

再エネ産業では女性雇用が全体の労働力の32％を占めています（石油・ガス産業では22％）[2)]。再エネ産業における雇用機会への平等なアクセスを確保するための特別な対策が必要です。

5）正味の雇用増：再エネによる新規雇用と失われる雇用の差[1)]

ILOは、1.5℃シナリオでは、2030年までにエネルギー部門は1億3,700万人を雇用するとしていました。

現在と比較すると、化石燃料の雇用者数は2030年に690万人、2050年には1,050万人減少するとしています。

2030年までの持続可能性シナリオの下で、世界全体で2,500万件の新規雇用が可能であると推定しています。ILOのシナリオ結果は、700万人近い雇用が失われることを意味します。失われる雇用の多くは再配置が可能です。つまり、特定の産業の縮小によって職を失った500万人の労働者は、同じ国内の別の産業で同じ職種の仕事を見つけることができるのです。しかし、再配置の努力にかかわらず、100万から200万人の雇用は、他産業で同じ職種の空きがないまま廃止されてしまいます。

1）IRENA 2021及びIRENA 2023

2）IRENA Renewable Energy and Jobs Annual Review 2019
FIGURE 4: SHARES OF WOMEN IN STEM, NON-STEM AND ADMINISTRATIVE JOBS IN RENEWABLE ENERGY

(2)　再エネの雇用創出の基礎知識

一般に、新技術Aの登場によって、急速な発展があり、成熟期で安定化しますが、新たな新技術Bの登場で、技術Aは衰退化、新技術Bに置き換わる、といった技術の推移過程に伴って、雇用が生れます（図13－1及び表13－4）。

1) 技術（製品）ライフサイクルと普及理論

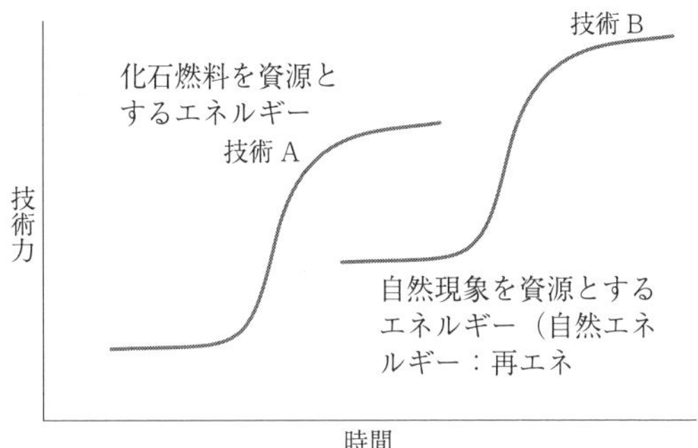

図 13－1　技術（製品）ライフサイクルと普及理論（新しい技術が使われる過程）

表 13－4　技術の発展段階と雇用創出

再エネ技術の到達水準

導入期	成長期(離陸期)	成熟期	衰退期(飽和期)
基礎研究段階 製品が市場に投入期	参入企業が増加 イノベーション＝生産過程の革新 売上が伸び競合他社が増える時期	市場の飽和 新規参入企業の数は減少	当該技術の市場の衰退、陳腐化 新規技術の登場 売上が落ちてくる時期
自動運転機能付きの自動車	再生可能エネルギー分野 雇用創出効果の発現	5G 通信の普及や新型スマートフォンの開発 雇用の頭打ち・減少	液晶テレビ
初期少数採用者	前期多数採用者	後期多数採用者	採用遅延者 革新的採用者
導入期に参入した企業	離陸期の参入者・先駆者		
技術優位＝競争力優位 特許などの秘匿 ハイリスク（高いリスク）	技術の模倣の優位性 R&D が後発企業でも容易 規模の経済の拡大の進展	市場でのポジションの維持 特許秘匿不能・ライセンス供給 多種多彩な製品群 市場の拡大もピーク	価格戦略による市場に参入 企業利益は限定的 新たな製品の開発

2）どの段階で雇用がうまれるか*

表13－5に再エネ等導入及び運用に至るまでの具体的過程を4つのフェーズと4つの側面について整理しました。雇用はフェーズ3で始まり、フェー

表13－5　再エネ等導入及び運用に至るまでの4つのフェーズと4つの側面

5つのフェーズ	フェーズ0 〔前段階〕 バイオマスの場合必須	フェーズ1 〔構想段階〕	フェーズ2 〔FS段階〕	フェーズ3 〔設計施工段階〕	フェーズ4 〔運転段階〕	フェーズ5 〔廃棄段階〕
	事前調査・実施設計			施設建設・機器設置	運用（O&M）	施設廃棄
事業計画	原料の種別・量・発生状況・収集可能性等の調査・把握	事業コンセプトの構築 ビジネスモデルの概略検討	事業コンセプトの再精査・確定 事業化スケジュールの検討	事業の将来計画の検討 施設の運転管理計画の策定		廃棄技術の開発 次の技術の開発
実施体制		事業実施体制の構築 専門家・行政への相談	事業実施体制の確定 地域関係者の合意形成	事業化体制の確定 職員の採用 生活環境影響調査の実施 地元の合意形成	地元の理解醸成	
事業収支・資金調達		設備の投資規模の確認 FS調査の予算獲得	建設費・O&M費の積算 事業リスク評価（課題整理） 初期投資費用の調達検討 事業収支・キャッシュフロー分析 補助制度の確認	設備補助の申請 資金調達・金融機関との交渉	事業採算性の検証と改善 維持補修費の中期的な予算化 大規模修繕に対する積立	
波及効果			事業の波及効果の評価	波及効果の検証と公開		
	雇用は未だ生まれない			雇用の発生（限定的）	雇用促進	雇用衰退・新技術の雇用

ズ4で促進されます。

＊再エネが雇用に与える影響についてはまだ論争がある[3)]

3）The challenges of determining the employment effects of renewable energy Lambert & Patricia, Renew Sustain Energy Rev. 2012.

(3) 推計結果：ライフサイクル雇用創出ポテンシャル

1) 再エネ発電技術のライフサイクル雇用創出ポテンシャル

文献4）の雇用ポテンシャルの算出について紹介します[4)]。この論文では、12種の再エネ発電技術（太陽光発電4種、風力発電、地熱発電2種、小水力発電、木質バイオマス専焼発電、メタン発酵ガス化発電3種）について算定しています。ライフサイクル雇用量は、発電量1GWhあたり1.01～5.04人・年であり、この数値は直接効果と間接効果（第1次）の合計です。太陽光発電は、建設段階の雇用量の割合が大きく、バイオマス発電4技術は運用段階の雇用量の割合が大きい傾向が認められます。

＊ライフサイクルにわたる雇用創出「量の評価の中に「質」の議論を取り込むことが課題とされている。雇用の「質」は多様な要素を含み、かつ指標として定量化が困難であるなど実証面で課題が多く、今後の研究の進展が期待される。

2) 産業連関モデルによる比較分析

再エネと雇用創出ポテンシャルについて産業連関モデルによる比較分析も行われています（表13－6）[5)]。

この結果では、直接効果と間接効果*の比重は、技術間で大きな差異があります。

建設段階では、太陽光・風力発電の間接効果が際立って大きく、65～74%を占めています。

また、大規模地熱発電、下水汚泥および食品廃棄物によるガス化発電でも間接効果が大きく、60～68%を占めています。

一方、木質バイオマス発電と家畜排せつ物によるガス化発電は、直接効果の方が間接効果よりも大きい結果となっています。

運用段階では、バイオマス発電４技術の間接効果の大きさが突出しており、61～82% を占めています。

一方、小水力発電、太陽光発電（メガ・屋根および地上設置）、地熱発電（小規模）では直接効果が大きく、それぞれ、80%、77%、79%、65% を占めています。

＊直接効果と間接効果：

表13－6　雇用効果の範囲

直接効果	再エネ発電施設の建設や機器設置、運転や保守点検など、現場で必要となる雇用量
間接効果（第１次）	建設資材や機器・部品の製造、運搬、購入など、間接的に必要となる財・サービスの生産による雇用量
間接効果（第２次）	直接効果と間接効果（第１次）により増加した雇用者所得が、家計部門による消費に回ると仮定した時に誘発される財・サービスの生産にともなう雇用量

4）「再生可能エネルギーと雇用」（森泉由恵、Journal of Life Cycle Assessment Vol.13 No.4 October 2017）

5）「再生可能エネルギーと雇用創出ポテンシャル：産業連関モデルによる比較分析」（森泉由恵他、日本エネルギー学会誌、2017年）

(4) 大工業都市における試算結果

かつて筆者は、大工業都市の2030年までの予測再エネ導入量とそれに伴う雇用創出量を試算したことがあります。その結果を紹介します。

今多くの工業地帯では、CO_2 排出量抑制のために化石燃料を使っていた火力発電所や化学製品製造工場の撤退が進んでおり、雇用が失われる事態が起こっています。そこで、工場跡地に再エネ発電所を作り、再エネ電力を提供し、新たな再エネ・省エネ・蓄電等関連製造企業の呼び込みを促すことで、雇用創出を図り実質的に正味の雇用数をプラスにすることが必要になっています。

そこで雇用創出数の推計に当たって、3つの前提(①省エネの徹底、②技術進歩による技術などの向上、③太陽光発電の設置場所の拡大)を設定し、省エネ・太陽光発電・風力発電・バイオマス発電・廃棄物発電の5種類の産業部門(表3-7)毎に導入量を年次で推計し、年間の「MW設置量当たりの雇用数」を単位として、雇用創出数を試算しました。

先ず導入目標量を以下のように設定します:

・省エネ(エネルギー使用量)によって、2030年までの10年間で削減する

・再エネ導入によって、2050年までに100%再エネ化を図るようにする

再エネ導入量の推計の手順としては、

①10年間の導入量(GWh/年)の推計を行う

②1年間当たりの導入量に対する投資額(億円/GWh)を算定する

表13-7 対象としたエネルギー消費量の5部門の説明

部門	説明
産業部門	製造業(工場)、農林水産業、鉱業、建設業におけるエネルギー消費。第3次産業は含まれない。また、製造業の企業であっても、本社ビル等の部分は含まれない(→業務その他部門に計上)。
民生業務部門	事務所・ビル、商業・サービス業施設の他、他のいずれかの最終エネルギー消費部門にも帰属しないエネルギー消費。
民生家庭部門	家庭におけるエネルギー消費。自家用自動車からは、運輸部門。
運輸部門	自動車、船舶、航空機、鉄道におけるエネルギー消費。自動車は、自家用のものも含む。
エネ転換部門	発電所や石油製品製造業等における自家消費分及び送配電ロス等に伴う消費。自家用発電や産業用蒸気は当部門に含まない(→それぞれの部門で計上)。なお、発電所等では燃料使用に伴い実際に電力等を消費した各最終消費部門へ配分。
工業プロセス部門	セメント製造工程における石灰石の焼成による消費等、工業材料の化学変化に伴う消費。
廃棄物部門	廃棄物焼却場における化石燃料由来のプラスチック、廃油の焼却等に伴う消費。

③投資額に対する雇用創出数（人/億円）を算出する

という形で行いました。

1）省エネ（電力削減）量の経済効果と雇用創出の算定結果（表13－8）

①省エネの導入シナリオ

省エネはエネルギー消費削減に効果をもたらすので、可能な限り率先導入を図ることに意義があるので、2030年までの10年間に導入を終えるとしています。

表13－8　省エネによる2030年までの10年間の累計

	導入量（GWh）	投資額（億円）	雇用創出数（人）
産業部門	3,260	12,015	10,934
家庭部門	374	1,810	2,344
業務部門	956	3,417	4,032
運輸部門	107	1,921	1,882
合計	4,697	19,163	19,093

2）太陽光発電の導入シナリオ〈参考1〉

工業地帯には、太陽光発電の設置場所として、具体的には、①工場・事務所の屋根・空き地、②運河・用水路、③道路（遮音壁面・路面）、④駐車場（カーポート）、⑤倉庫・野積場、⑥貯油施設等、⑦農地（ソーラーシェアリング）、⑧浄水場・配水池等、⑨民間施設・住宅、等々の広大な面積があります。

太陽光発電による2050年までの30年間の累計（表13－9）。

表13－9　太陽光発電による2050年までの30年間の累計

	導入量（GWh）	投資額（億円）	雇用創出数（人）
太陽光発電	6,209	8,479	16,020

3) 省エネと太陽光発電による経済効果と雇用創出のまとめ（表 13－10）

表 13－10 省エネと太陽光発電による経済効果と雇用創出のまとめ（～2050 年まで）

	導入量（GWh）	投資額（億円）	雇用創出数（人）
省エネ	4,697	19,163	19,093
太陽光発電	6,209	8,479	16,020
計	10,906	27,642	35,113

4) 省エネ・再エネの導入による影響

省エネと太陽光発電関連による雇用創出数は、省エネ関連 1 万 9,000 人　太陽光発電関連 1 万 6,000 人　合計 3 万 5,000 人となりました。

この他に、省エネのエネ転換・工業プロセス・廃棄物部門、再エネの風力発電、バイオマス等の雇用が追加されます。

概略、省エネで 2 割、再エネ 1 割程度の増加となり、総計 5 万人の雇用創出が算出されました。

一方失われる雇用については 2019 年の産業別、従業者数（2020 年工業統計調査結果による）は、化学 6,518 人、石油 1,657 人、プラスチック 1,388 人の 3 産業部門における従業者数、合計 9,563 人となっています。

この雇用部門は、大幅に雇用が失われることになりますが、新規雇用によって回復されます。

＊素材型＋加工組立型の全雇用数：14,487＋23,380＝3 万 7,867 人

〈参考1〉

太陽光発電の導入シナリオ

	GWh/年	導入期間年	2021	2022	2023	2024	2025	2026	2027	2028	2029	2030	2031	2032	2033	2034	2035
①臨海部工場・事務所の屋根・空き地（太陽光発電所の立替を含む）												26%					52%
全敷地60%	3,853	15						200	200	200	200	200	200	200	200	200	
②運河・用水路	142	10															
③道路																	
道路（遮音壁面）	2																
道路（路面）	26																
	170	10															
④駐車場　カーポート	486							25	25	25	25	25	25	25	25	25	25
⑤倉庫・野積場	365																
⑥貯油施設等	146																
	511	10															
⑦農地　ソーラーシェアリング	390	20					20	20	20	20	20	20	20	20	20	20	20
⑧長沢浄水場・生田排水池	33																
その他の施設	33	10															
⑨民間施設・住宅	847	25						34	34	34	34	34	34	34	34	34	34
計：①～⑨	6,290						20	279	279	279	279	279	279	279	279	279	279
新規設置							20	279	279	279	279	279	279	279	279	279	279
累積量							20	298	577	855	1,134	1,412	1,591	1,970	2,248	2,527	2,805

	GWh/年	導入期間年	2036	2037	2038	2039	2040	2041	2042	2043	2044	2045	2046	2047	2048	2049	2050
①臨海部工場・事務所の屋根・空き地							100%										
全敷地60%			370	370	370	370	370										
②運河・用水路																	
③道路																	
道路（遮音壁面）																	
道路（路面）																	
								17	17	17	17	17	17	17	17	17	17
④駐車場　カーポート			47	47	47	47	47										
⑤倉庫・野積場																	
⑥貯油施設等																	
			51	51	51	51	51	51	51	51	51	51					
⑦農地　ソーラーシェアリング			20	20	20	20	20										
⑧長沢浄水場・生田排水池																	
その他の施設							16.5					16.5					
⑨民間施設・住宅			34	34	34	34	34	34	34	34	34	34	34	34	34	34	34
計：①～⑨			521	521	521	521	538	85	85	85	85	102	34	34	34	34	34
新規設置			521	521	521	521	538	102	102	102	102	119	51	51	51	51	51
累積量			3,327	3,848	4,369	4,890	5,428	5,530	5,632	5,734	5.836	5.955	6,006	6,057	6,107	6,158	6,209

〈参考2〉

省エネ（電力削減）量の経済効果と雇用創出の算定結果

			導入期間年		2021	2022	2023	2024	2025	2026	2027	2028	2029	2030
省エネ目標値：4部門			4,697											
産業部門	導入量	GWh/年	3,260	10	326	326	326	326	326	326	326	326	326	326
	年間投資額	億円/GWh	3.69		1,202	1,202	1,202	1,202	1,202	1,202	1,202	1,202	1,202	1,202
	累計				1,202	2,403	3,605	4,806	6,008	7,209	8,411	9,612	10,818	12,015
	投資額当り雇用数	人/億円	0.9		1,093	1,093	1,093	1,093	1,093	1,093	1,096	1,093	1,093	1,093
	累計				1,096	2,187	3,280	4,374	5,467	6,560	7,654	8,747	9,841	10,934
民生家庭部門	導入量	GWh/年	374	10	37.4	37.4	37.4	37.4	37.4	37.4	37.4	37.4	37.4	37.4
	年間投資額	億円/GWh	4.84		181	181	181	181	181	181	181	181	181	181
	累計				181	362	543	724	905	1,086	1,267	1,448	1,629	1,810
	投資額当り雇用数	人/億円	1.2		224	224	224	224	224	224	224	224	224	224
	累計				224	449	673	898	1,122	1,347	1,571	1,796	2,020	2,244
民生業務部門	導入量	GWh/年	956	10	95.6	95.6	95.6	95.6	95.6	95.6	95.6	95.6	95.6	95.6
	年間投資額	億円/GWh	3.57		342	342	342	342	342	342	342	342	342	342
	累計				342	683	1025	1367	1709	2020	2392	2734	3075	3417
	投資額当り雇用数	人/億円	1.2		403	403	403	403	403	403	403	403	403	403
	累計				403	806	1,210	1,613	2,016	2,419	2,823	3,226	3,629	4,032
運輸部門	導入量	GWh/年	107	10	10.7	10.7	10.7	10.7	10.7	10.7	10.7	10.7	10.7	10.7
	年間投資額	億円/GWh	17.95		192.07	192.07	192.07	192,065	192,065	192.1	192.1	192.1	192.1	192.1
	累計				192.07	384	576	768	960	1,152	1,344	1,537	1,729	1,921
	投資額当り雇用数	人/億円	1.0		188	188	188	188	188	188	188	188	188	188
	累計				188	376	565	753	941	1,129	1,318	1.506	1,694	1,882
4部門計	総導入量	GWh/年	4,697		470	470	470	470	470	470	470	470	470	470
	累計				470	939	1,409	1,879	2,349	2,818	3,288	3,758	4,227	4,697
4部門計	総投資額	億円/年			1,916	1,916	1,916	1,916	1,916	1,916	1,916	1,916	1,916	1,916
	累計				1,916	3,833	5,749	7,665	9,582	11,498	13,414	15,331	17,247	19,163
4部門計	投資額当り雇用数	人/年			1,909	1,909	1,909	1,909	1,909	1,909	1,909	1,909	1,909	1,909
	累計				1,909	3,819	5,728	7,637	9,546	11,456	13,365	15,274	17,184	19,093

第14章

具体的取組方法と事例

今地域が抱える困難を解決するということは、結局は、地域に「雇用を創出する」ことに尽きます。筆者の所属する（株）NERCでは、創業以来一貫として「地域資源である自然エネルギー（再エネ）に根差す地域産業の設立による雇用創出」を目指して取組を進め、現在までに道内のほぼ3分の1の自治体及び道外10数自治体の計画づくりに関係して来ました。この取組については、2012年に出版した『自然エネルギーが生み出す地域の雇用[1]』、2018年の「地方創生バイオマスサミット」の報告[2]そして2023年の「北の住まいるタウン　まちづくり交流会[3]」において紹介して来ました。

本章では、それらで紹介した実践経験を踏まえて、バイオマスに係る代表的な取組事例を取り上げます。

NERCでは、図14－1に整理するように、全ての地域に豊かに賦存するバイオマスを総動員して、地域で使用している化石燃料に代えて、地域資源を「再エネ」として提供する技術・システムを所有するに至っています。

一つは、木質バイオマスの熱利用を可能にする温水ボイラーです。これはドイツのNolting社の製品で、本書第4章（3－2）5）に紹介しました。

二つ目は、木質バイオマス以外の地域に賦存する草本系バイオマスのエネルギー利用を可能にするドイツGoffin Energy社のメタン発酵システムです。これについては、本書第4章（3－4）に詳しく紹介しました。

1）『自然エネルギーが生み出す地域の雇用』（自治体研究社、2012年）

2）「自然エネルギーが生み出す地域の雇用」（「地方創生バイオマスサミット　廻れ活性の環　躍動せよ地域の力」、地方創生バイオマスサミット実行委員会、2018年）資料

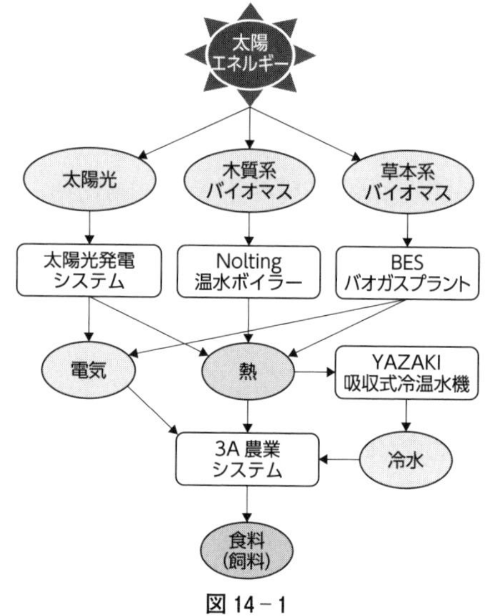

図 14－1

3）「地域資源を活かした脱炭素なまちづくり」（北海道建設部、北の住まいるタウンまちづくり交流会、2023 年）

(1) 取 組 の 概 要

1）NERC が手掛けたバイオマスを中心とした再エネの生産工場

表 14－1 で紹介する事例に NERC は全て関与しています。

(2) 事　　例

1）芦別市（北海道）「木質チップ燃料製造工場と熱利用による林地未利用材の利活用による地域内経済循環構造」の実証

芦別市で行われた総務省「分散型エネルギーインフラプロジェクト」のモ

表 14－1

種別	北海道内地域(県)	本書の紹介場所
木質バイオマス関連工場		
マテリアル利用		
木質繊維断熱材工場（ドイツ技術の導入）	苫小牧市	第4章(3-2)10)③
低温炭化油吸着材製造工場	東川町	
サーマル（熱エネルギー）利用		
木質ペレット生産工場	足寄町 他道内17地域に設立	第14章（2）2）
木質チップ燃料工場	芦別市	第14章（2）1）
薪燃料生産工場	占冠村	
廃菌床のペレット燃料化	石狩市	
バイオマスボイラー		第4章（3-2）5）
製造・組立工場（ドイツ技術の導入） 木質バイオマスボイラーの製造・販売・メンテナンスを行う㈱NERC（自然エネルギー技術センター）の設立	旭川市	
木質バイオマスボイラーの設置	道内15基	
	道外5基	
バイオマス燃料スターリングエンジン(SRSE)製造工場	（自主開発）	
農業残渣物固形燃料製造工場		
稲わら	南幌町	
廃プラ＋バイオマス混合燃料製造		
廃プラ＋木質	訓子府町	
長いもネット（廃プラ）＋豆殻	芽室町	
バイオガスプラント		
シングルステージ（乳牛ふん尿）	当別町（自主開発） 他4カ所	第4章（3-4）
マルチステージ（乳牛・豚・鶏ふん尿＋野菜屑＋稲わら）	小美玉市（茨城県） 計画中多数	第14章（2）4）

（ドイツ技術に依拠した日独 JV 日本法人 BES の設立）		
地域内連携		第 14 章 (2) 2)
農畜産業―林業		
農畜林連携構想	足寄町	第 14 章 (2) 2)
畜林連携構想	川場村（群馬県）	第 14 章 (2) 3)
農畜産業―地域内製造業	小美玉市（茨城県）	第 14 章 (2) 4)
農林業連携＋林産業・農業と福祉・観光の連携	木曽町（長野県）	
雪利用技術	岩見沢市	
無動力太陽熱利用システムの開発		
風力発電		
小型集合風車製造	（自主開発）	第 4 章 (1) 6) ②
製造工場	苫小牧市	
実証機の設置	旧北桧山町	
実験機の設置	鏡野町（岡山県）	第 4 章 (1) 6) ②
洋上風車	旧瀬棚町（国内最初）	
用水路用小水力発電機	（自主開発）	第 4 章 (2) 7)

デル事業となった取組です。本事業では、収集・運搬、加工、利用の一連のシステムについて事業性のシュミレーションを行い、その実地検証が行われました。

芦別市有施設「健民センター（旧スターライト温泉ホテル）」では、温泉の湯温保持、給湯、暖房のための石油（重油・灯油）に、毎年 6 億 3,000 万円を支払っており、そのほとんどが市域外に流出している実態がありました。この内、地域内に留まるのは燃料取扱店の手数料（10% と仮定）630 万円程度であり、これを除いた 5,670 万円が市域外に流出し、市域内を循環するお金は 630 万円しか無かったのです。

そこで、地域内資源である森林バイオマス（中心は林地残材：伐採後林地に

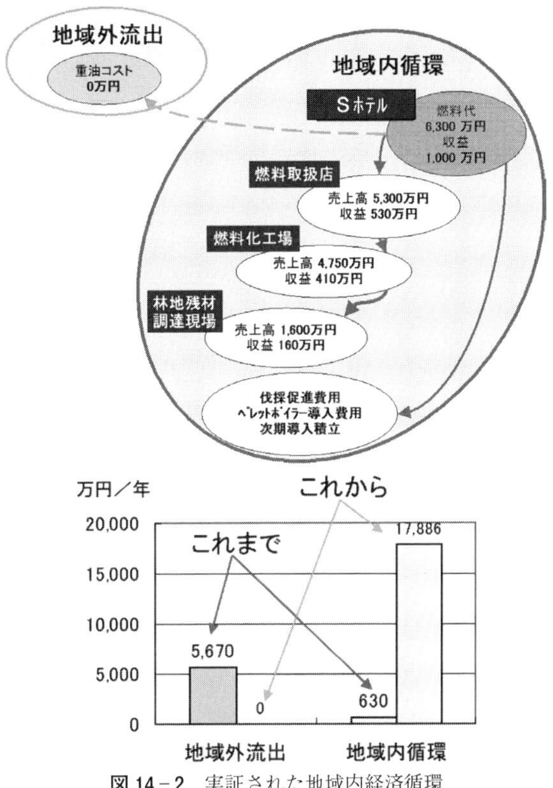

図 14－2　実証された地域内経済循環

放置されている追い上げ材や枝梢部）を搬出し、燃料化（燃料チップ）して活用することを考え、その実証調査が行われ、この結果が図 14－2 に整理してあります。

この仕組みを成り立たせる前提条件は、重油代に支払われている 6,300 万円が原資となること、及び市内に新たに中小企業者の異業種連携で燃料化工場を設立することです。温泉ホテルでは、重油代替として、2,000t/年の木質チップ燃料を消費します。この量を確保するために、林地残材の調達費 1,600 万円がかかり、これが燃料化工場の原料購入費となります。燃料化工場では、土地・建物・機械・重機等の初期投資に加え、原料代・人件費・原価償却費等の運転経費を見込んだ燃料チップ生産コストに利益を乗せた工場出荷額で、燃料取扱店に卸します。燃料取扱店では、仕入価格に取扱手数料として10％を乗せてＳ温泉ホテルへ納入する結果、末端価格は総額5,300万円となり、元々6,300万円の重油代と比べて1,000万円の節減となります。この節減分は、温泉ホテルの経営改善に役立たせるとともに、自治体としても有効活用することができます。

こうして、これまで地域外に流出していたお金はゼロとなり、林地残材の調達、燃料製造、燃料取扱にお金が廻り、それぞれの局面でお金が留まり、地域内を流通するお金は、延総額で1億7,000万円もの金額になります。これは、元々630万円程度であった地域内経済効果を飛躍的に拡大することになります。またこの事業全体では、林地残材搬出作業・運搬作業・燃料化工場雇用（通年３人）・ボイラー据付・メンテ等に、新たな仕事が生まれます。

実証調査事業において、芦別市の地域資源としての林地残材を燃料化して、市有施設で使用することによって、重油に支払われ地域外に流出していたお金が、地域内に留まり地域内循環経済の仕組みが成り立つ、所謂「地域内経済効果」が確認できました。

2）足寄町「農畜林連携構想」

足寄町（北海道）では、「農畜林連携構想」（図14－3）を作って、林地残材、畜産農家の糞尿、農地の農産物残滓、生ゴミ、下水汚泥など、町内域から排出される全てのバイオマスを、含水率に応じて高含水率バイオマスは嫌気発酵のバイオガス化させ、低含水率バイオマスは熱分解ガス化させ、ガスとして利用することを考えました。この考えは現在は、水素利用やグリーン合成燃料としてのバイオマスのイノベーション技術につながる内容でした。

3）川場村（群馬県）「バイオガスプラント（メタン発酵）と太陽光発電とのハイブリッド」

日当たりの良い丘陵面を利用して太陽光パネルを設置したソーラーパーク、

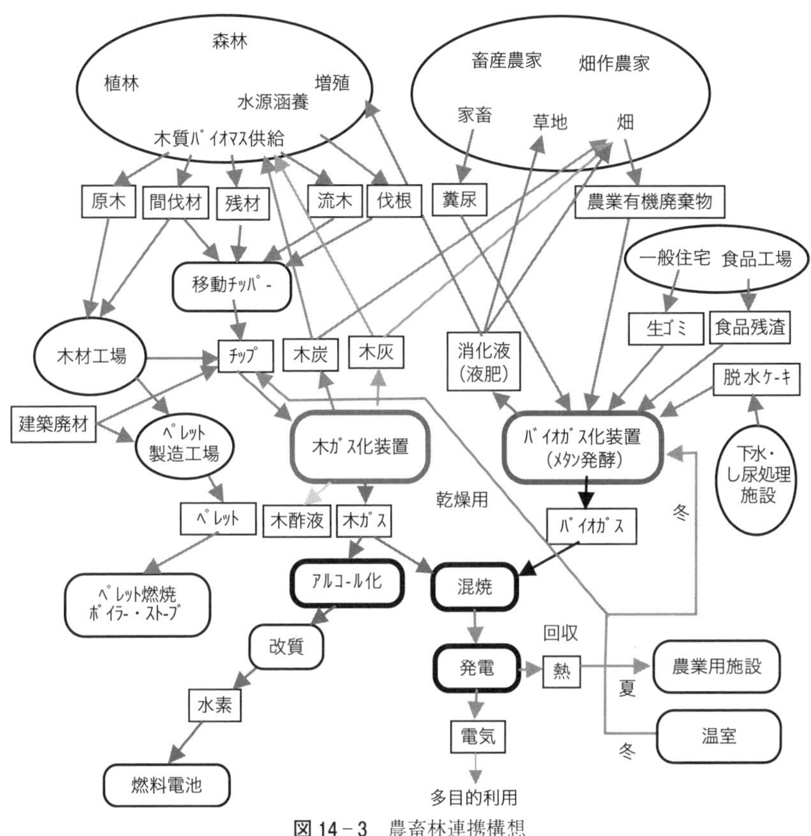

図 14－3　農畜林連携構想

バイオガスプラントコージェネ排熱を利用した温室ハウス、及び既設送電線を組み合せたイメージを図 14－4 に示します。

村内で乳牛による畜産経営を行っている６つの農家への現況、意向及び課題等についてヒアリング調査を実施したところ、概ね各畜産農家では、日々排出されるふん尿処理（堆肥化）をするために、堆肥舎へ運搬して堆肥化を行い、畑・圃場に散布していました。１カ所の農家は、圃場に十分な大きさがなく、村外まで運搬処理している状況でした。

ほぼ全ての農家において、ふん尿処理を目的としてやむなく圃場を借りるなどして畑作を行っていました。背景には村内の耕種農家が有機肥料の使用を忌避している状況があり、耕畜連携が進んでいないことが一因として挙げられます。

各畜産農家は、労力、コスト負担の軽減のために、できれば自ら畑作を行わないで酪農に注力できる環境を望んでいます。総じてふん尿処理に難渋しているという状況にあり、メタン発酵のバイオガスプラントを設置した場合には、ほぼ全量のふん尿を提供できるということでした。

また、消化液排出量は消化液総量の約 24％ に相当する 3,080m³/年、固形分排出量は 2,300t/年と推計されました（消化液総量の約 76％ はプラント内で再循環利用）。

さらに、固形分を乾燥システムによって乾燥する（コージェネ排熱利用する）ことで、再生敷料（戻し堆肥）が約 720t/年（水分率 20％）得られるものと算定されました。

水田土壌に稲わらをすき込むと、嫌気的な環境が形成され、メタンガスが発生するなど、環境への影響が指摘されています。

一方、消化液は窒素、リン酸、カリ等の肥料成分を含むため、農地還元利用は有力な選択肢であり（「食料・農業・農村基本計画」、農林水産省、2015 年）、水稲の基肥・追肥としての利用を先行的に行ってきた本州や九州の地区では、現在でも多くの水田で利用されています（一般社団法人地域環境資源センター、2016 年）。

本書第 4 章（3－3）で紹介したマルチステージシステム（多段階メタン発酵システム）によるバイオガスプラントの場合、加水分解プロセスによって、稲わら・もみ殻のような高繊維質原料でも分解可能となり、また、混入した病原菌や種子等が死滅するため、最終的に得られた消化液・固分は、安全かつ良質な有機肥料として畑地・圃場に利用することができます。

図 14－4　バイオガスプラント建設候補地のイメージ

村内６軒の畜産農家ヒアリングから、バイオガスプラントの適地を検討しました。適地の要件は、乳牛ふんの搬入や堆肥（消化液）の搬出について住民に迷惑のかからない場所であること、かつ、牛舎からできるだけ近距離であること、そして、冬期間積雪の少ない場所であることがあげられます。

これらの観点から検討した結果、図 14－4 のプラント候補地が選定されました。丘陵面は南〜南西向きで日当たりが良く、斜面上に太陽光パネルを設置したソーラーパークとしても活用可能性があり、南東から北西にはしる道路には送電線が通っています。プラント候補地において、バイオガスプラントシステムを設置したイメージ図（図 14－4）を示します。併せて、日当たりの良い丘陵面を利用して太陽光パネルを設置したソーラーパークや、プラントコージェネ排熱を利用した温室ハウスのイメージ、既設送電線を示します（図 14－4）。

「地域内経済循環」及び「地域脱炭素化」

プラントは、自治体（川場村）と畜産農家、地元企業を中心とした連携によって運用していくことが望ましいと考えられます。畜産農家は毎日、発生する乳牛ふんを運搬し、プラントに投入することから、日常の点検・管理を 6 農家で交代して行うことで効率的な運用が可能となります。

排出される消化液については、畜産農家や耕種農家の圃場で液肥として活用することを別途検討し、利用する圃場に合わせた散布方法・運用面についても併せて検討する必要があります。

また、プラントの保守点検・メンテナンス対応は地元企業がメーカーと連携して行うことも大切です。

これらの関係主体によって目的会社（SPC）を立ち上げるか、あるいは既存の SPC 事業体によって、排熱を利用したハウス栽培、発電及び送電事業を実施する体制が考えられます。

自治体が中心となって自治体新電力を立ち上げ、再エネ発電所を運営するとともに、小売電気事業を実施するスキームが考えられます。電気料金の収入によって人件費や運営費を支払い、原料・消化液の需給や電気と熱のエネルギー需給を行う方式になります。

熱利用によってハウス栽培を行うとともに、消化液・堆肥をハウスや村内圃場へ肥料として供給していくために、役場が中心となって畜産農家と耕種農家とともに協議して合意形成を促すことが重要です。

ハウスで栽培した食材は道の駅や観光施設に提供することを念頭に、栽培種について検討します（村内では、これまで熱利用によっていちごやバナナ等の栽培を行っています）。

世田谷区との連携・協力協定に基づく電力供給を念頭に置いて、これまでに構築した関係主体と協議しながら仕組みづくり、体制づくりを行う必要があります（図 14－5）。

以下に例として、原料、メタンガス発電、メタン発酵残渣肥料利用の面か

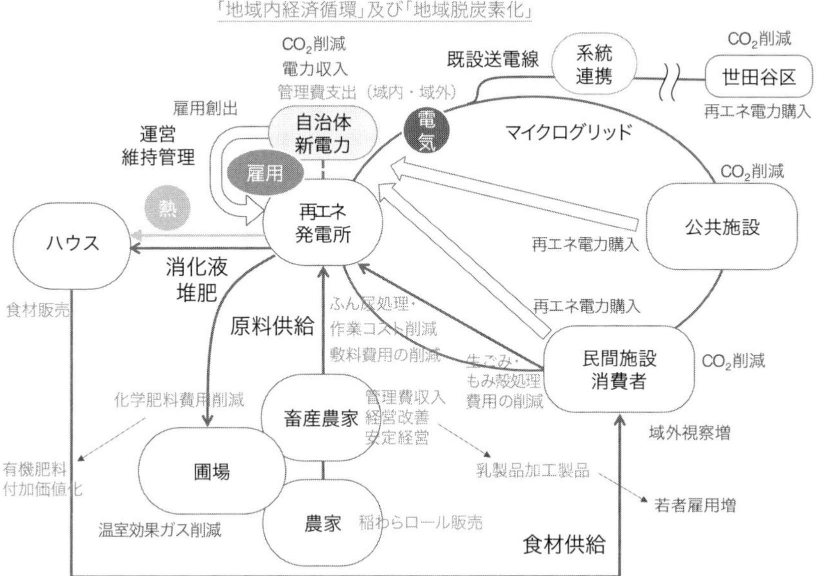

図 14－5　自治体新電力＋マイクログリッドと地域内経済循環（資金循環）

ら、資金循環（収入・支出）がどうなるかを示します。

①原料

乳牛ふん：畜産農家のふん尿処理（堆肥化作業）・畑作にかかる作業コストの大幅削減→地域内の支出削減、収入増加（プラント管理）→畜産農家の経営改善・安定経営→乳製品加工品製造→若者雇用創出

稲わら・もみ殻：農家の稲わらロール販売収入→地域内の収入増加、水稲圃場の温室効果ガス削減（稲わらすき込み削減）

生ごみ：各ホテルの生ごみ処理費用の削減→地域内の支出削減

②メタンガス発電（コージェネ）

地域外へ支出増加：プラント設置費用・維持費の支払い

売電収入：自治体新電力 or SPC の収入→地域内の収入増加（再エネ電力販売）・地域外への支出減少（商用電力購入削減）→都市の CO_2 削減

熱利用収入：自治体新電力 or SPC の収入→地域内の収入増加（食材販売）→地域内の収入増加（域外からの視察増加）

③メタン発酵残渣肥料利用（堆肥・消化液）

固形排出物（土）：乾燥して再生敷料となる（敷料費用の削減）→地域内の支出削減

消化液：化学肥料代替として活用（肥料費用の削減）→地域内の支出削減→地域内の収入増加（有機肥料による付加価値化）

4）小美玉市（茨城県）「石油資源によるエネルギー・インフラを自然エネルギー・インフラ（グリーンインフラ）に切り換える」

小美玉市のバイオマス賦存量及び経済的ポテンシャルを表14－2に整理します。

モデルケースとして、原料を乳牛ふん尿＋豚尿のみ＋鶏ふん＋その他とした場合の原料の割合を表14－3に示します。

図14－6に事業全体のスキームを示します。

与えられた原料で、年間約1,000kWの電力と熱の生産が可能です。日々の工場の稼働状況や入力の量・質によって、出力が変動することがありますが、マルチステージ・バイオガスプラントは、安定した運転、柔軟性、効率性、冗長性を実現しています。また、連続運転のための冗長性も確保されています。

原料ミックスは、事業主体の要望に合わせ、最も効率的なものにすることができます。

野菜くずと鶏糞は、バイオガスプラントにとって最も困難な原料であり、生物学的にも技術的にも困難な原料でした。マルチステージ・バイオガスプラントでは、これらの原料に対処し、それぞれリスクを回避または最小化することができます。

原料の組成が一定でない場合がありますが、これはマルチステージ・バイオガスプラントにとって問題ではありません。シングルステージのバイオガ

表 14－2　小美玉市のバイオマス賦存量及び経済的ポテンシャル

	「畜産環境対策大辞典」			ふん尿量 収穫量	原料 1t 当りのエネルギー発生量 （北海道の実績値）		総エネルギー発生量		FIT
	発生量原単位	飼養頭羽数 作付面積			電気	熱	電気	熱	35
	kg/頭·羽·日	頭·ha		t/年	kWh/t	kWh/t	kWh/年	kWh/年	万円
1）乳牛ふん尿ベースのメタン発酵施設の可能性									
乳牛飼養頭数	60	6,270		137,313	67	77	9,241,851	10,562,116	36,043
肉用牛飼養頭数	20	420		3,066	56	64	171,964	196,531	671
豚飼養頭数	8	47,300		138,116	58	67	8,056,444	9,207,365	31,420
採卵鶏飼養頭数	0.15	2,655,000		145,361	305	349	44,352,043	50,688,049	172,979
総　計									241,107
2）草本系バイオマスメタン発酵施設の可能性			利用可能バイオマス量						
		t/ha	t/収穫量－（t-ha）						
耕作放棄地：デントコーン	50.0	600	50%	15,000	368	420	5,519,010	6,307,400	21,524
水稲	5.4	1,040	1.2	6,739	157	179	1,058,358	1,209,552	4,128
甘薯	23.1	108	1.5	3,750	321	367	1,203,077	1,374,945	4,692
そば	0.4	144	2.2	123.2	247	282	30,404	34,747	119
牧草	50.0	52	20%	520	157	179	81,663	93,330	318
青刈とうもろこし	54.4	349	10%	1,900	368	420	699,075	798,942	2,726
ソルゴー	59.2	238	10%	1,410	157	179	221,433	253,067	864
Cf. イタドリ	36.0	100	100%	3,600	165	188	594,000	676,800	2,317
Cf. 多年草野草	17.0	100	100%	1,700	242	277	411,907	470,750	1.606
総　計									38,294
3）その他									
野菜残渣	34.5	370	100%	12,765	45	51	572,766	654,589	2,234
食品加工残渣									
生ごみ									

表 14－3　モデルケースの原料の割合

利用する原料	日　量	年間量
	t/日	t/年
牛ふん尿　ふん尿	10.0	3,650
豚ふん尿　尿のみ	5.0	1,825
乾燥鶏ふん	20.0	7,300
野菜くず	25.0	9,125
稲わら（畳）	5.0	1,825
	65.0	23,725

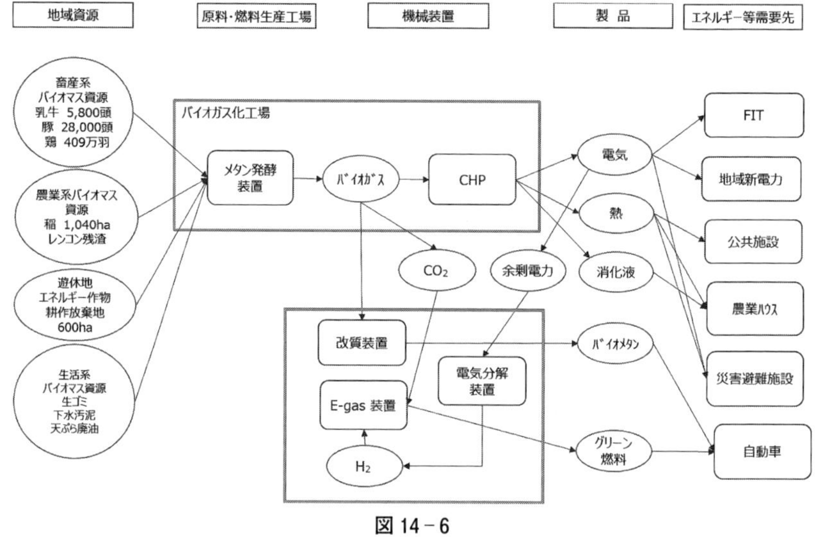

図 14－6

スプラントが原料の変化に適応するために時間を必要とするのに対し、マルチステージ式では原料の種類や量の変化に柔軟に対応することができます。加水分解とマルチステージの微生物制御により、幅広い種類の原料を利用することができます。これは、わらや EFB* のような非常に繊維の多い原料から、屠殺場廃棄物や食品産業廃棄物のような非常にエネルギーの多い原料まで、幅広く対応することができます。

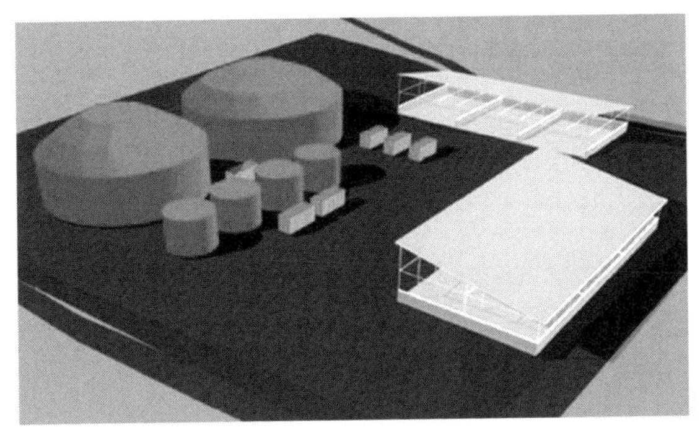

図 14－7 プラント全体の 3D イメージ

＊EFB（EMPTY FRUITS BUNCH）：空果房

(3) 地域に創出する事業体

メタン発酵システムは、地域固有の原料を使用し、発生するエネルギー（電気・熱）も地域で活用する（エネルギーの地産地消を行う）ことが肝要であり、システムの建設からメンテナンスも地域内事業者が参加して行うようにすることが理想です。

小美玉では、地域内の農畜産業者や民間事業者が「バイオマス利活用地域協議会」を設立し、導入に向けた具体的な検討が行われた。

原料調達から、プラント建設・メンテナンス体制まで、地元関係者を結集させる体制を図 14－8 に示しました。既に、小美玉市では、畜産農家、野菜農家、元請事業者（土建業者）、機械・配管・電気工事業者などの賛同を得て、新事業体として「(株) バイオマス・エネルギーセンター」（略称（株）BEC）が発足しています。

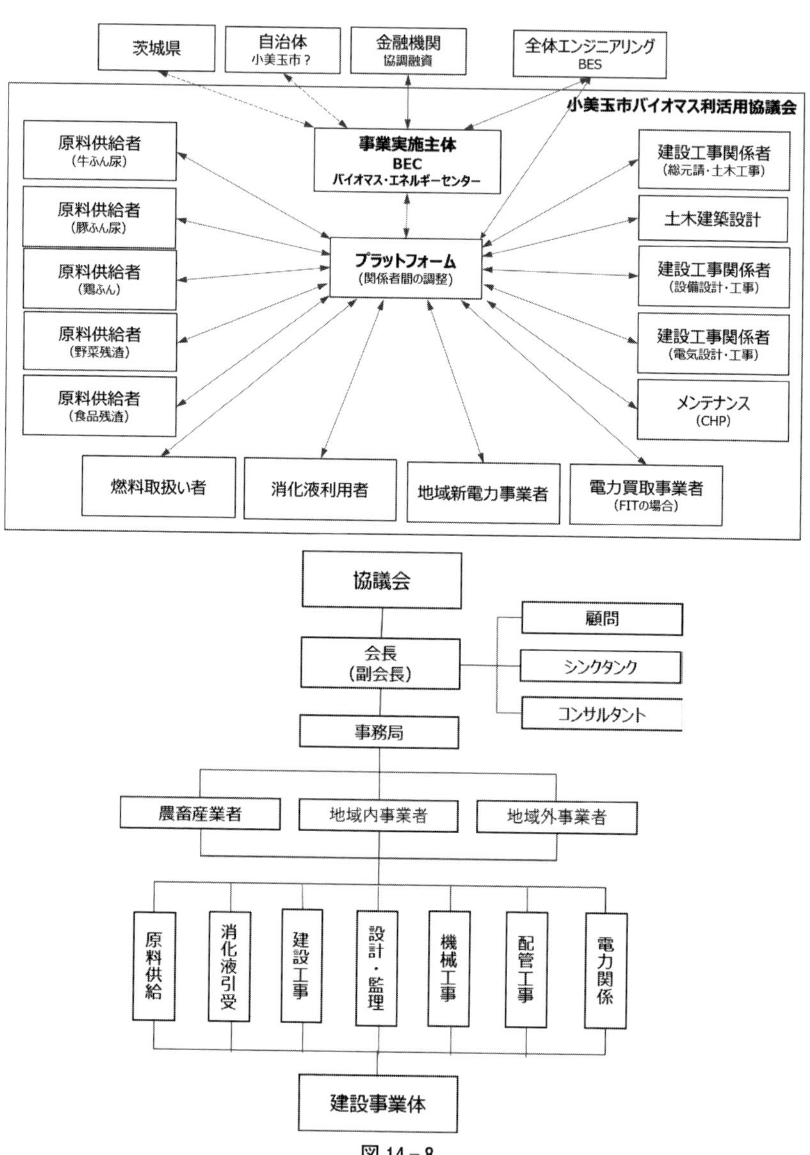
茨城県
自治体
小美玉市？
金融機関
協調融資
全体エンジニアリング
BES
小美玉市バイオマス利活用協議会
事業実施主体
BEC
バイオマス・エネルギーセンター
原料供給者
（牛ふん尿）
原料供給者
（豚ふん尿）
原料供給者
（鶏ふん）
原料供給者
（野菜残渣）
原料供給者
（食品残渣）
プラットフォーム
（関係者間の調整）
建設工事関係者
（総元請・土木工事）
土木建築設計
建設工事関係者
（設備設計・工事）
建設工事関係者
（電気設計・工事）
メンテナンス
（CHP）
燃料取扱い者
消化液利用者
地域新電力事業者
電力買取事業者
（FITの場合）
協議会
顧問
会長
（副会長）
シンクタンク
コンサルタント
事務局
農畜産業者
地域内事業者
地域外事業者
原料供給
消化液引受
建設工事
設計・監理
機械工事
配管工事
電力関係
建設事業体

図 14－8

ま と め

本書では、「再生可能エネルギー」と「自然エネルギー」とを同義として、「再エネ」の用語に統一して使いましたが、両者は違った概念です。この議論は拙著『自然エネルギーが生み出す地域の雇用』に譲るとして、そこで記述した「自然エネルギーを考察するには、自然をどう見るかが出発点になる」という言い方は、「自然エネルギー（再エネ）を考察するには、“地域資源”をどう見るかが出発点になる」と言い換えた方が適切です。

“地域資源”とは、地域に客観的に実在する物理的実体もしくはそうした実体に根ざしたものであり、しかも地域固有性・多様性に根ざす実体であることを理解できれば、自然エネルギーと言おうが再エネと言おうが曖昧さは無くなります。

更に“地域資源”で言う「地域」についても、「地域」が付く言葉が至る所で使われていて、それぞれが理解する「地域」という曖昧さが付きまとうのですが、具体的に地域資源を出発点にすると、“再エネを活かす地域”はもっとしっかりした概念として捉えることが出来ます。

自治体の脱炭素の全体スキーム

こうしたことを踏まえた上で、現在焦眉の課題になっている「再エネを活かした、即ちCO_2排出を抑制した地域をつくる」ために、地域の人々（取り分け自治体）が再エネをどう活かすか、脱炭素をどう進めるか、地域資源から始めて再エネを活かす取組の全体スキームを図に示します。

再エネ技術をどう見るか

地域資源を再エネ化するには、技術的手段が不可欠です。本書をまとめるにあたって、技術一般の見方について改めて簡単に振り返ってみます。

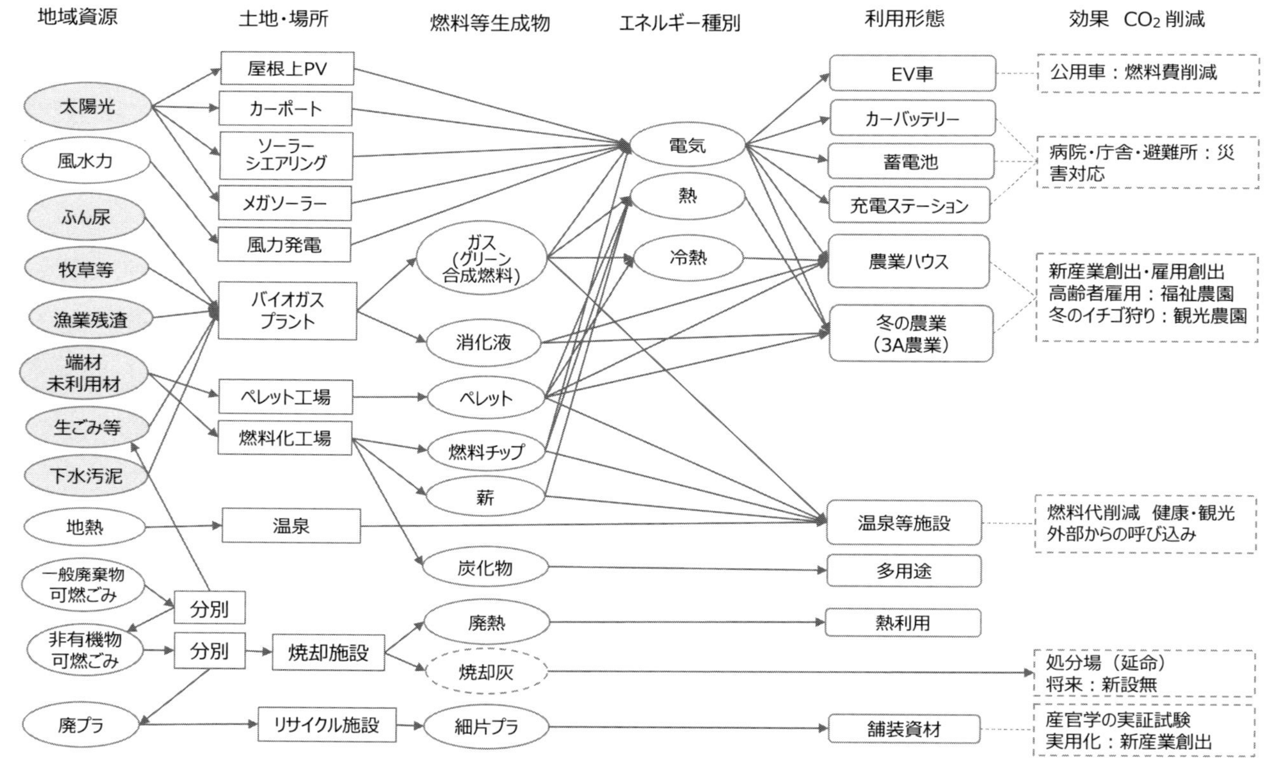

自治体の脱炭素の全体スキーム

①全体を見ること

技術システムは、重要な特質として、「個々の要素技術を最適な形で組み合わせて全体を構成する技術」であるという特質を有しています。技術システムの最適性を実現するためには、全ての構成要素やその条件を同時に考え、決めなければならないのです。このためには、その技術が関係する全体の構成技術の中での位置を知ること、即ち全体を見ることが必要です。

あらゆる機械・装置は、その要素技術の関わり方がでたらめではなく、繰り返し構造（再帰的構造）になっていることは、本書で見た通りです。これこそが技術の本質であり、一見捉えようのない技術要素の集合体からなる技術システムであっても何らかの構造があるのです。

そして、技術システムを構成する技術は、多様な要素技術のネットワーク的連関を持ちながら、相互に関連した繰り返し構造になっています。

本書で度々「ブロック図」で全体を示しましたが、そのブロック図こそが、「繰り返し構造（入れ子構造）」*になっています。技術システムは、複数の主要技術から成り、それぞれの主要技術が、更に複数の要素技術から構成され、更に要素技術が、それ以下には細分割されない部品に至るまで、“入れ子”を繰り返えすという構造になっているのです。

*「入れ子」とは、箱や器、家具などで、ある大きさの物の中にそれよりも小さな物を順番に重ねて入れていくこと。分かりやすい例としては、重箱や、ロシアのマトリョーシカなどが代表的な入れ子構造となる。

②表に見えないもの

個々の要素技術やその技術システムの「機能・性能」あるいは「部品」の姿として見えていても、単にその積み上げが「製品」や「仕組み」になるというものではありません。その裏には、具体的にはなかなか見えにくい“全体をまとめ上げる概念”やそのための技術が隠されています。

「全体の目的を的確に定義する力」「前提条件を適切に想定する力」「全体の

設計思想や哲学、内包する相反事項、それぞれのバランスを取る能力」「適切な要素／部品を選択し、組み合わせて実現する最適化の能力／システム思考力」「効果的な組み合わせ方」「判断・決定の基準」「大局のつかみ方」「どうすれば確信できるのか」「固定観念に対峙する合理的発想と最適化」等々、技術システムを成り立たせる多くの要素は表に見えるものではありません。

③背後にある科学的知識

技術システムは、単なる工学的知見だけで無く、幅広く諸科学の知見を背後に持っています。

例えば、第４章で取り上げた「メタン発酵システム」では、次表の基礎科学と応用科学の知識が必要になります。

メタン発酵システムに必要な諸科学の知識

工学(応用科学)	生物(微生物)工学・応用化学・合成化学工・機械・電気・電子工学
自然科学	生物学(微生物学)・植物学・食品化学…化学・物理学(複雑系の物理学)
社会科学	経済学・社会学…

④物事の本質は、そもそもの始まりに見える

技術において、表に出ないものの理解が、技術の本当の理解になりますが、もう一つ重要なことがあります。それは、物事の本質は、そもそもの始まりに見えるということです。従って技術について言えば、歴史的発展過程に本質が見えます。即ち技術は、社会の発展過程に伴う科学的進歩と技術の歴史的発展段階に制約されている（技術の歴史的被制約性）という事実を知ることの重要性です。

本書では、この再エネ技術の歴史性については、ごく簡単に触れるに留めましたが、技術進歩は急速であり、その歴史の始まりとその後の発展過程、そして到達点を検討する中で、表には表れていない原理的考え方を明らかにし、再エネ技術とは何か、という根源的問いに答える「再エネ技術論」のようなものが必要になるかと思います。

⑤技術は進歩する

再エネ技術は、今後ますます技術革新（イノベーション）が進むと考えられます。技術は次々に新しい技術に取って代わります。技術は、イノベーションを根底に発展することを本質にしています。

例えば、「第4章（3）（3－3）5）バイオガスプラントの技術の全体像」の図4－46に示したように、バイオガスプラントは多くのアセンブリーから構成されており、また1つのアセンブリーも細部まで見ると実に多くの要素技術から構成され、更にその要素技術も多くの部品で構成されています。こうした無数の技術や部品を混ぜこぜにすると全く混沌（カオス）状態ですが、入れ子構造に整理する（秩序化）と個別要素の全体にどう位置づいているか、相互にどう関係しているかが理解できます。

このような混沌（複雑化する関係性）から秩序を見出す関係性の中で、イノベーションが生れるのです。それ故、イノベーションが発出する可能性は無限にある、即ち技術進歩の可能性は無限にあるということです。私たちは、技術は進歩するものであることを、しっかり自覚して、次々に現れる進歩を謙虚に迎えることが大事です。

コロナ禍で“時間が出来た”と感じて、これ迄の10年間の資料の総まとめをしようと思っていた時に、自治体研究社の高橋さんから声が掛かり、今回の出版になりました。たまたまその時、“Renewable Energy Resources”の第4版（Taylor & Francis、2021年）が出版されたこともあり、目を通していた時でした。

当初この書の翻訳のようなことも考えましたが、総頁数700頁を超える大著であることや日本には合わない内容も散見され、本書のような形で書き下ろすことにしました。

1年前には出版出来ると思って手を付けてみると、正に再エネ技術（特に、バイオマス関係の技術）の進歩は急速であり、その把握に予想以上に時間が掛かりました。

抜けている点、勘違いや誤りがあるのではないか、新しい技術の把握が出来ていないのではないか、と言った不十分さが目立ちますが、再エネ化の大前提である「地域資源」について、とにかく全体をまとめた書は日本に無いことから、自治体を先頭にした再エネ導入に少しでも役立つことを期待して出版することにしました。

2024年3月

著　者

著者紹介
大友詔雄（おおとものりお）
1945年　北海道生まれ
工学博士
株式会社NERC（自然エネルギー研究センター）代表取締役
株式会社NETC（自然エネルギー技術センター）代表取締役
株式会社BES（バイオエナジー・ソリューションズ）代表取締役

著書
『時間感染症学』（共著、北海道大学図書刊行会、2020年）
『自然エネルギーが生み出す地域の雇用』（編著、自治体研究社、2012年）
『"木質ペレット"で地産地消とエコの促進を』（うおんつブックレット、2009年）
『最大エントロピー法による時系列解析―MemCalcの理論と実際―』（共著、北海道大学図書刊行会、2002年）
『生体時系列データ解析の新展開』（共編著、北海道大学図書刊行会、1996年）
"A Recent Advance of Biological Time Series Analysis — Maximum Entropy Method and Its Applications to Medical and Biological Fields —"、（共編著、北海道大学図書刊行会、1994年）
『生物リズムの構造－MemCalcによる生物時系列データの解析－』（共編著、富士書院、1992年）
『原子力技術論』（共著、全国大学生協連合会、1990年）
『情報の科学―シャノン情報からファジィ情報へ―』（共著、富士書院、1989年）
『核・その事実と論理―核問題の総合的把握―』（全国大学生協連合会、1987年）

地域資源入門
――再生可能エネルギーを活かした地域づくり――

2024年3月29日　初版第1刷発行

著　者　大友詔雄

発行者　長平　弘

発行所　株式会社　自治体研究社
〒162-8512 東京都新宿区矢来町123　矢来ビル4F
電話　03-3235-5941　ファックス　03-3235-5933
https://www.jichiken.jp/　E-mail : info@jichiken.jp

印刷・製本　モリモト印刷株式会社　　DTP組版　赤塚　修

ISBN978-4-88037-764-3 C0036